D0582567

Von der gleichen Autorin erschienen außerdem
als Heyne-Taschenbücher

Regina auf den Stufen · Band 702
Vergiß, wenn du leben willst · Band 980
Die Frauen der Talliens · Band 5018
Jovana · Band 5055
Tanz auf dem Regenbogen · Band 5092
Gestern oder Die Stunde nach Mitternacht · Band 5143
Alle Sterne vom Himmel · Band 5169
Quartett im September · Band 5217
Der Maulbeerbaum · Band 5241
Das Paradies der Erde · Band 5286
Stella Termogen · Band 5310
Gespräche mit Janos · Band 5366
Der Schatten des Adlers · Band 5470
Der Mond im See · Band 5533

UTTA DANELLA

DER SOMMER DES GLÜCKLICHEN NARREN

Roman

WILHELM HEYNE VERLAG
MÜNCHEN

HEYNE-BUCH Nr. 5411
im Wilhelm Heyne Verlag, München

5. Auflage

Genehmigte, ungekürzte Taschenbuchausgabe
Copyright © 1976 by Franz Schneekluth Verlag KG, München
Lizenzausgabe mit Genehmigung des Schneekluth Verlages
Die Originalausgabe dieses Romans erschien unter dem
Autorennamen Stephan Dohl
Printed in Germany 1979
Umschlagfoto: Bavaria-Verlag, Gauting
Umschlaggestaltung: Atelier Heinrichs, München
Gesamtherstellung: Ebner Ulm

ISBN 3-453-00804-9

»Na ja«, sagt Florian und blickt mit dem kühlen Blick des Weltmanns in die Runde, »so was is Geschmackssache. Ihr steht eben auf so was.« Immerhin hat er sich die Haare schneiden lassen zur Feier des Tages und das neue blaue Samtjackett angezogen, das er bisher als ›zu affig‹ abgelehnt hat.

Sein Bruder Sebastian, zwei Jahre jünger, was bedeutet, daß er zwölf ist, läßt sich leichter beeindrucken. Außerdem widerspricht er seinem Bruder, wann immer es möglich ist. Darum erklärt er: »Ich find's echt Klasse. Schnieker Laden.« Soweit die Jugend. Meine Tochter Lix, weitgereist und welterfahren, Fernsehreporterin, lächelt mir zu. Für sie ist es eine Selbstverständlichkeit, in einem Luxusrestaurant zu speisen, sie hat die Sicherheit der erfolgreichen jungen Frau von heute. Obendrein hat sie seit einiger Zeit auch einen Ehemann, Dr. phil., Richard mit Namen, von ihr Ricky genannt. Ich kann ihn ganz gut leiden, nachdem ich mich an ihn gewöhnt habe. Man muß sich ja überhaupt erst mal an die Tatsache gewöhnen, Schwiegervater zu sein. Soweit ich es beurteilen kann, kommen die zwei gut miteinander aus. So direkt erfährt man ja von jungen Leuten nicht viel. »Wie ist denn das nun so«, habe ich Lix kürzlich mal gefragt, »mit euch beiden? Seid ihr glücklich? Ist er der Richtige?«

»Gott, Paps, du stellst Fragen! Der Richtige – aus welcher Gartenlaube hast du das denn?«

Es war mir sehr peinlich. »Ich meine ja nur. Geht mich ja nichts an.«

Lix lächelte verzeihend. »Ricky ist okay«, sagte sie dann gelassen. »Man wird sehen, wie er sich so macht mit der Zeit. Sonst wird er ausgetauscht.«

Emanzipation, nicht wahr? Man weiß Bescheid, auch wenn man schon so ein alter Trottel ist wie ich. Bei mir mußte es immer Liebe sein.

Sie braucht nicht unbedingt einen Mann. Geld verdient sie selber. Abwechslung hat sie auch ohne ihn, und Männer hat es in ihrem Leben auch immer gegeben. Einzelheiten darüber weiß ich nicht. Ich werde mich hüten und allzuoft dumme Fragen stellen. Ich bin nur der Vater.

Jetzt hat sie also mal geheiratet, und Ricky ist okay. Man wird sehen, was daraus wird.

Mir gegenüber sitzt Rosalind.

Vielleicht sollte ich aber erst einmal berichten, wo wir eigentlich sitzen und wie es zu diesem Auftrieb kommt.

Wir sind beim Humplmayr.

Für den Fall, ein Mensch ist aus München, muß man nun weiter nichts erklären. Für den Fall, ein Mensch hat das Pech, nicht aus München zu sein, sei ihm mitgeteilt, daß Humplmayr eins der feinsten Restaurants von München ist. Ein Nobelrestaurant, wie man heute sagt.

Und noch dazu eins, das es schon immer gibt. Das ist das seltene daran. Denn wir haben natürlich in München eine ganze Menge guter, bester und auch teurer Lokale, gelegentlich kommt ein neues dazu, dann wieder verschwindet eins, irgendeins ist immer besonders ›in‹, da will dann unbedingt jeder dort essen, und man muß tagelang vorher einen Tisch bestellen. Manchmal ist das nur ein kurzer modischer Höhepunkt, und das Restaurant ist genauso plötzlich, wie es ›in‹ wurde, wieder ›out‹.

Humplmayr, wie gesagt, hat es immer gegeben und gibt es noch. Ich, der ich ein echter Münchner bin, was eine ziemlich seltene Spezies Mensch geworden ist, weiß, daß es den Humplmayr schon gegeben hat, als ich ein kleiner Bub war. Gegessen haben wir natürlich dort nie, wir waren einfache Bürger und kamen gar nicht auf die Idee, in ein so feines Restaurant zu gehen. Als ich erwachsen war, kam ich auch nicht auf die Idee, ganz einfach darum, weil ich das Geld dazu nicht hatte.

Wer auf solche Ideen kam, war Rosalind. Zwar ist sie auch nicht in einer Millionärsfamilie groß geworden, aber bei ihr ist das eben so. Sie war immer süchtig nach Luxus. Nach jeder Art von Luxus.

Als wir jung verheiratet waren, hatten wir gar kein Geld. Nachkriegszeit und so. Die Zeiten wurden besser und besser, die Zeiten wurden großartig, das Wirtschaftswunder brach über uns herein und bescherte uns ein Schlaraffenland ohnegleichen, wie es das nie zuvor in diesem Land gegeben hat und vielleicht auch nie wieder geben wird.

Bloß, ich, Depp, der ich bin, nahm am Wirtschaftswunder nicht teil. Wieso und warum, werde ich später noch erklären.

Jedesmal aber, wenn uns der Weg über den Maximiliansplatz führte, blieb Rosalind vor der vornehmen Humplmayr-Holztür stehen und seufzte sehnsüchtig: »Hierher möchte ich für mein Leben gern mal essen gehen.«

Was macht ein Mann, der eine Frau so liebt, wie ich Rosalind liebte, und zudem noch ständig ein schlechtes Gewissen hat, weil er einer so bildhübschen Frau fast keinen ihrer Wünsche erfüllen kann? Er überlegt, rechnet, spart und sagt eines Tages: »Weißt du was, Liebling? Heute abend gehen wir mal zum Abendessen zu Humplmayr.«

Ein Jubelschrei, ein Kuß, verzweifelter Blick in den Kleiderschrank, Friseur.

So war das damals vor . . . vor . . . Zeit, du gefräßiges Ungeheuer, wie lange ist das her? Zweiundzwanzig, dreiundzwanzig Jahre etwa würde ich schätzen.

Rosalind, die es auch nicht gewöhnt war, Luxusrestaurants zu besuchen, machte ihre Sache gut. Frauen haben ja dafür ein angeborenes Talent. Anmutig schritt sie hinter dem Oberkellner her, setzte sich auf den zurechtgerückten Stuhl – damals sah das hier ein bißchen anders aus, ein paarmal haben sie natürlich inzwischen umgebaut und umdekoriert, aber ein sehr vornehmes Lokal war es immer –, sie sah sich mit glänzenden Augen um, strich eine dunkle Locke zurecht und vertiefte sich in die Speisekarte. Das tat ich auch, und zwar tat ich es zunächst auf der rechten Seite. Gott steh mir bei! Ich überzählte im Geist nochmals meine Barschaft, aber dann dachte ich: Sei's drum! Einmal ist keinmal. Und wenn ich alles ausgebe bis zum letzten Pfennig.

So schlimm war's dann gar nicht. Gemessen an heutigen Preisen – du lieber Himmel!

Wir suchten beide nicht das Teuerste aus, weder Austern noch Hummer, wir hätten gar nicht gewußt, wie man damit umgehen soll. Aber ich weiß noch, daß es uns großartig geschmeckt hat und daß wir beide hochbefriedigt waren. Der Unterschied zwischen uns beiden bestand darin, daß ich ohne Luxuslokale leben konnte. Rosalind nicht. Aber davon später.

Ob sie wohl noch daran denkt?

Ich schaue sie an, und sie gefällt mir immer noch. Es liegen eine ganze Reihe von Jahren zwischen jenem und dem heuti-

gen Abendessen, und Rosalind ist nun immerhin auch schon –
o nein, Schweigen. Einer Frau soll man ihr Alter nie nachrech-
nen, das ist die unfeinste aller unfeinen Taten, außerdem, und
das ist die reine Wahrheit, sieht sie wundervoll aus. Ihr
Make-up ist vollendet, das Haar hat einen leichten Kupfer-
schimmer jetzt, was ihr gut steht, das Kleid, das sie trägt, ist
weit und breit das eleganteste. An ihrer Hand blitzt es, an ihrem Hals auch, und es blitzt echt. Zwölf Austern verspeist sie
jetzt im Handumdrehen, und nun . . . nun treffen sich unsere
Blicke.

Was denkt sie? Ähnliches wie ich? Oder denkt sie gar nicht
mehr daran?

Ein kleines Lächeln in ihrem Mundwinkel, sie läßt den Blick
über die Tischrunde gleiten, lächelt etwas ausdrucksvoller
meinem Verleger zu, er hebt sein Glas, sie nimmt das ihre, sie
trinken beide. Ich weiß, daß er eine Schwäche für sie hat, aber
welcher Mann wäre ihr gegenüber je gleichgültig geblieben?

Jetzt sieht sie mich wieder an.

»Ein schnieker Laden, Sebastian hat recht. Ist immer noch
hübsch hier«, sagt sie. »Weißt du noch, wie wir das erstemal
hier waren?«

Sie erinnert sich also doch. Das freut mich, das freut mich
unheimlich. (Unheimlich ist ein Lieblingswort von Florian.)

Sie erzählt der Tischrunde von unserem ersten Ausflug in
die Welt der feinen Leute, sie tut das sehr hübsch, mit kleinen
Pointen, mit etwas Ironie, und berichtet auch noch, daß ich ihr
im Verlauf des Abends drei Rosen kaufte, als die Blumenfrau
durch das Lokal kam. Sieh mal an, das hätte ich gar nicht mehr
gewußt.

»Drei Rosen«, staune ich. »Ich muß mir vorgekommen sein
wie Gunter Sachs.«

Meine Söhne gackern, und ich sehe, wie Muni lächelt. Ein
wenig wehmütig, aber nicht ohne Stolz. Sie ist mit dem Ablauf
meines Lebens, so wie es sich in den letzten Jahren entwickelt
hat, ganz zufrieden.

»Lümmel dich nicht so«, sagt sie dann streng über den Tisch
hinweg zu ihrem Enkelsohn Florian.

Worauf das blaue Samtjackett sich ordentlich hinsetzt und
die Ellenbogen vom Tisch nimmt.

O nein, auch als Oma ist Muni kein sanftes Lämmchen. Die
Buben kriegen nichts anderes zu hören, als ich zu meiner Zeit

zu hören bekam. Und bei gegebenem Anlaß auch heute noch zu hören bekomme.

Auch über Munis Alter wollen wir nicht reden, auch sie ist eine Frau. Sie ist gesund, Gott sei gedankt, bißchen Arthritis im Knie, bißchen schwerhörig, was sie ärgert und was sie kaschiert, so gut es geht.

»Nuschel nicht«, sagt sie zu mir, wenn sie mich nicht verstanden hat, und ich habe mir in den letzten Jahren zu meinem sowieso sonoren Bariton noch eine erstklassige Artikulation angewöhnt.

Ihre Augen sind klar, ihr Haar ist weiß, sie färbt es nicht, aber sie war heute beim Friseur und sieht ausgesprochen wohlsituiert aus in ihrem hellgrauen Seidenkleid, das um den Hals eine feudale Perlenstickerei aufweist.

Um nun endlich die Tischrunde vollständig vorzustellen, und auch den Anlaß dieser festlichen Zusammenkunft zu verkünden, fahre ich fort und berichte . . .

Doch da unterbricht mich mein Verleger.

»Mein lieber Freund«, sagt er, damit meint er mich, woraus jeder entnehmen kann, daß ich kein ganz erfolgloser Schriftsteller bin, »mein lieber Freund, ich finde es so schön, daß wir die ganze Familie hier versammelt haben, um ein bißchen zu feiern. So ein reizendes Familienleben haben nicht alle meine Autoren aufzuweisen.«

Ich muß grinsen.

»Was ein Glück für dich ist«, sagte ich. »Das wäre ein teurer Spaß, wenn jeder Autor soviel Familie auf die Beine brächte.«

Denn natürlich muß der Verleger das alles bezahlen. Das ist so der Brauch, wenn Verleger mit Autoren essen gehen, das gehört zu ihrem Geschäft.

Seine Frau, die rechts von mir sitzt, lacht.

»Da ist was dran«, sagt sie.

Ich warte eine Weile ab, ob der Verleger eine Rede halten will, ist aber nicht der Fall, war nur eine Bemerkung. Rede kommt später. Ich werde auch eine halten. Nach dem Dessert. Vor dem Dessert. Mal sehen.

Aber um noch mal darauf zurückzukommen, was wir hier feiern mit Kind und Kegel, Frauen, Mutter und sonstigem Zubehör, ist folgendes . . .

Nein, so geht es nicht.

Ich bin kein richtig moderner Autor und bin es gewöhnt, eine Geschichte von vorn zu beginnen.

Nicht ganz von vorn, nicht direkt bei meiner Geburt, keine Bange. Aber gehen wir ein paar Jahre zurück, fünfzehn, siebzehn Jahre etwa? Ja?

Das war ein Tag im Mai. Hier in München. Eine schöne Zeit war das. In Bonn regierte noch der Adenauer, das Wirtschaftswunder stand in voller Blüte, es gab nicht soviel Fernsehen, dafür aber noch hübsche Filme, die Röcke der Damen waren nicht zu kurz und nicht zu lang, so gerade richtig, wie ich es gern habe, die jungen Leute hatten keine langen Haare und machten keine Demonstrationen, richtig unzufrieden war eigentlich niemand, denn sooo lange lag der Krieg auch nicht zurück, daß man nicht gewußt hätte, wie mies das Leben sein kann, wenn es wirklich mies ist, es gab keine Terroristen, keiner wurde entführt, Banken nur von echten Bankräubern sehr selten beraubt, Menschenleben wurden irgendwie wichtig genommen, Leute einfach niederschlagen, niederschießen, kaputtmachen war absolut nicht Mode, und wenn es mal vorkam, wurde es bestraft, Rauschgift kam nur in Kriminalfilmen vor, aus den Illustrierten sprangen einem noch nicht die nackten Busen und Popos mitten ins Gesicht, was ein Grund war, sich privat mehr für einen hübschen Busen und einen runden Popo zu interessieren, es gab keinen Wohlstandsekel, keine Untergangsstimmung, keinen Leistungszwang, es gab eben geradesoviel Neid, Bösartigkeit und Gehässigkeit, wie sie Menschen zu allen Zeiten füreinander empfinden, aber es hielt sich in normalen Maßen – kurz und gut, es war so eine richtig gute alte Zeit. Auch wenn es gar nicht lange her ist. Die paar Jahre, die vergangen sind, kaum der Rede wert. Man könnte meinen, ein Jahrhundert liege dazwischen, aber es ist nur reichlich ein Jahrzehnt. Ein und ein halbes genau. Was für eine rundherum glückliche Zeit war es für dieses Land und für dieses Volk!

Allerdings für mich war gerade dieser Tag im Mai kein glücklicher Tag.

Geliebte Rosalind

Rosalind sah wie immer bezaubernd aus. Sie trug ein schwarzweißes Kleid, sehr elegant und seriös, dem ernsten Vorgang angepaßt, dazu ein winziges weißes Strohhütchen und an den schlanken Beinen hochhackige Pumps. Ich brauchte sie gar nicht anzusehen, als sie neben mir den langen Gang entlangging, ich wußte, wie schön sie war. Ob ich jemals aufhören würde, sie zu bewundern? Jemals aufhören konnte, sie zu lieben? Vermutlich nicht. Und die Tatsache, daß wir vor einer Viertelstunde geschieden worden waren, schien nichts daran zu ändern. Mir war ziemlich benommen zumute.

Ich hatte Angst gehabt vor diesem Tag. Alles würde zu Ende sein mit dem Tag, mit der Stunde, da Rosalind endgültig von mir getrennt sein würde. So hatte ich gedacht. Nun war es passiert, und ich lebte immer noch und bewegte mich ganz gelassen neben der Frau, die vierzehn Jahre lang meine Frau gewesen war, auf den Ausgang des Justizpalastes zu. Offenbar ging das Leben also weiter. Ich konnte mir nur noch nicht vorstellen, wie. Ganz demnächst würde ich einmal darüber nachdenken müssen.

Übrigens war Rosalind auch sehr ernst. Sie blickte ein wenig abwesend vor sich hin, und als ich sie mit einem vorsichtigen Seitenblick streifte, bildete ich mir sogar ein, eine Träne in ihrem Augenwinkel zu sehen. Vielleicht täuschte ich mich aber.

Es war alles ganz schnell und reibungslos gegangen, Rosalind hatte einen tüchtigen Anwalt, und ich hatte alle Schuld auf mich genommen. Lix, unsere Tochter Angelika, war natürlich Rosalind zugesprochen worden.

Schuld? Hatte ich Schuld auf mich geladen? Vielleicht! Sicher sogar, wenn auch nicht im herkömmlichen Sinn. Ich hatte Rosalind nie betrogen. Nie, nie, und ich hätte es auch nach dreißigjähriger Ehe nicht getan. Wie kann man sich für andere Frauen interessieren, solange Rosalind in der Nähe ist. Ein ganzes Heer von Schönheitsköniginnen wäre machtlos dagegen. Rosalind konnte einen Mann beschäftigen bis zum letzten Atemzug.

Das würde Konrad schon noch entdecken.

Konrad war der Mann, den Rosalind nach einer schicklichen Pause heiraten würde.

Konrad Killinger, Chef von Killinger AG, dreiundfünfzig Jahre alt und – nach Rosalinds Schilderung – groß und stattlich, mit einem interessant geschnittenen, männlich-schönen Gesicht, breiten Schultern, erstklassigen Maßanzügen, einem Mercedes 300 und einer Villa in Harlaching. Mit einem Wort, das reine Gegenteil von mir.

Vielleicht wäre das der richtige Moment, mich vorzustellen, dann habe ich es hinter mir. Wie gesagt, kein Vergleich mit Konrad. Ich bin fast vierzig Jahre alt, nur mittelgroß, sehr schlank, und, das möchte ich denn doch betonen, ein guter Schwimmer, ein ordentlicher Reiter, ein standfester Skiläufer und ein ausdauernder Radfahrer. Jawohl! Mein Gesicht ist ganz durchschnittlich, von Beruf bin ich Schriftsteller. Nicht sehr erfolgreich. Und außerdem heiße ich Adolf. O nein, nicht deswegen. Als ich geboren wurde, war es noch nicht peinlich, Adolf zu heißen, und mein Taufpate hieß nun eben mal so. Adolf Schmitt, so lautet mein voller Name. Ist es möglich, daß jemand Karriere macht, der Adolf Schmitt heißt? Wohl kaum.

Rosalind nannte mich immer Dodo. 1946, als wir uns kennenlernten, *konnte* man einfach nicht Adolf heißen. An Dodo habe ich mich auch nie recht gewöhnen können. Es kam mir so kindisch vor. Als sie mir verkündete, daß sie diesen Menschen, diesen Killinger, heiraten würde, dachte ich schadenfroh: Ob sie ihn wohl Coco nennen wird? Aber auf die Idee kommt bei diesem Mann wohl keiner, nicht einmal Rosalind.

Als wir durch die Tür des Justizpalastes ins Freie traten, schob Rosalind ihren Arm unter meinen. Sie lächelte mich an, gar nicht mehr traurig.

»Nun?« sagte sie.

»Ja«, erwiderte ich ein bißchen dämlich, »das wär's denn.«

»Das wär's denn«, wiederholte Rosalind in sachlichem Ton. »Immer gut, wenn man so was hinter sich hat. Geschichten mit Behörden regen mich immer auf. Aber der Richter war sehr nett, nicht?«

»Sehr.«

»Mir ist etwas flau im Magen«, fuhr sie fort. »Damals war das auch so, als wir heirateten.«

»Nein, wirklich?« staunte ich. »Davon habe ich nichts gemerkt.«

»Du merkst nie etwas.« Sie blickte einen kleinen Moment nachdenklich in den seidenblauen Himmel hinauf, der sich selig und unberührt über dem Stachus wölbte, als blicke er nicht auf eine wildbewegte, laute Großstadt mittags um zwölf Uhr, sondern auf die weltferne Lichtung vor dem Waldhaus.

»Ein wunderbarer Tag«, meinte Rosalind. »Ist das nun eigentlich das richtige Wetter, um sich scheiden zu lassen?«

»Offenbar doch«, sagte ich und blickte schnell zum Himmel. Ganz fern, ganz hoch zog ein winziges, silbernes Insekt eine weiße Spur in die blaue Seide. Ein Düsenflugzeug. Wir lebten also wirklich im zwanzigsten Jahrhundert. Manchmal vergaß ich das.

»Als wir heirateten«, hing Rosalind weiter ihren Erinnerungen nach, »war mir auch ein bißchen komisch. Und ich hatte Hunger.«

»Kein Wunder damals. Da hatten wir immer Hunger.«

Rosalind warf mir unter hochgezogenen Brauen einen kurzen Blick zu.

»Du bist ein Trottel, Dodo«, sagte sie freundlich. »Nicht so einen Hunger. Sondern Hunger aus seelischer Erregung. Das ist etwas anderes.«

Ich zog meinen Arm aus dem ihren, wendete mich ihr voll zu und fragte erstaunt: »Du willst doch nicht etwa behaupten, daß es dich seelisch erregt hat, mich zu heiraten?«

»Doch. Es hat. Und das heute auch.«

Ich betrachtete sie versunken.

»Du bist so schön, Rosalind. Du könntest nicht so schön sein, wenn dich jemals irgend etwas seelisch erregt hätte.«

»Ich sagte ja, daß du ein Trottel bist. Du wirst es nie fertigbringen, eine Frau zu verstehen.«

Ich schwieg beeindruckt. Da war was dran. Und dann, in einem späten Anfall von Eifersucht, stellte ich die törichte Frage: »Glaubst du, daß er es kann? Eine Frau verstehen?«

»Wer?«

»Na, der . . . dieser Konrad, den du da heiraten willst.«

»Nein. Der noch weniger als du. Er ist schließlich auch nur ein Mann. Und ein Erfolgsmann dazu, da erwartet man das sowieso nicht. Dafür hat er anderes zu bieten.«

»Aha.« Darauf ließ sich nichts weiter sagen. Aber eine Frage konnte ich mir nun doch nicht verkneifen. »Und du liebst ihn trotzdem?«

»Sicher«, erwiderte Rosalind ruhig. »Aber wir wollen jetzt nicht von ihm reden. Mit ihm kann ich mich noch lange genug beschäftigen. Heute bist du dran.«

»Vielen Dank«, murmelte ich.

»Damals«, sagte Rosalind versonnen, »bekamen wir bei Muni eine Kartoffelsuppe als Hochzeitsmahl.«

Ich erinnerte mich. Es war eine erstklassige Kartoffelsuppe gewesen. Aus richtigen Kartoffeln gemacht, mit gelben Rüben drin, und obenauf schwammen ein paar Speckbrocken. Muni hatte schweigend und lächelnd zugesehen, als ich die Speckbrocken von meinem Teller in Rosalinds bugsierte. Muni ist meine Mutter, und natürlich war der Speck zunächst bei mir gelandet.

»Heute«, fuhr Rosalind fort, »habe ich einen Tisch im Königshof bestellt.«

Irgendwie glaubte ich, ich müsse Munis Kartoffelsuppe verteidigen. »Es war eine sehr gute Suppe.«

»Eine erstklassige Suppe«, gab Rosalind bereitwillig zu. »So, wie sie nur Muni zustande bringt. Aber alles hat seine Zeit. Wenn man jung und verliebt ist, kann man auch mit einer Kartoffelsuppe glücklich heiraten. Ein Scheidungsmahl sollte etwas festlicher sein. Ich werde uns ein Menü zusammenstellen, du darfst gar nicht in die Speisekarte gucken.«

»Wennschon«, sagte ich, »dann möchte ich Spargel haben.«

Das Scheidungsmahl

Ein Tisch am Fenster war für uns reserviert, und der Ober schob Rosalind beflissen den Stuhl zurecht. Der Restaurantdirektor stand einige Schritte entfernt und betrachtete Rosalind wohlwollend. Sie hat immer einen großen Auftritt, wohin sie auch kommt. Auch früher schon, als sie sich noch nicht solche Kleider leisten konnte. Es liegt an ihrer Haltung, an ihrem Gang, ihrem Lächeln – ich weiß auch nicht. Rosalind ist eben Rosalind, damit ist alles gesagt.

Als die Martinis kamen, erschien es mir angebracht, ihr ein kleines Kompliment zu machen.

»Dein Kleid ist fabelhaft.« Es kam, wie immer bei mir, etwas ungeschickt heraus.

Rosalind war daran gewöhnt. Sie lächelte erfreut und sagte: »Ja, nicht? Ich lasse jetzt bei Charleron arbeiten.«

»Aha«, sagte ich.

Sie zog in ihrer unnachahmlichen Weise die Brauen ein wenig hoch.

»Du weißt natürlich nicht, wer Charleron ist.«

»Ich muß gestehen, ich weiß es nicht.«

Mit einer leichten Wendung ihres schlanken Halses lockte sie den Ober herbei. »Einen Zahnstocher, bitte.«

»Du solltest öfter mal Zeitung lesen«, sagte sie dann zu mir. »Dann wüßtest du, daß Charleron zur Zeit die Spitze der Haute Couture bedeutet, die wir in München haben. Der Mann ist noch jung, aber er hat ein unerhörtes Modegefühl. Und er versteht die Frauen. Aus jedem Typ das Richtige zu machen, weißt du. Seine Modenschauen sind jedesmal eine Sensation. Alles ist da, was zur Gesellschaft gehört. Einfach alles.«

»Aha«, sagte ich. »Demnach warst du also auch da.«

»Dieses Frühjahr, ja.« Und befriedigt fügte sie hinzu: »In Zukunft werde ich immer dabeisein.«

Wie leicht es ist, eine Frau glücklich zu machen! Nur ich verstand es eben nicht. Wäre ich auf die Idee gekommen, daß ein kleines Kärtchen von Monsieur Charleron mit einer Einladung zu einer Frühjahrsmodenschau dieses Wunder vollbringen könnte? Nie. Und ich bildete mir ein, ich könnte Romane schreiben, wo ich so wenig von der Frauenseele verstand. Abgesehen davon, daß es natürlich unsinnig ist, eine Frau zu so einer Modenschau gehen zu lassen, wenn man ihr die dort vorgeführten Kleider doch nicht kaufen kann. Dieser Bursche, dieser Konrad, der kann das.

»Danke«, sagte Rosalind, nahm den Zahnstocher entgegen und pikte damit zierlich die Olive aus ihrem Martini.

»Wie gefällt dir meine neue Haarfarbe?« fragte sie dann.

»Hinreißend. Steht dir großartig.«

Sie nickte, blickte mich aber dabei nachdenklich an. »Sag mal, Dodo, hat dir eigentlich schon einmal etwas an mir nicht gefallen?«

Ich schüttelte den Kopf. »Nicht daß ich wüßte.« Aber dann fiel mir doch etwas ein. »Ja, doch. Eine Kleinigkeit.«

»Und das wäre?« fragte sie und runzelte ein wenig ihre Kinderstirn, die immer noch ohne eine einzige Falte war.

»Heute«, sagte ich, »daß du dich hast von mir scheiden lassen.«

Das leuchtete ihr ein.

»Mein armer Dodo«, sagte sie schließlich mit einem kleinen Seufzer.

Die Schildkrötensuppe wurde serviert. Rosalind trank sie schweigend, ihre dunklen Augen sahen mich dabei sorgenvoll an.

»Ich weiß«, sagte sie, als das Täßchen leer war, »ich weiß, was ich dir damit angetan habe. Und du weißt, daß ich es mir nicht leichtgemacht habe. Ich hätte oft Gelegenheit gehabt, nicht wahr? Aber ich konnte es nie übers Herz bringen, dich allein zu lassen. Du bist so schrecklich unbeholfen und weltfremd. Und du kannst so gar nicht mit Menschen umgehen. Der Gedanke, dich allein dieser schrecklichen Welt zu überlassen, war mir immer entsetzlich.«

Sie sah wirklich ganz bekümmert aus. Der Ober beugte sich besorgt zu ihr hinab und fragte mit leiser, teilnehmender Stimme: »Darf ich einschenken, gnädige Frau?«

»Bitte«, antwortete Rosalind und sah schweigend zu, wie der blaßgoldene Wein in unsere Gläser gefüllt wurde. Dann hob sie ihr Glas, schnupperte ein wenig mit der kleinen Nase an der Blume und nahm einen Probeschluck.

»Schmeckt er Ihnen, gnädige Frau?« fragte der Ober.

»Ausgezeichnet«, erwiderte Rosalind. »Danke schön.«

Der Ober entfernte sich mit einer kleinen Verbeugung. Ich wußte genau, was er dachte. Bezaubernde Frau, dachte er. Was sie da bloß für einen komischen Stoffel dabei hat.

Irgend etwas würgte mich im Hals. Saß da wie ein dicker, trockener Kloß und machte mich ganz elend.

Vielleicht würde ein Schluck Wein helfen. Ich hob das Glas und sagte: »Auf dein Wohl, Rosalind. Ich wünsche dir, daß du sehr, sehr glücklich wirst.«

»Danke, mein Liebling«, sagte sie weich. Sie trank, setzte das Glas nieder und fuhr dann ruhig fort: »Ich werde schon glücklich. Um mich brauchst du dir keine Sorgen zu machen. Aber du! Was soll bloß aus dir werden?«

Der Kloß war immer noch da. Ich blickte an Rosalind vorbei, durch die Scheibe hinab auf den großen Platz, auf den Verkehr, auf die Autos, die Trambahnen, die Menschen, die dort kreuz und quer durcheinanderfuhren und -liefen.

»Um mich brauchst du dir auch keine Sorgen zu machen«, erzählte ich der Scheibe. »Mir geht es bestens. Ich habe das Waldhaus, ich habe Dorian und Isabel, und ab und zu verdiene ich auch mal was. Wenn meine Arbeit mir auch nicht viel Geld einbringt, so weißt du doch, daß sie mich glücklich macht. Komisch, aber es ist so. Und ich brauche nicht viel zum Leben. Da du dich ja gut verheiraten wirst, brauche ich nicht einmal mehr für Lix zu sorgen. Für mich allein reicht es allemal.«

Rosalind schob ihre Hand über den Tisch und legte sie sanft auf meine Rechte, die merkwürdig verkrampft und versteinert auf dem Tisch lag.

»Ich spreche nicht von Geld, Liebling«, sagte sie leise.

»Bitte, nimm deine Hand weg«, sagte ich heiser. »Es wäre dir sicher nicht angenehm, wenn ich hier mitten auf der Terrasse des Königshofes, angesichts sämtlicher Gäste und der feinen Ober und der Leute unten auf dem Stachus, anfinge zu heulen.«

Sie zog erschrocken die Hand zurück. »Entschuldige«, flüsterte sie. »Komm, trink noch einen Schluck. Der Wein ist wirklich gut.«

Gehorsam nahm ich mein Glas und trank. Ich hätte genausogut Coca-Cola trinken können. Oder aus der Blumenvase, die auf dem Tisch stand.

Die Forellen wurden serviert. Der Ober wollte sie für uns zerlegen, aber Rosalind sagte: »Danke, das machen wir selbst.«

Fachkundig, mit wenigen geübten Griffen zerlegte sie ihr blaugraues Fischlein. Wenigstens etwas, was sie von mir gelernt hatte. Ich kannte da einen Bauern, nicht weit vom Waldhaus, der hatte ein Fischwasser, und von dem bekam ich manchmal ein paar Schwänze.

Wir aßen eine Weile schweigend. Dann kam Rosalind zum Thema zurück.

»Du mußt dich nicht so aufregen, Dodo. Ich weiß, daß es dir schwerfällt, dich von mir zu trennen. Denkst du, für mich ist es ein Vergnügen? Aber sieh mal, du mußt das verstehen. Ich bin fünfunddreißig, dir kann ich es sagen, du weißt es ohnehin. Sonst sieht man es mir nicht an, oder?«

»Natürlich nicht. Das weißt du ganz genau.«

»Aber ich bin es eben. Wenn ich noch ein bißchen was vom Leben haben will, dann mußte ich jetzt Ernst machen. Wir sind vierzehn Jahre verheiratet. Die ersten sechs davon habe ich mit dir und dann auch noch mit Lix in Munis kleiner Wohnung verbracht. *Wie* wir damals gelebt haben, brauche ich dir nicht zu erzählen. Die anderen Jahre haben wir meist im Waldhaus gelebt. Du liebst das Waldhaus. Ich hasse es. Das weißt du.«

Ihre Stimme klirrte jetzt ein wenig vor unterdrückter Erregung.

Ich nickte. »Ja, ich weiß es.«

»Das Waldhaus ist hübsch, und für ein Wochenende würde es ganz romantisch sein, ein bißchen primitiv zu leben. Als Dauerzustand ist es unerträglich. Unerträglich!«

Über die Teller hinweg blickten wir uns gerade in die Augen. Jetzt hatte sie doch eine Falte auf der Stirn, ihre Nasenflügel bebten, und sie sah fast wirklich wie fünfunddreißig aus.

»Im Winter warst du meist bei Muni«, sagte ich schwach.

»Ja, gewiß. Muni hat, wie dir bekannt ist, eine Dreizimmerwohnung mit Ofenheizung. Ich wollte einmal so leben, wie die meisten Menschen heute leben. Bequem, komfortabel und im Genuß der Errungenschaften des zwanzigsten Jahrhunderts. Ich wollte mal so ein Kleid haben, wie ich es heute trage. Und nicht nur eins. Und zum Friseur gehen, wann es mir paßt. Und mal eine Reise machen, und . . .«

»Hör auf«, unterbrach ich sie. »Ich weiß ganz genau, was zum Lebensstandard eines normalen Mitteleuropäers gehört.«

»Und ich wollte sogar noch ein bißchen mehr haben, als der normale Mitteleuropäer hat«, fuhr sie hartnäckig fort.

»Jetzt kriegst du es ja«, sagte ich begütigend. Der Kloß in meinem Hals war weg. Die Forelle war eigentlich gut gewesen. Und der Wein war nicht übel. Aber ich sehnte mich auf einmal nach dem Waldhaus. Dorian würde schon todunglücklich sein. Er war zwar beim Andres, aber sehr wohl fühlte er sich da nie.

»Ja, jetzt kriege ich es«, wiederholte sie trotzig. »Und ich finde, es ist mein gutes Recht.«

»Ich habe dir dieses Recht nie streitig gemacht. Ich habe immer gewußt, daß du mich eines Tages verlassen würdest, und als es nun soweit war, habe ich es dir doch leichtgemacht. Oder nicht?«

»Doch. Du warst sehr fair.«

»Es ist mir leider nicht gegeben, viel Geld zu verdienen. Vielleicht sollte ich es aufgeben, Bücher zu schreiben, die kein Mensch lesen will. Aber selbst wenn ich irgend etwas anderes machen würde, sagen wir mal, eine Stellung suchen oder so etwas, es wäre doch nichts besonders Großartiges und könnte dir nicht den Lebensstil ermöglichen, den du dir wünschst. Ich gebe zu, daß er dir zusteht, daß er zu dir paßt und daß es eine Gemeinheit wäre, von dir zu verlangen, daß du noch weitere Jahre deines Lebens an mich verschwendest.«

Der Ober kam, räumte die Teller weg und füllte die Gläser nach.

»Gemeinheit ist kein schönes Wort«, sagte Rosalind sanft, als er wieder fort war. »Und ich betrachte die Jahre, die ich mit dir verbracht habe, nicht als verschwendet.«

»Danke«, sagte ich leise, »du bist sehr großmütig.«

»Wir wollen uns nicht streiten, Dodo. Wir haben uns sehr selten gestritten, und wenn es geschah, war es immer meine Schuld. Immer. Aber es waren die Umstände, in denen wir lebten, die mich manchmal reizbar machten.«

»Ich weiß. Ich habe dies immer verstanden. Aber nun ändert sich dein Leben. Ich habe es schon gesagt, Rosalind, und ich sage es noch einmal, denn es ist mein Ernst: Ich wünsche dir, daß du sehr, sehr glücklich wirst. Mit deinem neuen Leben, deinem neuen Mann, den schönen Kleidern und mit allem, was dazugehört. Du sollst es haben. Alles, was du dir wünschst. Und an mich, bitte, sollst du keinen Gedanken mehr verschwenden.«

Rosalind hob den Kopf, sah mich kampflustig an und erklärte mit Nachdruck: »O doch. Das schlag dir gleich aus dem Kopf. Ich habe mich zwar von dir scheiden lassen, und ich werde Konrad heiraten und werde mir zu jeder Saison mindestens ein halbes Dutzend Kleider bei Charleron machen lassen. Aber denke nicht, daß du«, sie wies mit ihrem spitzesten Zeigefinger mitten auf meine Brust, »daß du aus meinem Leben verschwindest. Ich habe die Verantwortung für dich, und die behalte ich. Die kann mir keiner abnehmen. Ich werde mich immer darum kümmern – immer, hörst du! –, was du treibst, wie du lebst, wovon du lebst und mit wem du umgehst.«

»Pst!« flüsterte ich und schaute verstohlen um mich. Im Eifer hatte sich Rosalinds Stimme merklich gehoben.

»Du bist mein Mann, und du bleibst mein Mann, und es ist mein Recht und meine Pflicht, mich um dich zu kümmern.«

»Wir sind heute geschieden worden«, erinnerte ich sie. »Du kannst nicht zwei Männer haben.«

»Ich kann«, sagte Rosalind entschieden. »Und ob ich das kann. Das habe ich Konrad schon erklärt. Von vornherein habe ich keinen Zweifel daran gelassen, wie ich zu dir stehe. Genauso wie ich mich um Lix kümmere und für sie sorge, genauso für Dodo, habe ich ihm gesagt. Ihn völlig allein zu lassen, das wäre sein Untergang.«

Der Ober brachte die neuen Teller und servierte dann zarte Kalbssteaks mit frischem Spargel und kleinen Kartöffelchen, die wie Marzipan schmeckten. Warum bekommt man im Laden nie solche Kartoffeln?

Mein Untergang. Na, wennschon. Viel ging da nicht unter. Ein durchschnittlicher Mann von beinahe vierzig Jahren, der es zu nichts im Leben gebracht hatte. Nicht einmal eine einzige Heldentat im Krieg hatte ich zustande gebracht. Auf dem schwarzen Markt war ich ein Versager gewesen. Und jetzt erst! Ich selber fand zwar meine Bücher ganz gut, aber sie wurden nicht gekauft. Die einzige Sternstunde meines Lebens war gekommen, als ich Rosalind traf. Die größte Tat, die ich je vollbracht hatte, war es gewesen, sie zur Heirat zu bewegen. Aber das hatte sich ja nun erledigt. Was blieb also von mir übrig?

Ach nein, so unglücklich, wie ich mir jetzt einreden wollte, so unglücklich war ich gar nicht. Meist fand ich das Leben ganz schön. Wie gern lebte ich im Waldhaus, wenn auch Rosalind es primitiv nannte.

Außerdem war es gar nicht mehr so primitiv. Wir hatten jetzt eine Wasserleitung, wir hatten Elektrizität und ein richtiges WC. Und wenn ich wieder einmal eine größere Arbeit an den Rundfunk hätte verkaufen können, dann hätte ich eine Ölheizung einbauen lassen. Für Rosalind.

Jetzt nicht mehr. Ich brauche keine. Ich bin Experte im Feuermachen und habe es sehr gern, wenn die Holzscheite im Ofen knacken. Ich kann wunderbar dabei arbeiten.

Dorian würde bei mir sein, den ich liebte und der mich liebte. Manchmal kamen Rehe auf die Lichtung, und wir beobachteten sie, Dorian und ich. Er dachte nie daran, sie zu jagen oder zu verbellen. Sogar der Förster wußte das und meinte, das sei ein erstaunlicher Hund. Im Sommer sangen die Vögel schon im frühen Morgengrauen, und im Winter kamen sie ans Haus heran, und ich fütterte sie. Um das Haus war eine Wiese, und gleich um die Wiese begann der Wald. In einer Viertelstunde war ich beim Andres, meinem Bauernfreund. Wir führten ein ernsthaftes Männergespräch oder klopften mit Wastl, dem Knecht, einen Skat. Nur zehn Minuten vom Haus entfernt war ein kleiner See, mehr ein Weiher, inmitten einer anderen Lichtung im Wald, dort konnte ich im Sommer schwimmen.

Ich liebte das Haus, den Wald, die Wiesen, den Weiher, die Rehe, die Vögel, meinen Dorian und die schöne Isabel und auch den Andres mit seinem holzgeschnitzten Bauernschädel und sogar den hinterfotzigen Wastl. Es war meine Welt, in der ich gern lebte. Im Sommer und im Winter, wenn die Sonne schien, wenn es regnete, wenn es schneite. Einfach immer. Und in Zukunft würde ich dort unbehelligt leben können, wie es mir paßte, ohne ewig von meinem schlechten Gewissen geplagt zu sein, wenn ich Rosalinds unzufriedene Miene sah. Ohne geplagt zu sein von Unruhe und Eifersucht, wenn sie auf Tage oder sogar Wochen in die Stadt hinein verschwand. Ohne mir Sorgen zu machen wegen Lix, die bei Muni lebte, seit sie die höhere Schule besuchte, weil bei uns draußen der Schulweg zu weit und zu umständlich gewesen wäre. Und die Muni wahrscheinlich auf der Nase herumtanzte und trieb, was sie wollte.

Und ich konnte arbeiten, wie ich wollte. Schreiben, was mir paßte. Rosalind würde mir nicht mehr über die Schulter blicken und fragen: »Was wird denn das nun wieder? Lieber Himmel, Dodo, eine ganze Seite Naturschilderungen, wer will denn das lesen? Schreib doch mal was Flottes, Aufregendes, etwas, was die Illustrierten kaufen. Das bekommt man prima bezahlt, habe ich mir sagen lassen.«

Na schön, ich hatte es versucht. Aber ich war nicht weit damit gekommen. Das lag mir nun mal nicht. Keine Illustrierte würde kaufen, was ich schrieb, also warum die Zeit damit vergeuden.

Nein, ich war nicht unglücklich. Ich blickte sogar recht vergnügt und hoffnungsfroh in die Zukunft. Ich würde in Frieden leben können. Ohne Rosalind, nun ja. Aber daß dies eines Tages so sein würde, mit diesem Gedanken hatte ich mich seit Jahren vertraut gemacht.

Es war nur gerade heute. Schließlich wußte ich seit nun bald einem Jahr, daß Herr Killinger an der Reihe war. Es war eine alte Wunde. Und sie schmerzte manchmal noch. Sehr oft sogar. Aber das würde vorübergehen. Dann würde ich Frieden haben. Und eine Frau, das hatte ich mir geschworen, eine Frau sollte mir diesen Frieden nicht mehr stören. Nicht einmal Rosalind. Und eine andere kam sowieso nicht in Frage.

»Wenn ich mich etabliert habe«, nahm Rosalind den Faden wieder auf, »gesellschaftlich vor allem, weißt du, und die richtigen Leute kenne, dann werde ich dich lancieren.«

Sie hob abwehrend die Hand, um meinen Widerspruch im Keime zu ersticken. »Doch, das werde ich. Und du wirst uns regelmäßig besuchen. Und ich werde hinauskommen zu dir, ich habe ja dann einen Wagen. Du bist mein Mann, und du bleibst mein Mann, und ich habe die Verantwortung für dich. Dabei bleibt es.«

O süßer Friede! Schwer wirst du zu erringen sein.

»Du kannst nicht zwei Männer haben«, sagte ich noch einmal.

»Das werden wir sehen«, sagte sie. »Lix wird schließlich auch zwei Väter haben. Oder möchtest du darauf verzichten, deine Tochter regelmäßig zu sehen?«

»Natürlich nicht.«

»Siehst du. Das wird sich alles arrangieren. Laß mich nur machen. Jetzt möchte ich noch ein Champagner-Sorbet. Und was nimmst du zum Nachtisch?«

»Nichts«, antwortete ich grantig.

»Vielleicht eine Birne Hélène? Das magst du doch, nicht?«

Ich schwieg verbockt. Vielleicht sollte ich das Waldhaus verkaufen und mir lieber ein Häuschen in der Holsteinischen Schweiz zulegen? Das Dumme ist, ich kann das Waldhaus nicht verkaufen, weil es mir nicht gehört. Es gehört dem Andres, der mich dort umsonst wohnen läßt. Weil er mich mag. Und weil ich ihm mal einen Gefallen getan habe. Das ist lange her, das war noch im Krieg. Der Andres behauptet, ich hätte ihm das Leben gerettet. Dabei habe ich ihn gerade von einem Fleck zum anderen getragen, weil er einen Schuß ins Bein gekriegt hatte und nicht laufen konnte. Und da, wo er lag, da schossen sie mit Fleiß hin. Es war wirklich eine kleine Mühe gewesen. Doch der Andres hatte es nicht vergessen.

Rosalind ließ sich vom Portier ein Taxi herbeitelefonieren, nachdem sie den Champagner-Sorbet und ich die Hélène verspeist und wir obendrauf noch einen Mokka getrunken hatten.

»Kann ich dich irgendwo absetzen?« fragte sie.

»Nein«, sagte ich. »Ich möchte noch ein bißchen durch die Stadt bummeln.«

»Gut. Wann fährst du hinaus?«

»Morgen.«

»Grüß Dorian von mir. Und meinetwegen auch deine Isabel. Obwohl sie sich ja nichts aus mir macht. Anfang der Woche fahre ich nach Paris. Konrad hat geschäftlich dort zu tun. Sobald ich zurück bin, komme ich zu dir hinaus.«

»Bitte sehr«, sagte ich resignierend. »Ich werde mich immer freuen, dich zu sehen.«

»Mit dem Heiraten müssen wir noch ein bißchen warten. Aber du wirst es natürlich rechtzeitig erfahren, wenn es soweit ist.«

»Das wäre sehr freundlich. Ich würde dir gern einen Blumenstrauß schicken. Aber komme bitte nicht auf die Idee, mich zur Hochzeit einzuladen.«

Rosalind betrachtete mich einen Augenblick stirnrunzelnd. Anscheinend hatte sie wirklich daran gedacht. Aber dann sagte sie hoheitsvoll: »Natürlich nicht. Wofür hältst du mich? Ich bin schließlich eine Frau mit Geschmack.«

»Eben. Also«, ich nahm ihre Hand und drückte einen ziemlich flüchtigen Kuß darauf, »mach's gut. Und . . . ja, also, auf Wiedersehen.« Beinahe hätte ich gesagt: Grüß Konrad von mir. Aber das ging ja wohl zu weit.

Ich sah ihr zu, wie sie graziös in das Taxi kletterte. Ihr Rock war sehr kurz, und ich hatte noch einmal Gelegenheit, ihre vollendeten Beine zu bewundern. Aber ich tat es nur ganz oberflächlich. Das war nun vorbei. Mochte dieser verdammte Konrad ihr in Zukunft Komplimente machen. Ich war ein geschiedener Mann und hatte nicht die geringste Verpflichtung, die Reize meiner verflossenen Frau zu bewundern. Aber ich wollte gar nicht. Alle Frauen der Welt waren mir schnurzpiepegal. Ein herrliches Gefühl.

Ich steckte die Hände tief in die Hosentaschen, spitzte die Lippen und begann zu pfeifen. So schlenderte ich über den Stachus. Ich würde jetzt mal eine Rundreise antreten und die Schaufenster der Buchhandlungen betrachten. Vielleicht sah ich irgendwo ein Buch von mir ausgestellt. Wenn nicht, würde es mich auch nicht weiter überraschen. Und vielleicht konnte ich eben mal kurz Camilla besuchen, die eine hübsche kleine Buchhandlung in der Innenstadt hatte. Sie war ein mächtig gescheites Mädchen. Ihr gefielen meine Bücher nämlich. Und sie verkaufte sogar manchmal eins.

Camilla hatte noch drei Bücher von mir in den Regalen stehen. Im Januar waren es fünf gewesen, und demnach hatte sie inzwischen zwei Stück verkauft.

»Sie sind wahrscheinlich der einzige Buchladen in der Stadt, der dieses Wunder fertigbringt«, sagte ich anerkennend.

»Sie wissen, daß ich mich immer sehr für Ihre Bücher einsetze, Herr Schmitt«, antwortete sie. »Ich finde sie ausgezeichnet. Wirklich. So romantisch und so . . . so echt. Freilich, die Kunden sind heute komisch. Sie kaufen alle dasselbe. Wenn ein Buch ins Gerede kommt, wenn darüber geschrieben wird, dann kaufen sie es eben, ganz egal, was drinsteht. Das ist unsere Zeit, verstehen Sie? Wir leben in einem genormten Zeitalter. Auch der Geschmack der Leser ist genormt. Da kann man nicht gegen an.«

»Ich weiß schon«, sagte ich.

»Aber Sie dürfen sich nicht entmutigen lassen«, fuhr sie tröstend fort. »Ihre Zeit kommt noch. Sie sind ein Dichter, ich sage es der Leni immer. Nicht, Leni?«

Leni, die kleine Gehilfin, nickte so nachdrücklich mit dem Kopf, daß ihr blonder Pferdeschwanz lebhaft auf und ab wippte.

»Dichter haben es immer schwer. Ein richtiger Dichter braucht Zeit, bis er anerkannt wird. Manche schaffen es erst nach ihrem Tod.«

»Na, das kann ich ja leicht abwarten«, sagte ich. »Immerhin vielen Dank, Camilla. Sie haben mich moralisch wieder aufgerichtet.«

Meine Einladung, abends mit mir ins Kino zu gehen, nahm sie trotzdem nicht an. Es täte ihr sehr leid, aber ausgerechnet heute hätte sie schon eine Verabredung. Vielleicht ein andermal.

Als ich wieder auf der Straße stand, war ich ganz froh, daß sie abgelehnt hatte. Ich wollte gar nicht ins Kino gehen, das Wetter war viel zu schön. Ich hatte das bloß gesagt, weil sie so nett gewesen war und weil ich dachte, es freute sie. Frauen freuen sich immer, wenn man sie zu irgend etwas einlädt. Auch wenn sie ablehnen müssen. Das macht nichts. Hauptsache, die Einladung ist ausgesprochen worden.

So wenig, wie Rosalind behauptete, verstand ich gar nicht von den Frauen.

Während ich zum Odeonsplatz weiterschlenderte und dann einen kurzen Rundgang durch den Hofgarten machte, stellte ich mir vor, wie es sein müßte, Camilla zu heiraten. Sie hielt mich für einen Dichter, war soweit eine ganz passable Person, natürlich nicht entfernt mit Rosalind zu vergleichen. Aber sie war eine tüchtige Buchhändlerin, hatte diesen netten kleinen Laden, verstand viel von Literatur und anderen gescheiten Dingen und hatte sicher kein Verlangen, Kleider von Monsieur Charleron zu tragen. Eine Ehe zwischen einer Buchhändlerin und einem Schriftsteller müßte eigentlich ganz glücklich sein. Müßte doch eine brauchbare Gemeinschaft geben.

Gab es eigentlich Präzedenzfälle? Ich dachte eine Weile angestrengt darüber nach, mir fiel aber keiner ein. Außerdem wollte ich sowieso nicht heiraten, weder Camilla noch sonst jemand. Ich hatte Rosalind haben wollen, und die war fort, und dafür hatte ich meine Ruhe. Das war nach Rosalind das zweitbeste, was es auf der Welt geben konnte.

Muni, mein bestes Stück

Muni stellte keine Fragen, als ich abends nach Hause kam. Sie hatte ein Hühnchen gebraten, weil sie wußte, daß das mein Lieblingsessen war, und weil sie vermutlich der Ansicht war, man müsse mir an diesem Tag irgend etwas Gutes tun.

So kam ich an meinem Scheidungstag zweimal zu einem Schlemmermahl. Wie hatte Rosalind gesagt? Wenn man verliebt ist, kann man auch mit einer Kartoffelsuppe glücklich sein. Ja, das stimmte wohl. Und wenn man entliebt ist, braucht man mindestens Forellen, Kalbssteaks, Spargel, Hühnchen und einen guten Wein dazu. Dann ist man zwar auch nicht gerade glücklich, aber es schmeckt wenigstens. Und eins war sicher, wenn Muni mir etwa an diesem Abend Kartoffelsuppe vorgesetzt hätte, dann wäre mir bestimmt das heulende Elend gekommen.

Wir redeten ein bißchen hin und her, Muni betrachtete mich verstohlen mit besorgt-mütterlichen Blicken, sehr verstohlen, aber ich merkte es natürlich trotzdem. Doch es schien sie zu trösten, daß es mir offensichtlich schmeckte. Schließlich erzählte ich ihr freiwillig, wie sich das alles am Vormittag und Mittag abgespielt hatte. Sie wollte es nun doch mal gern wissen. Auch einer meiner großen Fehler: Ich bringe es nie fertig, einen Menschen zu enttäuschen. Wenn Rosalind auch zehnmal sagt, daß ich ein Trottel sei und nichts von Frauen verstünde, ich weiß doch immer ziemlich genau, was in einem anderen Menschen vorgeht, auch in einer Frau. *Ich* bilde mir ein, die Menschen gut zu verstehen. Und darum bilde ich mir auch ein, sie in meinen Büchern sehr lebensecht zu schildern. Aber außer mir ist niemand dieser Meinung.

»Na gut, na schön«, sagte Muni resolut, als ich mit meinem Bericht zu Ende war, »das ist nun endlich mal erledigt. Reisende soll man nicht halten. Es war ein Fehler, Rosalind zu heiraten, das habe ich dir von Anfang an gesagt. Oder etwa nicht?«

»Doch«, mußte ich zugeben, »das hast du gesagt.«

Sie hatte es wirklich gesagt. Damals in der mageren Nachkriegszeit, als ich als halbverhungerter, berufs- und zukunftsloser Gefreiter wieder bei Muni in München untergekrochen war, die durch ein Wunder ihre kleine Wohnung heil durch den Bombenkrieg gebracht hatte, und ihr dann eines Tages Rosalind präsentierte, die ich einem wohlgenährten Ami in letzter Minute weggeschnappt hatte.

Ich war damals, ähnlich wie heute, durch die Stadt geschlendert, gekleidet in eine feldgraue, von Muni zurechtgeschneiderte Joppe, und war dabei vor dem PX in der Brienner Straße vorbeigekommen. Hier standen immer eine Menge Mädchen herum, die auf ihre amerikanischen Freunde warteten.

Etwas abseits stand ein schmales, zierliches Ding mit riesigen dunklen Augen, die ängstlich, wie hypnotisiert auf den Eingang des verlockenden amerikanischen Paradieses gerichtet waren.

Die Kleine fiel mir auf. Ich verlangsamte meinen Schritt, um sie genauer zu betrachten. Das Gesicht war süß, kindlich rein und unberührt erschien es mir, doch dabei von pikantem Reiz. Das schwarzbraune Haar fiel ihr lang und lockig bis auf die Schultern. Sie trug ein kurzes, verwaschenes Leinenkleid in einem verblaßten rosa Ton. Ich sehe das alles noch vor mir, als sei es heute gewesen. Ich ging noch einmal zurück, um sie näher zu betrachten. Sie bemerkte mich gar nicht.

Und plötzlich sagte ich – ich weiß auch nicht, warum, ich hatte zuvor noch nie ein Mädchen auf der Straße angesprochen und seitdem auch nicht mehr: »Das sollten Sie aber nicht tun.«

Sie schaute mich überrascht an. »Was?«

»Na, hier stehen. Und auf einen Ami warten.«

»Aber ich . . .«

»Das paßt nicht zu Ihnen«, sagte ich streng. Man muß das verstehen. Ich war ein armer, besiegter deutscher Soldat. Ich sah es nun einmal nicht gern, wenn unsere Mädchen mit den Amis herumliefen. Und in diesem Fall störte es mich besonders.

Sie schob trotzig die Unterlippe vor und sagte: »Aber ich habe Hunger.«

»Haben wir alle«, knurrte ich. »Trotzdem sollten Sie das nicht tun.«

Jetzt waren die großen dunklen Augen voll auf mich gerichtet. »Ich habe noch gar nichts getan«, sagte das Mädchen im rosa Kleid. »Ich habe den gestern erst kennengelernt. Und heute habe ich mich mit ihm verabredet. Und nun ist er hierhergegangen, um einzukaufen.«

»Und?«

Sie hob auf eine rührende Weise die zarten Schultern. »Er würde mir was mitbringen, hat er gesagt. Was zu essen und Zigaretten und . . . und vielleicht auch ein paar Strümpfe.« Es klang kindlich.

»Und wie geht's weiter?«

Sie hob wieder die Schultern. »Ich weiß es nicht.«

»Aber ich. Denken Sie etwa, der tut das aus reiner Menschenfreundlichkeit? Wenn er Ihnen etwas mitbringt, müssen Sie auch dafür bezahlen. Das wissen Sie doch, *oder?*«

»Ja«, sagte sie, »das weiß ich.«

»Das sollten Sie aber nicht tun.«

Sie grub ihre weißen kleinen Zähne in die volle Unterlippe und antwortete mir nicht. Eigentlich hätte sie sagen können, daß mich das einen Dreck anginge.

»Da kommt er«, rief sie plötzlich.

In der Tür des PX war so ein großer stämmiger Bursche in strammsitzenden Hosen und mit einem Bürstenkopf aufgetaucht und schaute sich suchend um.

»Los, kommen Sie«, sagte ich, nahm sie an der Hand und rannte los. Sie rannte mit. Wie zwei Kinder, Hand in Hand liefen wir, bis wir um die nächste Ecke waren. Dort blieben wir heftig atmend stehen.

Sie sah mich vorwurfsvoll an. »Na, so was. Jetzt kriege ich nichts.«

»Nein«, sagte ich fröhlich. »Jetzt kriegen Sie nichts. Strümpfe habe ich jedenfalls nicht. Aber wenn Sie Hunger haben, kommen Sie mit zu meiner Mutter, die kocht schon irgendwas. Irgend etwas kriegt sie immer zusammen.«

So ging das los. Natürlich erzählte ich Muni in meiner Harmlosigkeit, wie das vorgegangen war. Im Gegensatz zu mir glaubte sie nie, daß die Bekanntschaft zwischen Rosalind und dem Amerikaner so kurz gewesen sei. Ich glaubte es. Denn man konnte gegen Rosalind sagen, was man wollte, beschwindelt hat sie mich nie. Jedenfalls nicht, daß ich wüßte.

Mit mir war damals nicht viel los. Ich hatte ja auch keinen Beruf erlernt, gerade eben ein paar Semester studiert, ehe ich Soldat werden mußte. In der Nachkriegszeit belegte ich noch mal ein paar Vorlesungen an der Uni, aber lange konnte ich das nicht durchhalten, ich hatte einfach kein Geld.

Damals gab es in München eine amerikanische Zeitung, und ich versuchte, da unterzukommen. Aber sie nahmen mich nicht. Ich mußte nämlich einen Fragebogen ausfüllen, und da stellte sich heaus, daß ich Führer bei der Hitlerjugend gewesen war. Nur ein ganz kleiner, aber immerhin. Heute spielt es ja keine Rolle mehr. Damals eben doch.

Später arbeitete ich eine Zeitlang bei einer deutschen Zeitung, aber eine besonders hohe Meinung hatten sie dort von mir auch nicht. Da machte ich mich dann selbständig als freiberuflicher Schriftsteller. So ziemlich das letzte, was der Mensch werden sollte. Das sieht man an mir.

Nun hatte ich Rosalind doch an den fremden Mann mit den vollen Händen verloren, an einen Sieger. Ich hätte sie genausogut damals vor dem PX stehenlassen können. Es war jetzt kein Amerikaner mehr, und eine Schachtel Zigaretten und ein Paar Strümpfe taten es auch nicht, aber im Grunde genommen blieb es das gleiche.

Muni hatte Rosalind damals nicht gerade mit offenen Armen aufgenommen. Sie traute ihr nie so recht. Obwohl sie sich natürlich mir zuliebe mit meiner Heirat und mit Rosalind abgefunden hatte. Und die zwei waren auch soweit ganz gut miteinander ausgekommen. Sie sind beide reizende Menschen, und da geht es eben, auch wenn man sich nicht so ganz grün ist.

Dazu kam, daß Muni selig war, als Lix geboren wurde. Ich war ihr einziges Kind, und sie hatte sich immer eine Tochter gewünscht, und nun kam also wenigstens eine Enkeltochter.

Lix hing sehr an Muni. Kein Wunder, sie war von klein an fast mehr von Muni betreut worden als von Rosalind. Und seit sie die höhere Schule besuchte, hatte sie ständig bei Muni gewohnt, und die beiden hatten sich glänzend verstanden.

Aber seit einem halben Jahr, seit es feststand, daß Rosalind diesen Konrad bestimmt heiraten würde, hatte Rosalind eine kleine Wohnung in der Stadt, und Lix wohnte nun bei ihr. Seit allerneustem sogar in der feudalen Villa des Herrn Killinger. Ja, so schnell verliert man Kinder. Und es war vielleicht für Muni noch härter gewesen als für mich.

Der gute Konrad war natürlich auch keine Jungfrau mehr. Er war schon mal verheiratet und hatte aus dieser Ehe ebenfalls eine Tochter, die etwa in Lix' Alter war. Rosalind hatte das Wunder vollbracht, die beiden Mädchen nicht nur zusammenzubringen, sondern auch zu Freundinnen zu machen. Jetzt gingen sie in dieselbe Schule. Lix wohnte bereits draußen in Harlaching und wurde von Frau Boll, Konrads tüchtiger Hausdame, mit betreut.

Praktisch lebte Rosalind auch schon dort mit im Haus. Das kleine Appartement behielt sie bloß aus Anstandsgründen bis zu ihrer Heirat.

Muni erzählte mir, daß Lix am Nachmittag dagewesen sei. »Sie dachte, sie würde dich treffen. Sie hat eine Eins geschrieben in Mathematik.«

»Wie schön«, sagte ich. »Von wem sie nur die mathematische Begabung hat? Von mir bestimmt nicht und von Rosalind auch nicht.«

»Von deinem Vater«, erwiderte Muni. »Wenn der mir mein Haushaltsbuch nachrechnete, fand er jeden kleinsten Schummel.« Sie machte eine verdrießliche Miene dabei. Offensichtlich hatte sie das meinem Herrn Papa bis heute nicht verziehen.

»Wußte sie, daß das . . . das Dings da heute stattgefunden hat?« fragte ich.

»Natürlich. Du weißt ja, Rosalind war immer dafür, ihre

Tochter möglichst aufgeklärt zu erziehen. Und anscheinend haben die beiden Fratzen den Fall ausführlich bekakelt. Diese Dolly hat gesagt: ›Weißt du, Lix, ich finde es prima, daß deine Eltern so modern und vernünftig sind. Wenn ich denke, was es bei uns damals für ein Theater gab, bis wir glücklich geschieden waren. Schreckliche Szenen.‹ – Was sagst du dazu?«

»Was soll man dazu sagen? Ich könnte einen Vortrag über die Jugend von heute halten, aber was soll's denn? Vielleicht ist es ganz gut, wenn die Mädchen ohne Illusionen aufwachsen. Möglicherweise erleichtert es ihnen das Leben.«

»Ich finde es greulich«, sagte Muni entschieden.

Dann fragte sie mich, wann ich ins Waldhaus zurückfahren würde, und ich antwortete: »Morgen.«

Ob sie mitkommen solle?

»Danke, nein«, sagte ich ein wenig nervös. »Ich bin schon lange genug allein draußen, und es macht mir wirklich nichts aus. Außerdem habe ich zu arbeiten.«

Muni gab mir einen langen, besorgten Blick. Sie sah die Falten auf meiner Stirn, die Furchen in meinen Mundwinkeln und die ersten grauen Haare an meinen Schläfen und bestimmt auch den Kummer in meinen Augen.

Ich zwang mich zu einem Lächeln. »Kein Grund zu Besorgnis, Muni. Mir geht es großartig.«

»Schön, mein Junge«, erwiderte Muni und lächelte auch.

Aber ihr Lächeln und der Klang ihrer Stimme hätten mich bald zum Weinen gebracht.

In der Nacht konnte ich nicht schlafen. Ich stand ganz leise wieder auf, rauchte ein paar Zigaretten und setzte mich schließlich hin, um eine Novelle zu schreiben. ›Abschied von der Liebe‹ sollte sie heißen. Sehr schöner Titel. Aber nachdem ich zwei Seiten vollgeschrieben hatte, fand ich das Unternehmen sinnlos und zerriß die Blätter. Wer wollte das schon lesen?

Am nächsten Morgen fuhr ich mit dem Vormittagszug in meine Einsamkeit zurück. Meine Ruhe und meinen Frieden würde ich haben und tun können, was ich wollte. Das hatte ich mir so gedacht. Wie man sich täuschen kann!

Das Waldhaus liegt in einer Gegend, die der liebe Gott in einer seiner gnädigsten Stunden geschaffen hat. So ein Stück Landschaft ist es, daß man sich immer fragt, wieso es eigentlich so viel Schönheit in der Welt geben kann. Muß ich immer lachen, wenn die Leute sich in ihre Benzinkarren setzen oder sich in die volle Eisenbahn quetschen und dann Hunderte von Kilometern weit in ferne Länder fahren. Nach Italien, ins Tessin, an die Côte d'Azur, an die Costa Brava und neuerdings bis nach Afrika, wo ihnen die Sonne das Hirn versengt. Aber sie haben ja keines. Sonst würden sie nicht so weit fahren, um woanders die Schönheit zu suchen, die ihnen der liebe Gott direkt vor die Tür gesetzt hat.

Um in die Gegend zu kommen, wo mein Waldhaus steht, brauche ich von München aus eine knappe Stunde. Und wie soll ich die Gegend beschreiben, wo soll ich die Worte hernehmen, um ihre ganze Schönheit zu schildern? Ich brauchte viele Seiten dazu, und dann wäre es immer nur noch ein mattes Abziehbild. Außerdem sagt Rosalind immer, meine ewigen Natur- und Landschaftsschilderungen seien altmodisch, heutzutage wolle das kein Mensch mehr lesen.

Also darum nur ganz kurz: Das Waldhaus liegt im Voralpenland, da, wo die Gegend sanft gehügelt ist und man die großen Berge nur aus der Ferne sieht. Das nächste Dorf vom Waldhaus aus heißt Unter-Bolching, ein Stückchen weiter ist Ober-Bolching, und noch ein paar Kilometer weiter ist Tanning, die Kleinbahnstation. Dort kommt mein Zug an, nachdem ich in Rosenheim umgestiegen bin oder vom Bahnhof München-Ost aus gleich die Kleinbahnstrecke benütze. Hört sich ein bißchen umständlich an, ist es aber nicht, wenn man die Züge kennt. Von Tanning aus fahre ich mit dem Rad auf schmalen Straßen über Ober-Bolching und Unter-Bolching bis in meine kleine geliebte Welt.

Da fahre ich durch dunkle, schweigende Nadelwälder, durch ein Stück lichten, vogelliedererfüllten Laubwald, über ein paar Hügel zwischen grünen Wiesen entlang, vorbei an einsamen Bauerngehöften, an sanftäugigen Kühen, die mir freundlich nachschauen. Wenn ich durch die Dörfer fahre, grüßen mich die Leute, und ich grüße sie auch. Sie kennen mich. Sie haben sich an mich gewöhnt.

Die Landschaft ist ohne Härte, ohne grandiose Überraschungen, sie ist ein einziges Abbild von Ruhe, Frieden und Schönheit. Sie ist so harmonisch wie eine Symphonie von Mozart, und wenn ich mir je ein Paradies vorstellen könnte, dann müßte es so aussehen wie diese Gegend hier, halbwegs zwischen München und dem Chiemsee. Keine berühmte Gegend, keine Kurorte, keine Namen von Weltruf, aber eine friedliche Einheit zwischen Himmel und Erde, die unerschütterlich erscheint.

Ich bin auch schon den ganzen Weg von München her mit dem Rad gefahren, das ist keine große Sache. Und wenn man ein Auto hat, ist man vollends im Nu heraußen. Die Straße München-Rosenheim, nicht die Autobahn, sondern die Landstraße, führt gar nicht sehr weit vom Waldhaus entfernt durch die Gegend. Aber wo man abbiegen muß, um zum Waldhaus zu gelangen, das verrate ich nicht. Wer weiß, vielleicht werde ich doch noch mal berühmt, und dann soll mir nicht jeder hier angekleckert kommen.

Ich fuhr an diesem Tag nicht direkt nach Hause, sondern bog hinter Unter-Bolching rechts ab und schlug den ordentlichen, gutgehaltenen Weg zum Gstattner-Hof ein.

Der Gstattner-Hof liegt an einem gottgesegneten Platz. Hoch oben auf dem geräumigen Plateau eines weitgewölbten Hügels, von dem aus man bei klarem Wetter die Chiemseeberge sehen kann. Dem Gstattner gehört einer der reichsten Höfe rundum, viele Tagwerk Land; Wiesen, Felder und Wald, eine stattliche Anzahl Kühe und Ochsen, zwei Gäule und was eben sonst noch alles zu einem rechten Bauernhof gehört.

Der Andreas Gstattner ist mein Freund. Ich glaube, ich erzählte es schon. Und seine Frau, die Mali, hat mich ebenfalls ins Herz geschlossen.

Als ich an diesem Tag, es war wieder ein strahlender, himmelblauer Maientag, gegen Mittag auf dem Gstattner-Hof eintraf, heiß und pustend, denn den Hügel hinauf muß man immer ziemlich strampeln, und es ist mein Ehrgeiz, nicht abzusitzen, sondern auf meinen beiden Rädern hinaufzukommen, kam ich gerade zum Essen zurecht.

Zuvor allerdings kam das Wiedersehen mit Dorian.

Russl, der Hofhund vom Gstattner, kam mir schon mit lautem Gebell entgegengestürzt und umtanzte mich freudig, nachdem er mich erkannt hatte.

Dorian ist eine vornehme Natur. Er rennt und bellt niemals mit, wenn Russl rennt und bellt. Aber er erschien immerhin oben, wo der Weg in das Gehöft mündet, und späte hinab. Ich sah ihn schlank und hochbeinig, eine goldbraune Silhouette vor dem blauen Himmel, da oben stehen.

Dann hatte er erkannt, daß ich es war, der kam. Wie ein Pfeil schoß er den Weg herab. Russl hätte niemals mit ihm Schritt halten können, wenn er nicht schon zuvor dagewesen wäre. Dorian gab keinen Laut von sich, stürmte wie ein Geschoß auf mich zu, seine seidige Rute wehte wie eine Flagge hinter ihm her, und dann, kurz vor mir, bremste er, seine großen liebenden Augen umfaßten mich, er gab einen einzigen Laut von sich, fast könnte man es einen Schluchzer nennen, so menschlich, so aus dem Herzen kommend, hörte es sich an, und dann warf er sich zu meinen Füßen, sein schöner, schmaler Kopf schmiegte sich an meine Wade.

»Grüß dich, Dorian«, sagte ich, beugte mich hinab und strich ihm über den Kopf. Er richtete sich auf, stand nun groß und schlank neben mir, ich brauchte mich nicht mehr zu bücken, um ihn zu streicheln, und so verharrten wir eine Weile schweigend, er den Kopf an meiner Hüfte, ich die Hand auf seinem Kopf, während uns Russl mit wildem Gebell umkreiste.

»Wie geht's dir, mein Freund?« sagte ich.

Dorian blickte mich an. ›Jetzt wieder gut‹, stand in seinen Augen so deutlich geschrieben wie hier auf dem Papier. Ich saß wieder auf, und zu dritt ging es das letzte Stück den Hügel hinan. Dorian wie der Wind voran, Russl springend und hopsend hinterdrein, und am Ende strampelte ich hinauf.

Dorian, um das auch gleich vollständig zu berichten, ist ein reinrassiger Setter, mit einem Fell von kastanienbrauner glänzender Seide, sehr sensibel, mit Augen so beseelt, wie man oft in drei Paar Menschenaugen zusammen nicht Seele finden kann. Mit Bewegungen von gespannter, federnder Kraft und tänzerischer Grazie. Mein Freund Dorian.

Andres hatte seinen Russl bellen hören und stand schon vor der Tür und blickte mir entgegen.

»Alsdann«, sagte er, als ich angekommen war, »bist wieder heroben? Kommst grad recht zum Essen. A G'selchts gibt's.«

»Sitz nieder«, sagte die Mali, als ich in die Küche kam, wo sie alle schon um den Tisch saßen, die beiden Töchter vom Andres, die Knechte und Mägde, die Gabeln schon in der Hand.

Der Sohn vom Andres ist zur Zeit nicht da, er studiert auf der Landwirtschaftlichen Hochschule in Weihenstephan.

»Hast an Hunger?« fragte die Mali.

Ich hatte keinen Hunger, aber ihr zu Gefallen nickte ich.

»Und an Durscht am End' aa?« fragte der Andres. »Geh, Wastl, hol uns a Flaschen Bier.«

Wir aßen schweigend, und jeder trank seine Flasche Bier. Hernach saß ich noch eine Weile mit der Mali und dem Andres auf der Bank vor dem Haus, während die zwei Mädels in der Küche das Geschirr spülten. Ich rauchte eine Zigarette, Andres seine Pfeife, Dorian lag zu meinen Füßen und sah mich unverwandt an.

Bisher hatte keiner von den beiden etwas zu meinem Fall gesagt. Aber nun konnte sich die Mali doch eine Frage nicht verkneifen.

»Is jetzt dann des vorbei?« fragte sie.

»Sei doch stad«, wies sie der Andres unwirsch zurecht.

»Es ist vorbei«, sagte ich, »erledigt und abgetan. Ich bin geschieden. Ich bin ein freier Mann.«

»Ja so was aa«, meinte die Mali, faltete die Hände auf der Schürze und blickte kummervoll ins Land hinaus.

»Alsdann«, bemerkte der Andres nach einer Weile, »was hat sein müssen, hat halt sein müssen. Früher hat's ja so was net geben. Aber heut gengans z'samm und rennans auseinand', wie's eahna grad paßt. Vielleicht is' ganz gut so. Wann sich die Leut' nimmer vertragen, nacha solln's halt auseinandergehn.«

»Vertragen ham sich die zwoa scho«, sagte die Mali.

Andres kratzte sich am Kinn. »Kann net guat möglich sei. Oder?«

Ich schwieg. In etwa wußten die zwei ja doch, worum es sich handelte, warum Rosalind von mir fortgegangen war. So weltfremd sind die Bauern auf dem Hügel heutzutage auch nicht mehr. Der Gstattner hatte einen großen Wagen in der Scheune stehen, und wenn seine Töchter am Samstag oder am Sonntag nach München fahren oder nach Rosenheim zum Tanz, werden sie ebenfalls im Auto abgeholt, sind fesch und adrett angezogen und haben rotgemalte Münder, nicht viel anders wie eine Städterin.

Trotzdem würde es schwerfallen, den beiden klarzumachen, daß nicht der Mann, den Rosalind heiraten wollte, mein Nebenbuhler war, genausowenig wie damals der Ami vor der

PX-Tür. Es war eher ein Monsieur Charleron mit seinem todsicheren Modegefühl, der kleine Einladungskärtchen zur Saisoneröffnung an bestimmte Damen der Gesellschaft verschickte. Der unter anderem war es.

Und ich möchte niemand raten, Rosalind deswegen der Oberflächlichkeit, der Lieblosigkeit oder Treulosigkeit zu zeihen. Keiner sollte ein Wort gegen sie sagen. Wenn einer etwas sagen könnte, dann ich. Aber ich tue es nicht. Jeder Mensch hat das Recht, seinem Wesen gemäß zu leben, jeder das Recht, seine Träume zu erfüllen, wenn sie sich erfüllen lassen. Verdammt noch mal, ja! Daß unser aller Träume verschieden sind – wen will man dafür verantwortlich machen? Daß Rosalinds Wünsche ans Leben und meine Vorstellung von Glück nicht auf dem gleichen Weg marschieren und sich nur vorübergehend an einem Kreuzweg treffen konnten – wem will man die Schuld dafür geben? Keinem von uns. Oder beiden.

Wenn ich, der ich mir anmaße, Bücher über das Leben und über die Menschen zu schreiben, es nicht einmal versuchen würde, das Leben und die Menschen zu verstehen, wenn ich es nicht einmal fertigbringen würde, diese eine Frau, die ich liebe, zu verstehen, wer in aller Welt sollte es dann tun? Wenn ich ein schlechtes Wort über Rosalind sagen, einen bösen Gedanken gegen sie denken würde, dann war ich es nie wert, daß sie mich geliebt hat. Und einen anderen Beruf sollte ich mir dann auch suchen.

Und daß ich unglücklich bin? Lieber Himmel, ich bin es nicht seit gestern. Wo steht geschrieben, daß ich, ausgerechnet ich armseliger Durchschnittsmensch, ein Recht darauf hätte, das Glück als Dauerbesitz zu pachten? Das Glück ist ein flüchtiger Vogel, der sich in keinen Käfig sperren läßt. Wer ihn aber für eine Zeitlang mal in seinen Händen halten will, der muß auch bereit sein, wenn die Stunde kommt, vor dem leeren Käfig zu stehen.

Ehe wir endgültig nach Hause gingen, Dorian und ich, begrüßten wir noch schnell unsere schöne Isabel. Sie sei auf der Koppel hinter dem oberen Roggenfeld, hatte mir der Andres gesagt. Dort ist das Gras besonders saftig.

Gemeinsam stiegen Dorian und ich über den kleinen Hügel hinter dem Haus, und als wir oben angelangt waren, sahen wir Isabel schon. Sie hatte sich ganz zum Waldrand zurückgezogen, getrennt von den Kühen und den beiden anderen Pferden, sie naschte ein wenig vom Gras, mehr aus Gewohnheit als aus Appetit, und ihr weißes Seidenfell schimmerte märchenschön vor den dunklen Bäumen.

Ich muß immer an Tom den Reimer denken, wenn ich Isabel betrachte. ›. . . die saß auf einem weißen Roß, die Mähne war geflochten fein . . .‹ Nun, geflochten war Isabels lange Mähne gewiß nicht, und eine blonde Frau hatte auch noch nie auf ihr gesessen. Trotzdem mußte ich an die Elfenkönigin denken. Isabel wäre das richtige Pferd für die Dame gewesen.

»Hübsch ist sie schon, was Dorian?« sagte ich, als wir am Gatter angelangt waren. Dann stieß ich meinen leisen, melodischen Pfiff aus, den sie beide gut kennen, das Pferd und der Hund.

Die Stute spitzte die Ohren, wandte ihren kleinen Kopf auf dem kräftigen Hals und setzte sich dann hoheitsvoll in Bewegung. Sie kam nicht stürmisch wie Dorian, sie kam in freiem, stolzem Schritt über die Wiese auf uns zu, den Kopf hoch getragen, und erst das letzte Stück setzte sie sich in Trab.

»Sei mir gegrüßt, Donna Isabella«, sagte ich, »du siehst wundervoll heute aus. Und ich sehe, du befindest dich wohl. Das Gras sieht aus, als sei es eine Delikatesse.«

Isabel senkte den Kopf, aber nicht, um meine Vermutung zu bestätigen, sondern um mit ihren rosigen Nüstern an meiner linken Jackentasche zu schnuppern, wo sich erfahrungsgemäß der Zucker befand.

Gehorsam fingerte ich ein paar Stück heraus, und während sie sie behutsam von meiner Hand nahm, strich ich mit der anderen Hand über ihren festen glatten Hals. Das ist eines der angenehmsten Gefühle, das ich kenne. Sicher, die zarte, weiche Haut einer Frau zu streicheln, ist auch ein herrliches Gefühl. Aber so ein seidiges Pferdefell kommt gleich ganz dicht daneben. Und sauber und seidenzart war Isabel anzufühlen. Nicht ein Stäubchen haftete an ihr. Ja, der Wastl verstand es, ein Pferd zu putzen. Und wenn ich nicht da war, um es selber zu machen, legte er seine Ehre darein, es besonders gut zu machen.

Rosalind war immer eifersüchtig auf Isabel gewesen. Und auf Dorian natürlich auch. »Du und deine beiden Viecher! Ich möchte wissen, wozu du mich eigentlich brauchst. So zärtlich wie deine Augen leuchten, wenn du dem Gaul den Popo klopfst, so zärtlich blicken sie bei mir nie.«

Das ist natürlich eine bösartige Verleumdung. Rosalind konnte sich nie, in unserer ganzen langen Ehe nicht, über mangelnde Zärtlichkeit beklagen. Aber zugegeben, zwei Vorteile haben die Tiere ihr gegenüber: Sie können nicht reden, und sie sind zufrieden mit dem Leben, das ich ihnen biete. Hochzufrieden sogar, glaube ich. Die beiden Gstattner-Gäule, zwei kräftige braune Wallache, die inzwischen gemerkt hatten, daß hier eine kleine Abwechslung im Menü geboten wurde, waren inzwischen herangekommen und streckten die Hälse über das Gatter. Sie hielten sich dabei in respektvoller Entfernung von Isabel, denn die mochte es gar nicht, wenn ich mit den beiden verkehrte, und keilte ihnen dann gelegentlich eins auf den Pelz. Jetzt drehte sie ihnen und mir nur beleidigt das Hinterteil zu und wartete, bis die in ihren Augen vollkommen überflüssige Fütterung der beiden vorbei war. Ich klopfte auch den Braunen die Hälse und sagte dann zu Isabel: »Nun komm, man muß nicht so neidisch sein. Das steht einer edlen Dame schlecht zu Gesicht. Denk doch mal, wieviel schwerer es die beiden haben als du. Sicher waren sie heute schon in aller Herrgottsfrühe auf dem Feld, während du hier spazierengehst.« Aber das rührte Isabel nicht im mindesten. Das fand sie ganz in Ordnung. Schließlich war sie eine Dame aus edelstem Geblüt. Und die beiden anderen gewöhnliche Arbeiter.

»Ich muß jetzt nach Hause«, teilte ich ihr noch mit, »und ein bißchen nach dem Rechten sehen. So gegen sechs komme ich, und dann machen wir einen schönen langen Ritt. Denke ja nicht, daß das Leben für dich nur aus Faulheit besteht.«

Ich patschte ihr noch mal das Hinterteil, und dann machten wir uns auf den Heimweg, Dorian und ich.

Daß ich die Dame Isabel besaß, betrachte ich als einen der wenigen, ganz großen Glücksfälle meines Lebens. Vier Jahre war sie jetzt bei mir. Es war nicht leicht gewesen, sie zu erobern. Als sie als Fünfjährige auf das Gut des Grafen Tanning kam, war sie bereits eine veritable Schönheit und wurde von allen, die etwas davon verstanden, sehr bewundert. Bloß reiten konnte sie keiner. Sie war ein richtiger kleiner Teufel. Der Graf hatte sie seiner jungen Frau zum Geburtstag geschenkt. Und obwohl die Gräfin eine gute Reiterin war, stürzte sie mehrere Male schwer mit dem kleinen Biest. Auch der Graf hatte Mühe, sie zu bändigen.

Als dann im Sommer ein bekannter Turnierreiter seinen Urlaub auf dem Gut verbrachte, gelang es dem einigermaßen, die ungebärdige Stute zu zähmen. Er war des Lobes voll von ihr. Sie habe herrliche Gänge, sie schnell wie der Wind, beim Springen noch etwas stürmisch und unüberlegt, aber das würde sich bei entsprechender Arbeit geben. Er war bereit, sie zu kaufen. Allerdings nicht zu dem Preis, den der Graf für sie bezahlt hatte. Denn, so meinte der Reitersmann nicht ganz zu Unrecht, es würde noch viel Arbeit kosten, sie turnierreif zu machen. Drei Jahre dauere es mindestens, bis man mit ihr über einen Parcours gehen könne, ohne sich sämtliche Knochen zu brechen.

Aber die Gräfin wollte sie nicht verkaufen. Sie war voller Zuversicht, jetzt, nachdem das Pferd eine Zeitlang gut gegangen war, mit ihr fertig zu werden.

Eine Weile ging es auch ganz gut. Mal gab es herrliche Ritte, mal einen Sturz. Einmal ging Isabel mit der Gräfin durch, über die Stoppeln und quer über die Schienen der Eisenbahn, wenige Meter vor einem heransausenden Zug. Die Gräfin trug einen Schock davon und mochte Isabel eine Zeitlang nicht mehr reiten.

Damals lernte ich die Stute kennen. Ich kannte den Grafen nur flüchtig, wir trafen uns ab und zu mal im Gelände, und wir hatten auch schon über Pferde gesprochen. Er wußte, daß ich reiten konnte, hatte mich aber noch nie auf einem Pferd gesehen, denn natürlich konnte ich mir keins leisten. Er lud mich ein, sie einmal auf dem Gut zu besuchen und sich die kleine Teufelin anzusehen.

»Sie ist so schön«, sagte die Gräfin, und ihre Stimme klang geradezu verzweifelt, »so schön und so böse. Warum bloß? Es hat ihr doch nie jemand etwas getan.«

»Das weiß man nicht«, erwiderte ich und betrachtete die Stute, die regungslos in ihrer Box stand und desinteressiert an uns vorbeiblickte.

»Ich glaube auch nicht, daß sie böse ist. Sie ist jung und wild und ungebärdig. Sie hat noch keinen als Herrn anerkannt.«

»Mit Max ging es ganz gut«, sagte die Gräfin. Max war der Turnierreiter. »Nicht, Franz? Er kam doch ganz gut mit ihr zurecht. Er hat sie allerdings ziemlich hart angefaßt, und ich glaube, sie hatte Angst vor ihm. Vor mir hat sie keine Angst. Nicht einmal Respekt. Ich kann auch nicht so energisch mit ihr umgehen, das liegt mir nicht. Aber sie mag mich einfach nicht. Stuten mögen ja oft keine Frauen.«

»Wollen Sie sie mal reiten?« fragte der Graf.

»Um Gottes willen, nein, Franz«, rief die Gräfin erschrocken. »Herr Schmitt bricht sich das Genick.«

»Wenn ich es mal versuchen dürfte«, meinte ich bescheiden. »Ich habe zwar seit vielen Jahren nicht mehr im Sattel gesessen, und ich kann nicht voraussehen, wo ich landen werde. Aber probieren würde ich es gern mal.«

Der Graf nickte und grinste ein wenig. Isabel wurde gesattelt und gezäumt, und dann führte ich sie selbst aus dem Stall und redete dabei auf sie ein. Sie spitzte die Ohren, sah mich aber nicht an. Aber sie ging willig mit.

Ich hatte natürlich keinen Reiterdreß an, nur ganz gewöhnliche Hosen und Halbschuhe.

Sie ließ mich aufsitzen, ohne sich zu rühren, und sie trat an, als ich die Schenkel leicht anlegte. Wir gingen im Schritt ein paarmal im Kreis auf dem Hof herum, neugierig betrachtet von dem ganzen Gesinde, das sich eingefunden hatte.

Ich wies zum Hoftor. »Darf ich hinaus?«

»Bitte, bitte«, sagte der Graf. »Aber auf Ihre Verantwortung.«

»Bleiben Sie aber hier beim Haus«, rief mir die Gräfin noch nach.

Unter dem Hoftor stand ein kleiner Junge, den Finger in der Nase. Isabel legte gereizt die Ohren an, als sie an ihm vorüber sollte, und bockte. Ich gab ihr erst eine Parade, dann einen energischen Schenkeldruck und ließ ihr die Zügel. Sie setzte sich in Trab, und so kamen wir am Hof hinunter und ins Freie.

Eine Stunde später kamen wir wieder und fanden alle in heller Aufregung. Jeder glaubte, ich hätte mir das Genick gebrochen und Isabel sei über alle Berge.

Ich saß ab und entschuldigte mich bei dem Grafen und seiner Frau. »Eine Viertelstunde wäre zuwenig gewesen, um ihr beizubringen, daß es nicht immer nach ihrem Kopf gehen kann. Dann wäre sie wieder als Siegerin heimgekommen. So steht die Partie jedenfalls unentschieden.«

»Mein Gott, Sie sind ja pitschnaß«, rief die Gräfin. »Und Isabel auch. Seid ihr so gejagt?«

»Durchaus nicht. Wir haben erbittert miteinander gekämpft, und das hat uns beide angestrengt. Aber jetzt zum Schluß haben wir einen wundervollen langen Galopp gehabt und befanden uns dabei in vollster Eintracht.«

Während Isabel in den Stall geführt wurde, sagte der Graf: »Darauf müssen wir einen trinken. Ist das wahr, was Sie vorhin gesagt haben? Sie sind schon jahrelang nicht mehr geritten?«

»Das letztemal zu Anfang des Krieges, als wir noch Bespannung bei der Artillerie hatten. Seitdem nicht mehr.«

»Dann müssen Sie ein ganz respektabler Reiter sein, mein Lieber. Alle Hochachtung.«

Reiten hatte ich schon als Junge gelernt. Einfach deswegen, weil ich es gern wollte und es mir heiß und innig gewünscht hatte. Da ich der einzige war und Muni mir immer schlecht einen Wunsch abschlagen konnte, durfte ich also reiten lernen. Später dann, als Vierzehnjähriger, hatte ich einen Freund auf der Penne, er hieß Klaus und stammte aus Ostpreußen. Sein Vater war Offizier, noch vom Ersten Weltkrieg her, war dann bei Hitlers Wehrmacht und machte dort eine rasche Karriere. Er wurde nach München versetzt, und so kam Klaus zu mir auf die Schule. Wir freundeten uns sehr rasch und sehr intensiv an, nicht zuletzt deswegen, weil wir beide eine gemeinsame Leidenschaft hatten: die Pferde.

Klaus war ein weitaus besserer Reiter als ich. Er hatte fast seine ganze Jugend auf dem Gut eines Onkels verbracht, der selber Pferde züchtete. Von Klaus nun lernte ich, was ich noch nicht konnte, was man vielleicht auch auf braven Tattersallpferden nicht lernen kann. Denn Klaus besaß natürlich ein eigenes Pferd, einen harten, sehr temperamentvollen Ostpreußen. Der Himmel auf Erden aber brach über mich herein, als ich von meinem Freund eingeladen wurde, in den großen Ferien mit zu seinem Onkel zu fahren.

Von München nach Ostpreußen, das war eine weite Reise. Und für meine Eltern war es eine Enttäuschung, daß ich ohne sie die Ferien verbringen wollte. Für gewöhnlich fuhren wir im Sommer für drei Wochen an den Bodensee oder nach Tirol, immer abwechselnd. Aber diesmal interessierte mich das Bergsteigen und Schwimmen nicht im geringsten. Als sie meine Begeisterung sahen, ließen sie mich ziehen.

Von nun an verbrachte ich bis zum Ausbruch des Krieges alle meine Sommerferien mit Klaus bei seinem Onkel. Dort lernte ich nun wirklich reiten, mit und ohne Sattel, mit und ohne Bügel, auf tadellos zugerittenen Dressurpferden und auch auf jungen, ungebärdigen Tieren. Der Onkel, der selber ein gottbegnadeter Reiter war, meinte nach meinem dritten Sommeraufenthalt, daß ich nun einigermaßen reiterähnlich auf einem Pferd sitzen könne. Ich solle fleißig sparen, er würde mir dann ein brauchbares Pferd zu einem erschwinglichen Preis überlassen. Das war von nun an der Traum meines Lebens.

Aber wovon sollte ich sparen? Zunächst verdiente ich nichts, das Studium lag noch vor mir. Und was ich werden wollte, wußte ich auch noch nicht genau. Zu jener Zeit am liebsten Reitlehrer, aber damit durfte ich meinem Vater natürlich nicht kommen.

Und dann starb mein Vater plötzlich, meine Mutter bekam eine bescheidene Pension, wir mußten sehen, wie wir auskamen, und es war nicht daran zu denken, daß ich mir je würde ein Pferd kaufen können. Selbst wenn der Onkel in Ostpreußen es mir geschenkt hätte – das nützte nichts. Das Pferd brauchte einen Stall, es brauchte Futter und Pflege, und das ist in der Großstadt ein teurer Spaß.

Klaus erntete inzwischen seinen ersten Ruhm als junger Turnierreiter, und ich beneidete ihn glühend.

Na ja, und dann kam sowieso alles anders. Dann kam der Krieg, dann hörte alles Wünschen und Hoffen und Planen auf. Klaus fiel im ersten Rußlandwinter, sein Vater ein Jahr darauf, und das Gut in Ostpreußen fraß der gierige Krieg mit Haut und Haar, mit allen Tieren und Feldern und dem Reiteronkel.

Ich erzählte dem Grafen und seiner Frau beim Tee diese Geschichte.

Zum Schluß forderten sie mich auf, sie wieder einmal zu besuchen, und wenn ich Lust hätte, könnte ich Isabel auch wieder reiten. Und ob ich Lust hatte! Als ich nach Hause kam, redete ich von nichts anderem als von Isabel und meinem Ritt mit ihr. Ich war unbändig stolz auf mich selbst. Rosalind schüttelte den Kopf. »Was du alles für unbrauchbare Talente hast«, sagte sie. »Reiten! Wer reitet denn heute noch? Heute fährt man Auto.«

»Auto fahren kann jeder Idiot«, erwiderte ich wegwerfend. »Aber reiten muß man können.«

»Auto fahren kann auch nur der Idiot, der sich ein Auto kaufen kann«, bemerkte Rosalind spitz. »Und ein Pferd wird man auch nicht umsonst bekommen.«

»Es war immer der Traum meines Lebens, ein eigenes Pferd zu haben.«

»Komische Träume. Das wäre das letzte, worauf ich käme. Pferdestärken, ja, und möglichst viele unter einer schicken Kühlerhaube, darüber läßt sich reden.«

Man sieht, so ganz einig war ich mir mit meiner reizenden Rosalind auch nicht immer.

Gelegentlich ging ich nun aufs Gut, aber nicht zu oft, denn ich wollte nicht unverschämt erscheinen. Mit der Zeit vertrug ich mich mit Isabel recht gut. Es gab noch immer Meinungsverschiedenheiten, sie stieg und bockte und wehrte sich, sie ging auch mal durch, und einmal landete ich höchst unsanft mit dem Kreuz an einem Baumstamm, und Isabel kehrte allein nach Hause zurück.

Auch die Gräfin hatte wieder Mut gefaßt und ritt die Stute ab und zu. Dann, im nächsten Frühjahr, passierte das Unglück.

Die Gräfin stürzte schwer und hatte als Folge davon eine Fehlgeburt. Der Graf war außer sich. Seit langem wünschte er sich Kinder und nun dies. Zumal die Ärzte zunächst davon sprachen, die Gräfin, die lange krank war, würde nie mehr Kinder bekommen können.

In der ersten Wut wollte der Graf Isabel am liebsten erschießen. Auf jeden Fall wollte er sie nicht mehr sehen. Also nahm ich sie erst mal mit. Sie kam zum Andres in den Stall, wo es nicht so vornehm war wie im gräflichen Stall, aber schließlich war es ja auch eine Art Strafversetzung. Mit der Zeit baute ich ihr eine wunderbare Box zurecht und hatte die Freude, zu erleben, daß nicht nur der Andres, sondern auch der Wastl die kapriziöse Schönheit in ihr Herz schlossen. Denn wenn sie wollte, konnte Isabel auch sehr zutraulich und freundlich sein. Sie biß nicht, sie schlug nicht, stand mäuschenstill beim Putzen, rieb ihren Kopf an der Schulter, wenn man mit ihr sprach, und hatte eine ganz reizende Art, einen zu begrüßen, wenn man in den Stall kam, so ein fast gurrendes Gelächter in der Kehle, womit sie ihre Freude ausdrückte, einen Freund wiederzusehen. Überhaupt änderte sich ihr Wesen nach dem Umzug deutlich spürbar. Ich war nun jeden Tag bei ihr, arbeitete intensiv und ausdauernd mit ihr, und siehe da, Trotz und Widerstand verschwanden mehr und mehr. Sie gewöhnte sich an mich, erkannte mich als Herrn an. Im Sommer darauf sprang sie bereits mühelos einen Meter fünfzig, nahm willig jeden Graben und lernte auch einfache Dressuraufgaben. Ich war so glücklich mit ihr, so erfüllt von dem Tier, daß zunächst meine Arbeit darunter litt.

Rosalind sagte: »Du und der verflixte Gaul! Ich möchte bloß wissen, wozu ich eigentlich noch hier bin. Wenn ich eines Tages nicht mehr da wäre, ich glaube, es würde dir gar nicht auffallen.«

Man sieht, wenn man gerecht ist, auch Rosalind hatte ihre Gründe, warum sie mich schließlich verließ.

Sie war nicht zu bewegen, das Pferd zu besteigen. Lix dagegen hatte es versucht, ich gab ihr Unterricht, aber sie landete einige Male sehr heftig auf dem Boden. Offensichtlich wollte Isabel keinen anderen Reiter dulden als mich. Und als Anfängerpferd war sie ja nun wirklich nicht geeignet.

Rosalind verbot schließlich diese Reitversuche. »Ich will nicht, daß meine Tochter ein Krüppel wird. Wenn du dir unbedingt deine Knochen brechen willst, bitte sehr. Lix steigt mir nicht mehr auf das verdammte Biest . . .«

Lix hatte sich ein wenig den Schneid abkaufen lassen und verzichtete ganz gern auf weitere Reitstunden.

Was mich nun ständig beschäftigte, war die Frage, wie ich mit dem Grafen zu einer Einigung kommen könnte. Ewig hatte ich Angst, er würde mir Isabel wieder fortnehmen. Immerhin war sie ein wertvolles Tier. Schließlich machte ich ihm den Vorschlag, ihm nach und nach den Kaufpreis für Isabel zu zahlen. Auf einmal könnte ich es leider nicht. Es war sowieso schon ein Wahnsinn bei meiner Situation.

Der Graf lachte nur. »Mein Lieber, richtig bezahlt, ist die teuer. Überhaupt nach allem, was sie jetzt bei Ihnen gelernt hat. Aber lassen Sie nur, reiten Sie sie weiter, später werden wir sehen, was wir mit ihr machen. Ich bin vor allem froh, daß meine Frau wieder gesund ist.«

Ja, die Gräfin hatte sich bald erholt, sie war jung, und die Befürchtungen der Ärzte hatten sich als übertrieben erwiesen. Vor fünf Monaten hatte sie ihrem zweiten Kind das Leben geschenkt. Der Stammhalter war inzwischen zwei Jahre alt.

Ich war zur Taufe eingeladen gewesen, hatte mich mit einem großen Blumenstrauß und einem kleinen silbernen Löffelchen eingefunden, in der Tasche trug ich wieder einmal hundert Mark. Die waren für Isabel. Denn ich hatte mich nicht davon abbringen lassen, dem Grafen gelegentlich, wann immer es mir möglich war, fünfzig oder hundert Mark zu bringen. Und ich bestand darauf, daß er sie nahm. Ich wollte wenigstens den Anschein eines Rechtes haben, Isabel mein eigen zu nennen. Eines Tages sollte sie mir gehören.

Auch formal-juristisch gesehen. Denn tatsächlich bestand nicht mehr der geringste Zweifel daran, daß Isabel mein Pferd war. Sie selbst war am tiefsten davon überzeugt. Und bewies es mir damit, daß es keinen Ärger, keinen Streit mehr zwischen uns gab. Sie gehorchte, sie tat alles, was ich von ihr verlangte, willig und so gut sie es vermochte.

Natürlich gab es wegen dieses Geldes, das ich gelegentlich für Isabel zahlte, Streit zwischen Rosalind und mir. Und zweifellos war Rosalind damit im Recht. Wenn ein Mann so wenig Geld verdient wie ich und Weib und Kind zu ernähren hat und ihnen so verdammt wenig bieten kann, dann hat er nicht die geringste Berechtigung, sich den Luxus eines Reitpferdes zu leisten. Und letzten Endes war auch Isabel einer der Gründe, warum ich mich vom Waldhaus nicht trennen wollte. Hier kostete sie mich verhältnismäßig wenig. Der Andres verlangte nichts dafür, daß sie bei ihm im Stall stand, den Hafer bekam ich billig, und die Weide war sowieso da, und im Garten bei der Mali wuchsen die herrlichsten gelben Rüben, die ich auch noch gratis bekam. In der Stadt hätte ich mir nie ein Pferd halten können. Und darum, unter anderem, wollte ich eben nicht in die Stadt.

Zweifellos hatte Rosalind eben doch recht, wenn sie mich einen Egoisten nannte. Und sie hatte recht gehabt, ihrer Wege zu gehen. Sie wollte leben, wie es ihr paßte, und ich wollte leben, wie es mir paßte. Sie wollte Kleider von Monsieur Charleron kaufen, und ich wollte mit Isabel durch den Wald reiten. Sicher gibt es genügend Männer auf der Welt, die das alles unter einen Hut bringen können. Und noch einen Cadillac und eine Villa dazu. Ich konnte es eben nicht, zum Teufel. Und deshalb mußte ich auf Rosalind verzichten und allein mit meinen Tieren leben. Alles im Leben hat seinen Preis, und kein Mensch kann alles haben. Das war schon immer so. Und würde immer so bleiben.

Ein Maientag, der mit Gewitter . . .

Ich hatte vor einiger Zeit einen neuen Roman begonnen. Nun bin ich kein leichter und rascher Arbeiter. Wenn dazu noch mein Seelenleben gestört ist, dann geht es gar nicht mehr vorwärts.

Um ehrlich zu sein, in der Woche nach meiner Scheidung schaffte ich so gut wie gar nichts. Ich setzte mich zwar jeden Tag gewissenhaft nach meinem Morgenritt an die Schreibmaschine, tippte ein paar Zeilen, saß dann da und starrte in die Luft. Es wurde einfach nichts.

Schließlich kam ich auf die Idee, mich anders zu beschäftigen. Ich fuhr ins Dorf, kaufte mir Farbe und begann die drei Zimmer im Waldhaus neu zu streichen. Eins himmelblau, das andere rosa und das dritte sogar dreifarbig, die eine Wand gelb, die andere lachsfarben und die Decke in einem duftigen Frühlingsgrün. Ich weiß nicht, was ein Innenarchitekt dazu gesagt hätte, zumal sich danach herausstellte, daß die rot-weiß gemusterten Vorhänge eigentlich nicht ganz dazu passen, aber mir gefiel es. Und ich hatte ein paar Tage lang tüchtig zu tun, denn anschließend mußte ordentlich saubergemacht werden.

Ich kochte auch jeden Tag Mittagessen, das mußte ich schon wegen Dorian, der meine handwerkliche Tätigkeit mit tiefer Mißbilligung betrachtete und beleidigt die Nase rümpfte, wenn er die neugestrichenen Räume betrat.

Das Wetter war unverändert schön, warm wie im Hochsommer. Am Samstag stand ich schon in aller Herrgottsfrühe auf, was im allgemeinen nicht zu meinen Gewohnheiten gehört, stieg in meine Reithosen, und dann liefen Dorian und ich im Eiltempo zum Gstattner-Hof und holten uns die Isabel aus dem Stall.

Ein herrlicher Morgen! Was für ein Himmel, was für ein frisches junges Grün! Zum erstenmal, seitdem ich aus München herausgekommen war, wich die Beklemmung etwas von meiner Brust. Ich hielt mir selber so viele gescheite Vorträge, sah so bereitwillig meine eigenen Fehler ein, und konnte doch nicht verhindern, daß ich litt. Mein Gott, vierzehn Jahre! Vierzehn Jahre Ehe. Und fünfzehn Jahre Liebe, so lange kannte ich Rosalind, man konnte das doch nicht von heute auf morgen auslöschen. Genaugenommen war sie die einzige Frau meines Lebens, denn die paar harmlosen Abenteuerchen, so am Rande des Krieges mitgenommen, die vor ihr gewesen waren, die zählten doch nicht. Gar kein Ruhmesblatt, wenn ein Mann so monogam ist. Was gab es doch für tolle Kerle, die vergnügt von einer Frau zur anderen spazierten. Und ich hatte immer nur eine geliebt und eine gewollt. Und auch nur eine gehabt. Nicht viel Staat mit mir zu machen, nicht einmal in der Beziehung. Und jetzt hatte ich gar keine Frau mehr. Und würde auch keine mehr kriegen. Denn welche sollte mir gefallen nach Rosalind? Und wo sollte ich überhaupt den Mut hernehmen, mich noch einmal einer Frau zu nähern? Dazu hatte ich sowieso verflixt wenig Talent. Und überhaupt –! Auch einer anderen würde es hier draußen zu einsam und zu primitiv sein, und ich würde ihr zu arm und zu unbedeutend sein, und sie würde – ach verdammt! Und ich wollte auch gar keine. Wenn es nicht Rosalind sein sollte mit ihren süßen schmalen Hüften und ihren weichen zärtlichen Lippen und . . . Schluß aber jetzt! Konnte ich denn überhaupt nichts anderes mehr denken.

»Los, Isabel, komm«, sagte ich und legte den Schenkel an. Isabel, die träumerisch am langen Zügel dahingelatscht war, stellte überrascht die Ohren hoch und setzte sich in Galopp. Ich beugte mich tief über ihren Hals und steigerte das Tempo. Eigentlich keine Galoppstrecke, dieser schmale unebene Waldweg. Aber Isabel faßte sicher Fuß, sprang federleicht über den gefällten Baumstamm, der sich uns in den Weg legte, und verringerte das Tempo nicht, als wir aus dem Wald heraus und ins freie Gelände kamen. Sah ich recht? Schon eine gemähte Wiese? Nichts wie drüber. Wir legen einen ausgewachsenen Renngalopp hin, wir beide, der sich auf jeder Rennbahn hätte sehen lassen können.

Am anderen Ende der Wiese genügte ein leiser Pfiff. Sie stand wie angenagelt und schaute sich genau wie ich nach Dorian um, der nicht ganz mit uns hatte Schritt halten können, was ihn immer sehr ärgerte. Meist nahmen wir Rücksicht auf ihn, wenn er dabei war. Auch er kam in gestrecktem

Galopp heran und war uns ziemlich dicht auf der Spur geblieben. Als er bei uns war, schenkte er uns keinen Blick und trabte weiter.

»Hö, halt«, rief ich ihm zu. »Mach mal Pause. Du brauchst gar nicht so anzugeben, als wenn dir das nichts ausmacht.« Im Schritt folgen wir ihm in das kleine Tal hinab, wo unten ein silberklarer schmaler Bach fließt, den wir durchquerten, was Isabel sichtlich Spaß machte. Dorian schlapperte ein paar Zungen voll von dem frischen Naß, und dann ging es auf der anderen Seite wieder hinauf. Noch ein Stück Galopp. Und eine gerade lange Trabstrecke zwischen zwei Feldern, dann wieder Wald, kühler Schatten, süße, würzige Luft. Nachgerade wurde es warm. Fast war es ein richtiger Sommertag.

»Wird Zeit, daß wir umkehren«, teilte ich den beiden mit. »Wir sind bald in München drin. Und ich weiß nicht, wie ihr euch im Samstag-Vormittag-Verkehr auf dem Marienplatz ausnehmen würdet. Außerdem habe ich einen Bärenhunger.« Denn gefrühstückt hatte ich noch nicht.

Als wir zum Gstattner-Hof zurückkamen, waren wir fast drei Stunden unterwegs gewesen. Isabel ging fromm wie ein Lamm. Sie war müde. Und Dorian hing die Zunge kilometerweit zum Hals heraus.

»Mei, i hab denkt, du kommst gar nimmer z'ruck«, empfing mich die Mali. »Drei Stunden auf'm Gaul, wo eh vorn und hint' nix an dir dran is.«

Ich lachte. »Vielleicht könnte ich dann ein kleines Frühstück haben? Damit was drankommt an mich.«

»Hast am End' no nix gessen heit?«

»Woher denn? Ich bin doch schon um sieben aufgestanden. Da strengt mich das Kaffeemahlen zu sehr an.«

Kopfschüttelnd verzog sich die Mali ins Haus, und ich hörte, wie sie drin dem Andres mitteilte, daß ich doch ein arg spinnerter Teifi sei, ein arg spinnerter aber schon.

Ich bekam ein Frühstück, das mich für diesen Tag der Mühe enthob, Mittagessen zu kochen. Der Andres setzte sich zu mir, und wir vertieften uns in eine hitzige politische Debatte. Später kamen die Töchter aus dem Dorf zurück, und die Älteste brachte ein funkelnagelneues Modeheft und wollte meinen Rat für die Fasson des neuen Sommerkleides, das sie sich schneidern wollte. Das setzte mich in Verlegenheit. Früher waren die Mädels mit solchen Problemen zu Rosalind gekommen, die ja auch zweifellos in solchen Fragen kompetent war. Seit Rosalind fort war, mußte ich herhalten. Zweifellos dachten die jungen Damen, als langjähriger Gatte einer so schicken Frau müsse doch ein wenig Sinn für Mode auf mich abgefärbt haben.

Ich tat mein Bestes. Die Resl war allerdings nicht ganz einverstanden mit meinem Vorschlag, einem schlichten, mattblauen Hemdblusenkleid.

»Geh, da is doch gar nix dran«, meinte sie abfällig.

»Das ist ja gerade das Hübsche an dem Kleid«, erklärte ich ihr. »Je schlichter das Kleid ist, um so eleganter ist es. Jede wirklich elegante Frau trägt Sachen von ganz einfachem Schnitt.«

Die Resl betrachtete zweifelnd das superschmale Fotomodell auf dem bunten Bild. »Wannst meinst . . .«, murmelte sie nicht ganz überzeugt.

»So is und net anders«, griff ihr Vater ein, »kannst as sehen, wannst nach München einikemmst. Vornehm is immer einfach. Hab ich euch schon oft gesagt. Aber ihr wißts ja alls besser. Und jetzt schleich di, i hab no mit'm Sepp z'reden.« Ja, das habe ich noch vergessen zu erwähnen. Für den Andres heiße ich Sepp. Das stammt noch aus dem Krieg. Wir waren damals die einzigen Bayern bei einer norddeutschen Einheit. Das heißt, der Andres war schon vor mir da. Und als ich dann hinkam, hieß es: »Jetzt kriegen wir noch so 'n Seppl.« Vor Andres' Fäusten hatten sie Angst, aber mich nannten sie ungeniert Seppl vom ersten Tag an. Und der Andres glaubte lange Zeit, ich hieße wirklich so. Und dabei ist es geblieben.

Vor dem Mittagsläuten verabschiedete ich mich. Die Mali wollte zwar, daß ich zum Essen bliebe, aber ich lehnte ab. Erstens hätte ich wirklich nichts mehr essen können, und zweitens mußte ich nun doch mal ernsthaft versuchen, was zu arbeiten.

Das tat ich denn auch die nächsten drei Stunden. Und brachte sogar ein ganz respektables Kapitel zusammen. Dann streckte ich mich, ging vors Haus, wo Dorian faul im Schatten lag, noch müde von unserem Morgenritt. Totenstill war es hier, nicht einmal die Vögel sangen.

»Schön warm, Dorian, was?« sagte ich, bloß um einen Ton zu hören. Warm war mir wirklich beim Schreiben geworden.

»Eigentlich könnten wir baden. Was meinst du? Wollen wir's versuchen?«

Ich zog die Badehose an und lief mit Dorian das Stück Weg durch den Wald zu meinem kleinen See.

»Verflixt«, sagte ich, als ich den Fuß ins Wasser steckte. Die Nächte waren eben noch kühl, und hier in den Wald kam nicht allzuviel Sonne. Aber nun gerade.

Ich biß die Zähne zusammen, tauchte hinein, schwamm mit kräftigen Stößen zum anderen Ufer, wendete und kraulte zurück. Dorian paddelte immer tapfer neben mir her.

Schön war's gewesen. Das würde ich nun jeden Tag machen. Wir liefen beide im Trab nach Hause zurück, rubbelten uns ab und legten uns in die Sonne.

Nach einer Weile stand ich wieder auf, kochte mir Kaffee, nahm ihn mit hinaus an meinen Liegestuhl und las noch einmal den Brief von Lix, den mir der Briefträger diesen Morgen gebracht hatte.

»Lieber Paps«, schrieb meine Tochter, »ich war sehr böse, daß Du wieder abgefahren bist, ohne mich zu treffen. Mami sagt, ich müsse das verstehen, und wir würden uns bald sehen. Kommst Du bald wieder mal nach München, oder soll ich nächstes Wochenende zu Dir hinauskommen? Darf Dolly dann mitkommen? Sie sagt, sie sieht nicht ein, wenn ich zwei Väter habe, warum sie nicht auch zwei Väter haben soll. Ganz richtig ist es ja nicht. Denn sie hat ja dafür zwei Mütter, nicht? Und Frau Boll auch noch. Die habe ich zwar jetzt auch. Mami und Onkel Conny sind in Paris. Schick, nicht? Wenn ich größer bin, darf ich mal mitfahren, hat Mami gesagt. Hat Dir Muni erzählt, daß ich in Mathe eine Eins geschrieben habe? Dafür im deutschen Aufsatz eine Fünf. Komisch, nicht, daß ich Dein Schreibtalent gar nicht geerbt habe. Aber mir fällt immer nichts ein. Das Thema hieß: ›Wenn der Sommer ins Land zieht‹ . . . Was soll man denn da schon groß schreiben? Wenn es Sommer wird, wird es eben Sommer. Du könntest sicher viel dazu schreiben. Schade, daß Du nicht hier bist, dann könntest Du mir bei so was wie Aufsatz helfen. Wenn wir wieder mal einen Hausaufsatz kriegen, komme ich zu Dir raus, ja? Überhaupt wünsche ich mir oft, im Waldhaus zu sein, jetzt wo das Wetter so schön ist. Wir haben ja hier auch einen schönen Garten. Aber so richtig wie draußen ist es eben nicht. Aber wir kriegen einen Swimming-pool, das hat uns Conny verspro-

chen. Ist doch prima, nicht? Lieber Paps, schreibe mir doch
auch mal. Dolly läßt Dich grüßen. Und ich grüße Dich viel
tausendmal   Deine Lix.«

Ich hatte den Brief schon mindestens sechsmal gelesen.
Meine Tochter lebte nun also in einer feinen Villa und bekam
einen Swimming-pool. Und in einigen Jahren würde sie auch
Kleider von Monsieur Charleron beziehen. Momentan hatte sie
noch Verwendung für mich, ich könnte ihr beim deutschen
Aufsatz helfen. Später dann . . . Nun ja, es war müßig, sich
darüber Gedanken zu machen. Rosalind würde willentlich nie
etwas tun, um mir meine Tochter zu entfremden. Das kam
ganz von selbst. Sie lebte jetzt in einer anderen Welt. Zunächst
war sie noch interessiert daran, mich ihrer neuen Freundin
Dolly zu präsentieren. Falls ich vor Dollys Augen keine Gnade
fand, und man darf nicht vergessen, daß Dolly einen sehr attraktiven Papa besaß, dann sah es schlecht für mich aus. Deutscher Aufsatz war schließlich nicht so wichtig.

Ich ließ den Brief ins Gras fallen, trank meinen Kaffee aus,
legte mich zurück und blickte hinauf in den Himmel.

Wie still es hier war! Wie einsam!

Fing mir jetzt die Stille, die Einsamkeit an, auf die Nerven zu
gehen? Ich hatte mir doch immer Einsamkeit gewünscht. War
sie mir jetzt zu einsam?

Ich konnte Lix ja schreiben, daß sie mit Dolly zum nächsten
Wochenende herauskommen sollte. Eine Weile dachte ich angestrengt darüber nach, was ich den beiden jungen Damen hier
zu bieten hatte. Spaziergänge, ein Bad im Weiher, der kein
Swimming-pool war, aber immerhin mit Wasser gefüllt. Ich
hatte die neugestrichenen Zimmer, ich konnte nach Ober-Bolching ins Gasthaus mit ihnen essen gehen und vielleicht ein
paar lehrreiche Gespräche über deutsche Aufsätze führen.

Plötzlich entdeckte ich, daß ich fast Angst vor diesem ange-
kündigten Besuch hatte. Meine kleine Lix, die mir so nahe und
vertraut gewesen war, fing sie bereits an, eine Fremde zu werden? War sie mir verloren an die neue Umwelt? Dolly, Frau
Boll, Onkel Conny, die Reise nach Paris, der Swimming-pool.
Und mein einziges Verbindungsglied zu meinem Kind, Rosalind, würde auch immer mehr ein Teil dieser fremden Welt
werden. Sie waren beieinander. Ich war allein. Allein. *Allein!*

Ich sprang auf von meinem Liegestuhl, so heftig und schnell,
daß Dorian erschrocken auffuhr und mich vorwurfsvoll ansah.

»Schon gut, mein Freund«, sagte ich. »Ich hol' mir bloß ein Stamperl Schnaps.«

Ich holte die Flasche mit dem Himbeergeist, stellte sie neben den Liegestuhl, trank ein, zwei, drei Stamperl, las die Zeitung dabei, ohne richtig mitzukriegen, was drin stand.

Der Schnaps machte es auch nicht besser. Ich war trotzdem allein. ›Es ist nicht gut, daß der Mensch allein sei.‹ Wo war das gleich her? Im Zweifelsfall aus der Bibel. Da standen noch immer die klügsten Sachen.

Ich war vierzig. Somit begann nun das, was man die besten Jahre nennt. ›Ein Mann in den besten Jahren.‹ Wo steht geschrieben, daß ein Mann in den besten Jahren allein leben soll? Von hier bis in alle Ewigkeit. Ich hatte Dorian, ja. Mein bester Freund. Und meine schöne Isabel. Ich hatte den Wald, die Wiesen, na und so weiter. Aber ich war allein.

Es befriedigte mich geradezu, als das Gewitter aufzog. Erst hatte ich gar nicht gemerkt, daß die Sonne verschwunden war, bis ich anfing zu frösteln in meiner Badehose. Dann hörte ich das ferne Grollen über den Baumwipfeln. Ich wußte, wo es herkam. Drüben über den Wendelstein. Ein Maigewitter in den Bergen. Da ist was gefällig. Manchmal hatte es sich ausgetobt, bis er hierherkam.

Heute nicht. Es kam mit der Gewalt, mit der Wildheit eines Urgeschöpfes. Grelle Blitze, krachende Donner, ein brausender Sturm, der die Bäume beugte und peitschte, und dann ein hemmungsloser Wassersturz vom Himmel, ein Wolkenbruch, der alles zu ertränken drohte.

Das Gewitter kam mir gerade recht. Ich stand vor der Tür, die Flasche mit dem Himbeergeist unter dem Arm und lachte in das Toben hinein. Herrlich! Wunderbar! Was für eine Befriedigung, zu wissen, daß die Erde noch lebte, daß der Himmel sich noch bewegte! Daß es da oben und da unten und um mich herum nicht so tot war wie in meinem Herzen.

Dorian, der eine heilige Scheu vor Gewittern hat, war beim ersten Donnergrollen mit eingezogenem Schwanz ins Haus gelaufen und hatte sich verkrochen. Aber dann trieb ihn die Sorge um mich wieder aus seinem Winkel hervor. Er stand mitten im Zimmer, ein wenig geduckt, mit zitternden Flanken und spähte durch die offene Tür zu mir hinaus. Ein paarmal bellte er mich ärgerlich an. Es war nicht zu begreifen, daß dieser Mensch nicht hereinkam.

Erst als mir das Wasser in dichten Bächen über die Haut lief und ich vor Kälte bebte, ging ich hinein, trocknete mich ab, nahm noch einen Schluck, diesmal gleich aus der Flasche.

»Ein Gewitter, Freund«, sagte ich, »das ist nichts Böses, das ist was Gutes. Außerdem donnert es nicht mehr. Es regnet. Wasser für die Bäume, die Wiesen und die Felder. Schönes, frisches Wasser, direkt vom Himmel, ohne Chlor und ohne chemische Zusätze. Wo gibt's denn so was noch?«

Ich zog mich an, ein sauberes Hemd, die graue Flanellhose und die dunkelgrüne Cordjacke, denn es war ziemlich kühl geworden. Der Regen war ausdauernd. Eine halbe Stunde lang schüttete es vom Himmel herunter, als sei da oben ein Ozean übergeflossen. Dann ließ die Heftigkeit des Regens nach, er kam jetzt beständig und dicht, rauschte in den Bäumen wie volltönender Gesang. Dann wurde das Lied immer leiser, immer sanfter, bis es zart verklang.

Die Erde atmete. Sie hatte sich geduckt vor der Gewalt des Gewitters, hatte den Regen bereitwillig in ihren dunklen Leib aufgenommen, und nun dehnte er sich, streckte sich, wohlig und satt, lebenschaffend. Das Gras um das Waldhaus leuchtete wie edelster Smaragd. Und dann begannen die Vögel ihr Abendlied. Einer begann, schüchtern rufend, die anderen folgten, eine Amsel schwang sich jauchzend darüber, und nach dem Toben des Gewitters, dem Gesang des Regens erfüllte nun der Chor dieser glücklichen kleinen Geister die Luft.

Ich blickte zu der Amsel auf. Ich kannte sie. Sie saß meist auf dem wilden Apfelbaum hinter dem Haus, manchmal auch auf dem Dach, und sie sang ihre Seligkeit über das Leben, über die Welt, über den lieben Gott, der sie geschaffen, so jubelnd gegen den Himmel, als sei ihr schwarzer Leib ein Dom, ihre Kehle die Orgel und ihr kleines Herz die Ewige Lampe des Lebens.

»Komm, Dorian«, sagte ich, »das ist die rechte Zeit für einen Spaziergang. Abendessen können wir nachher auch noch. Aber jetzt müssen wir ein Stück durch den Wald, und dann einmal über die Felder gehen.«

Unter den tropfenden Bäumen gingen wir zwei langsam dahin, bis zum Waldrand, wo der kleine Weg, der zum Waldhaus führt, ins Freie tritt, durch die Wiesen geht und drüben auf die Straße trifft, die in die Stadt führt.

Ach ja, die Straße. Es war Samstag. Auf der Straße war Betrieb. Die Wagen rollten stadteinwärts. Die Ausflügler waren wohl durch das Gewitter festgehalten worden, und nun, anstatt den Abendfrieden zu genießen, strebten sie zurück in ihre Häuser.

Wir blieben am Waldrand stehen, blickten über die Felder und Wiesen, die vor Nässe dampften, denn die Abendsonne stand gerade noch eine Handbreit über den Bergen und sprühte ihr letztes Gold über das Land.

Plötzlich hob Dorian witternd den Kopf, blickte zur Seite und trabte dann schnell fort. Ich hörte sein kurzes Bellen, gar nicht weit von mir, dann eine Stimme.

Eine Frauenstimme.

Ich folgte rasch dem Hund. Etwa zwanzig Schritte seitlich saß ein Mädchen auf einem Baumstumpf. Dorian stand vor ihr und betrachtete sie aufmerksam.

Als ich näher kam, blickte sie auf, und ich glaubte Angst in ihren hellen Augen zu sehen.

»Keine Angst vor dem Hund«, sagte ich, »er tut Ihnen nichts.«

»Vor dem Hund habe ich keine Angst«, sagte das Mädchen.

»Na, vor mir doch hoffentlich auch nicht«, antwortete ich und lachte ein wenig.

Sie schwieg.

Ich betrachtete sie mir genauer und rief dann: »Großer Gott! Sie sind ja pitschnaß.«

»Ist wohl kein Wunder«, sagte sie und strich die nassen, glatten Strähnen ihres Haares aus der Stirn. Das Gesicht wirkte nackt dadurch. Es war ein schönes Gesicht. Jedenfalls in meinen Augen. Ein starkes, klares Gesicht mit einer geraden, schmalrückigen Nase und einem schönen großen Mund. Aber nicht nur ihr Haar war naß. Sie hatte nichts an als ein blaues dünnes Sommerkleid, und das klebte ihr am Körper wie eine zweite Haut.

Ich sah, daß sie zitterte.

»Wollen Sie etwa sagen, Sie hätten das ganze Gewitter im Freien verbracht?« fragte ich.

»Allerdings.«

Ich blickte mich unwillkürlich um. »Haben Sie nichts dabei? Keinen Mantel, keine Jacke! Und sind Sie ganz allein?«

Sie preßte die Lippen zusammen und blickte feindselig zu mir auf. »Geht Sie das was an?«

»Entschuldigen Sie, natürlich nicht. Ich dachte nur . . .« Ja, was dachte ich? Die Frage war doch ganz selbstverständlich gewesen.

Sie stand auf. Sie war fast so groß wie ich, schlank und gut gewachsen, das nasse Kleid verbarg nichts von ihrer ebenmäßigen Figur. »Entschuldigen Sie bitte«, sagte sie, »ich wollte nicht unfreundlich sein. Es ist nur . . .«

Plötzlich sah ich, daß sie Tränen in den Augen hatte. Sie blickte hinüber zur Straße, wo immer noch die Wagen rollten. Eine steile Falte erschien auf ihrer hohen Stirn. Dann sah sie mich wieder an.

Sie wies mit der Hand über die Wiesen und sagte: »Dort sind doch Gleise, nicht?«

»Ja«, antwortete ich verwundert.

»Da geht also die Bahnlinie.«

»Ja.«

»Und wo ist die nächste Bahnstation?«

»Äh . . . die nächste Bahnstation?«

»Ja.«

»Wollen Sie da etwa hin?«

»Ja.«

»Doch nicht in diesem Zustand?«

»Ich kann's nicht ändern.«

»Wo müssen Sie denn hin?«

»Nach München natürlich.«

»Schwierig«, sagte ich. »Der letzte Zug in Tanning ist weg. Auf dieser Nebenstrecke hier fährt heute keiner mehr. Außerdem können Sie unmöglich so durchnäßt herumlaufen. Sie können sich den Tod holen.«

Sie löste den Blick von dem Schienenstrang und sah mich an. In ihrem Blick lag Angst, geradezu Verzweiflung.

»Ich bin nun eben mal naß geworden«, sagte sie, »und ich muß in die Stadt hinein.«

»Haben Sie sich denn verlaufen?«

»Nein . . . oder doch, ja.« Abwehrend, wieder fast feindselig, der Blick dieser blauen Augen.

»Hm.« Ich betrachtete sie nachdenklich. Sie zitterte vor Kälte, ihre Hände waren weiß, auch ihr Gesicht unter der Sonnenbräune.

»Hören Sie«, sagte ich, »kann ich Ihnen nicht behilflich sein? Zehn Minuten von hier wohne ich. Sie könnten mitkommen und sich vielleicht erst mal trocknen und einen Schnaps trinken. Und dann werden wir überlegen, wie wir Sie weiterbringen.«

»Nein.« Die Antwort kam kurz und schroff.

»Aber warum denn nicht, um Himmels willen?«

»Nein.«

Offenbar war dieses Mädchen mit der ganzen Welt böse. Oder kam ich ihr so unheimlich vor? Ich war doch manierlich angezogen, hatte ein sauberes Hemd an. Und gekämmt war ich auch.

»Aber Sie können nicht so in der Gegend herumlaufen. Sie werden bestimmt krank. Sie zittern ja. Kommen Sie.« Ich zog rasch meine Jacke aus und hängte sie ihr um die Schultern.

Sie wich ein wenig zurück, und ich glaubte fast, sie würde meine schöne, grüne Cordjacke auf den Boden werfen. Aber dann raffte sie sie doch über der Brust zusammen und schmiegte sich hinein.

Wieder blickte sie mich an, nicht ganz so böse, und nun lächelte sie sogar ein wenig.

»Vielen Dank. Schön warm. Mir war nämlich wirklich elend kalt.«

»Also kommen Sie schon.«

»Nein!« Es klang fast wie ein Hilfeschrei.

»Liebes Kind«, sagte ich, so väterlich wie ich konnte, »Sie haben doch nicht etwa Angst vor mir? Ich bin ein Familienvater, ich habe Frau und Kind und ein ganz gewöhnliches Häuschen im Wald. Ich bin kein Mädchenhändler, der Sie entführen will.«

»Sie haben eine Frau?« fragte sie leise.

»Nun ja, doch . . .«, sagte ich.

»Dann . . . dann komme ich mit.«

Na schön, Hauptsache, sie kam erst mal. Daß die Frau nicht da war, würde sich dann schon erklären lassen. Und wenn sie sah, daß ich sie weder verführte noch massakrierte, würde sie wohl ihre Angst verlieren. Dieses Mädchen schien keine gute Meinung von den Männern zu haben. Dabei sah ich doch wirklich nicht aus wie ein Wilderer. Ich mochte nicht nach viel aussehen, aber ich hatte mir immer eingebildet, vertrauenerweckend zu wirken.

Schweigend gingen wir auf dem schmalen Waldweg neben-einanderher.

Dorian trabte uns voran.

Als wir auf die Lichtung kamen, blieb sie überrascht stehen.

»Hier wohnen Sie?«

»Ja.«

»Hübsch. Mitten im Wald.« Sie lächelte jetzt, ein helles, schönes Lächeln.

»Ganz einsam.«

»Ja.«

Die Tür war offen.

Dorian lief hinein, wir ihm nach. Ich machte die Tür zu, schloß auch das Fenster und knipste das Licht an, denn es wurde nun langsam dämmerig.

»Wissen Sie was«, sagte ich, »ich mache schnell ein Feuer im Ofen. Da wird Ihnen am ehesten warm.«

Sie blickte sich suchend um. »Wo ist denn Ihre Frau?«

»Meine Frau . . . eh . . ., ja, die ist ins Dorf gegangen. Sie wird wohl auch durch das Gewitter festgehalten worden sein. Aber sicher kommt sie bald.«

Mißtrauisch blickten mich die blauen Augen an. »So?«

»Hören Sie«, sagte ich so energisch ich konnte, »ich habe nicht die Absicht, Ihnen etwas Böses zu tun. Ich bin ein ganz harmloser Mensch, der noch nie einem Lebewesen und schon gar nicht einer Frau etwas zuleide getan hat. Glauben Sie mir das bitte. Ich bin weder ein Gangster noch ein Lustmörder, nicht mal ein geübter Frauenverführer. Nichts dergleichen. Ich bin Schriftsteller und heiße Schmitt.« Ich machte eine kleine eckige Verbeugung und blickte sie nun auch etwas erzürnt an.

Sie stand vor mir, fest in meine Jacke gewickelt, blickte mich verschüchtert an. Ihre Augen füllten sich mit Tränen.

»Verzeihen Sie«, sagte sie, »es ist nur . . .«, und plötzlich liefen ihr die Tränen über beide Wangen, sie schlug die Hände vors Gesicht wie ein Kind und schluchzte. »Ich habe . . . ich habe so einen scheußlichen Tag hinter mir, und ich . . . ich . . .«

Ich nahm sie beim Arm, führte sie zu meinem bequemsten Sessel, sagte streng: »Setzen Sie sich«, und als sie saß, holte ich die Schnapsflasche, die Gott sei Dank noch halb voll war, stellte sie neben sie auf den Tisch, holte ein Glas, schenkte es voll bis an den Rand und hielt es ihr hin.

»Hier, los, trinken Sie das. Aber denken Sie bitte nicht, ich will Sie besoffen machen, um irgendwelche bösen Absichten zu verwirklichen.«

»Nein. Danke.« Sie schluckte, wischte sich die Tränen von den Wangen, fuhr mit dem Finger über die Nase, nahm dann das Glas und kippte den Schnaps hinunter.

»Bravo. Und nun werde ich schnell Feuer machen.«

»Das ist wirklich nicht nötig. Es ist schließlich Sommer.«

»Aber es hat sich durch das Gewitter ganz schön abgekühlt. Doch warten Sie – ich habe auch einen kleinen elektrischen Heizofen.« Natürlich, ich Dummkopf. Rosalind hatte den vor zwei Jahren gekauft, weil sie abends oft kalte Füße hatte. »Den hat meine Frau gekauft«, fügte ich betont hinzu. »Den stelle ich Ihnen an, und da wird Ihnen wärmer werden! Haben Sie kein Taschentuch?«

»Nein«, rief sie kläglich, und neue Tränen kullerten über ihre Wangen. »Ich hab' ja meine Tasche in dem Wagen von dem Kerl gelassen. Da ist alles drin. Mein Taschentuch, und mein Geld und meine Schlüssel und . . . und eben alles. Selbst wenn ich zur Eisenbahn gekommen wäre, ich hätte mir ja nicht mal ein Billett kaufen können.« Und die Tränen flossen noch reichlicher.

Dorian betrachtete sie interessiert. Ich ging ins Schlafzimmer, holte ein frisches großes Taschentuch aus dem Schrank und schob es ihr in die Hand.

»Danke«, schluchzte sie.

Dann lief ich hinaus in die Abstellkammer, suchte den elektrischen Ofen, fand ihn auch glücklicherweise gleich, kam zurück, stellte ihn vor ihre Füße, stopselte den Stecker an, und sogleich begann eine sanfte Wärme durchs Zimmer zu wehen.

Dann schenkte ich noch mal Schnaps ein, für mich jetzt auch einen, und wartete, daß sie sich beruhigte.

Das geschah bald. Sie trocknete ihre Tränen, putzte sich energisch die Nase und trank den zweiten Schnaps.

»Ich hätte noch einen Vorschlag zu machen«, begann ich vorsichtig, »aber ich habe Angst, Sie kratzen mir die Augen aus.«

Sie blickte zu mir auf, verheult wie ein kleines Kind.

»Sie müssen einen schrecklichen Eindruck von mir haben, Herr . . .«

»Schmitt.«

»Herr Schmitt, ja. Aber ich . . .«

»Zweifellos haben Sie heute etwas erlebt, was Sie verstört hat«, sagte ich mit meiner sanftesten Stimme, »das habe ich jetzt schon begriffen. Wie es scheint, bin ich der Leidtragende. Obwohl ich Ihnen wirklich nichts Böses tun will.«

»Das merke ich jetzt schon«, sagte sie leise.

»Vielen Dank. Ich dachte schon, ich müsse wie ein Ungeheuer aussehen.«

Sie blickte mich an und schüttelte den Kopf. »Nein, wirklich nicht. Was für einen Vorschlag meinen Sie?«

»Ihr Kleid ist naß. Sie können es unmöglich am Körper trocknen lassen. Angenommen, Sie gingen hier nebenan ins Schlafzimmer. Dort hängt ein Bademantel. Angenommen, Sie würden alles ausziehen, was Sie am Körper tragen und den Bademantel anziehen. Er ist sauber. Erst kürzlich gewaschen worden. Meinen Sie nicht, Sie würden sich dann wohler fühlen? Und daß es auch gesünder wäre? Ich schwöre Ihnen, daß ich . . .«

»Schon gut«, sagte sie leise. »Ich bin albern. Dabei habe ich allen Grund, Ihnen dankbar zu sein.«

»Keine Ursache«, sagte ich und machte wieder eine kleine Verbeugung.

Sie stand auf, ging ins Nebenzimmer, das Licht hatte ich zuvor schon brennen lassen.

»Der Bademantel hängt hinter der Tür«, rief ich ihr nach.

»Danke«, sagte sie. Dann ging die Tür zu.

Ich setzte mich, trank meinen Schnaps und seufzte.

»Schwierig mit den Frauen, nicht«, sagte ich leise zu Dorian. »Die hat doch wirklich Angst vor uns. Wie findest du das? Irgendein Kerl hat ihr heute was getan. Das merkst du ja. Müssen wir ganz vorsichtig mit umgehen.«

Wie sollte ich es bloß erklären, daß die angekündigte Ehefrau nicht kam? Immerhin sah sie, daß im Schlafzimmer zwei Betten standen, schön nebeneinander, wie sich das bei einem ordentlichen Ehepaar gehört. Ich hatte es bis jetzt nicht übers Herz gebracht, das zweite Bett zu entfernen. Warum eigentlich nicht? Rosalind würde doch nicht mehr darin schlafen. Na egal, im Moment war es ganz günstig.

Kurz darauf kam sie wieder, ihr nasses Kleid über dem Arm, sonst von Kopf bis Fuß in meinen gestreiften Bademantel gehüllt. Er war wirklich sauber. Ich benützte ihn so gut wie nie.

»Kann ich das irgendwo aufhängen?« fragte sie, auf das Kleid deutend.

»Geben Sie her«, sagte ich, »hinter dem Haus ist eine Leine gespannt.«

»Ich möchte es lieber selber machen.«

Natürlich. Sicher hatte sie unter dem Kleid ein Hemdchen oder ein Höschen oder ähnliches angehabt und wollte nicht, daß mir das in die Hände fiel.

»Bitte sehr«, sagte ich, öffnete die Tür und zeigte ihr die Leine. Trocknen würde das jetzt sowieso nicht mehr. Die Nacht war kühl und feucht.

Und noch etwas wurde mir klar. Das Mädchen kam hier heute nicht mehr weg. Ein Zug fuhr nicht mehr, ein Auto besaß ich nicht. Ich konnte im äußersten Notfall hinaufradeln zum Andres und ihn bitten, sie nach München zu fahren. Aber wie ich den Andres kannte, saß er entweder unten im Dorf im Wirtshaus oder er lag im Bett.

Sie mußte hier übernachten.

Das würde noch ein Theater geben. Überhaupt, wenn die Ehefrau nicht auftauchte.

. . . und einem Besuch endet

Als sie wieder hereinkam, hatte ich zwei Teller auf den Tisch gestellt und holte gerade meine bescheidenen Vorräte aus dem Schrank.

»Wie wär's, wenn wir eine Kleinigkeit essen«, schlug ich vor.

»Ich habe eigentlich keinen Hunger«, sagte sie.

»Aber uneigentlich doch«, erwiderte ich fröhlich. »Außerdem ist Essen ein gutes Mittel gegen seelische Kümmernisse.«

Sie schwieg, beugte sich zu Dorian und streichelte ihn.

»Ein schöner Hund«, sagte sie. »Wie heißt er denn?«

»Dorian«, sagte ich. »Oder genau: Dorian Gray. Eben weil er so schön ist.«

Sie lächelte. »Hoffentlich hat er nicht so einen schlechten Charakter wie Dorian Gray.«

»Nein«, sagte ich, erfreut, daß es ein Mädchen war, das sich in der Literatur auskannte. »Nein. Er ist ja ein Hund. Und kein Mensch.«

»Ja«, sagte sie, »da haben Sie recht.«

Als ich das Abendessen, so schön ich konnte, auf dem Tisch angerichtet hatte, sagte ich: »Bitte, greifen Sie zu. Viel ist es nicht, aber ich war auf Besuch nicht vorbereitet.«

Dann räusperte ich mich verlegen. »Ich« hätte ich nicht sagen dürfen. Aber auf die Dauer konnte ich ihr ja doch nicht länger von einer Ehefrau vorschwindeln.

Es gab hartgekochte Eier, eine Salami, ein Stück Schinken und Käse. Dazu Brot und Butter und eine Flasche Bier für jeden. Wir aßen, ohne viel zu sprechen. Dorian bekam auch sein Teil von beiden. Er nahm es auch von der Fremden, was ich als gutes Zeichen betrachtete, denn das tat er durchaus nicht immer. Er ist sehr wählerisch in dieser Beziehung.

Nach dem Essen schenkte ich noch einmal Himbeergeist in die Gläser und bot ihr eine Zigarette an.

Sie nahm sie, rauchte eine Weile schweigend und blickte abwesend vor sich hin. Ihr Haar war inzwischen getrocknet, und man sah jetzt, daß es blond war. Ein schönes, mattes Aschblond. Es war glatt und voll und schimmerte seidig im Licht. Um es noch schöner schimmern zu lassen, holte ich die Kerze in dem alten Zinnleuchter und zündete sie an.

Nun glänzten auch ihre Augen. Ihr Gesicht war ruhig geworden, der feindselige, verschreckte Ausdruck ganz verschwunden.

»Sie werden vielleicht wissen wollen«, sagte sie plötzlich, »wieso es mich da heute an den Waldrand verschlagen hat.«

»Es würde mich natürlich interessieren«, erwiderte ich. »Aber Sie sind keineswegs genötigt, es zu erzählen, wenn Sie nicht wollen.«

»Ich denke, ich bin Ihnen eine Erklärung schuldig.« Sie nahm einen tiefen Zug aus ihrer Zigarette und erzählte dann: »Ich bin heute nachmittag mit meinem . . . meinem Freund von München weggefahren. Wir wollten einen Ausflug machen, das Wetter war so schön.«

Ich nickte.

»Na, um es kurz zu machen, ich bin mit diesem Mann, na ja, gewissermaßen verlobt. Ist ein altmodischer Ausdruck, man verlobt sich heutzutage nicht mehr. Ich sage bloß so, weil wir eben heiraten wollten.«

»Aha«, sagte ich.

»Ja. Ich . . . Man hat manchmal das Gefühl, daß man etwas falsch gemacht hat, nicht? Und dann kommt ein letzter kleiner Anlaß, der einen zu einer Entscheidung bringt, nicht?«

»Ja«, bestätigte ich, »das gibt es.«

Sie beugte sich hinab zu Dorian, der zwischen uns lag, und streichelte ihn. Als sie sich wieder aufrichtete, stand Dorian auf, streckte sich, ging zu ihr, legte den Kopf auf ihr Knie und sah sie an.

Sie legte die Hand auf seinen Kopf und fuhr fort: »Sie haben Ihren schönen Dorian, und Sie lieben ihn sicher. Darum werden Sie vielleicht verstehen, was ich Ihnen erzähle. Ich liebe Hunde auch sehr. Überhaupt alle Tiere. Und heute . . . Das ist so: Der Mann, mit dem ich verlobt war, ist das, was man eine gute Partie nennt. Er sieht gut aus, er hat viel Geld. Wir sind heute in einem sehr großen, sehr eleganten Wagen da hinausgefahren. Ich sage das bloß, weil das ja heutzutage soviel zählt. Sie verstehen, was ich meine?«

»Durchaus.«

»Ja also, alle Leute, die mich kennen, waren der Meinung, ich würde da eine großartige Partie machen und könnte glücklich sein. Zuerst war ich es ja auch. Aber jetzt schon eine ganze Weile nicht mehr. Ich hatte schon seit einiger Zeit das Gefühl, den falschen Mann erwischt zu haben. Ich habe immer dieses Pech. Man merkt manches erst, wenn man . . . ich meine, wenn man sich näher kennt. Und Geld, nicht wahr, Geld allein tut es auch nicht.«

»Das ist Ansichtssache«, sagte ich vorsichtig. »Es gibt Leute, die meinen, Geld wäre schon sehr wichtig, um glücklich zu sein. Auch in einer Ehe. Wenn Sie mich fragen . . . ich könnte Ihnen dazu auch eine Geschichte erzählen. Aber ganz persönlich, von mir aus gesehen, also ich finde, nein, Geld allein tut es auch nicht.«

»Schön«, sagte sie befriedigt. »Wir waren also da draußen, saßen in einem Garten von einem Café, tranken Kaffee und aßen Kuchen. Es war ziemlich voll dort, an jedem Tisch saßen Leute. Ich will nicht sagen, daß wir uns stritten. Aber wir waren gereizt. Und ich war unglücklich. Und da war ein kleiner Hund. Irgend so ein dolliger kleiner Bastard, der lief zwischen den Tischen herum und bettelte ein bißchen. Wie Hunde das halt so tun. Und er bekam hier und da ein Bröckchen. Und dann war er bei uns, und ich

61

gab ihm von meinem Kuchen. Und da ich unglücklich war und keinen Appetit hatte, verfütterte ich fast den ganzen Kuchen an den Hund. Finden Sie das schlimm?«

»Natürlich nicht«, sagte ich.

»Er hatte den Hund schon mal weggescheucht, aber der kam wieder. Der Kuchen schmeckte ihm eben. Und plötzlich sagte er zu mir: ›Ich bezahle schließlich nicht deine Torte, damit du sie an den Köter verfütterst.‹ Und während ich ihn noch erstaunt ansehe, hebt er das Bein und gibt dem Hund einen Tritt. Nicht einen kleinen sanften. Einen richtigen, derben, gemeinen Tritt. Der Hund fliegt im großen Bogen durch den Garten und quietscht ganz jämmerlich. Es war ja nur ein kleiner Hund.«

»Das ist eine Gemeinheit«, sagte ich ehrlich empört.

»Nicht wahr?« Sie richtete sich auf, und ihre Augen funkelten jetzt richtig im Licht der Kerze. »Also ich springe auf und schreie ihn an. Du gemeiner Kerl, oder irgend so etwas habe ich gesagt, ich weiß auch nicht mehr genau, mit dir will ich nichts mehr zu tun haben. Du . . . du brutaler Prolet.« Sie nickte nachdrücklich mit dem Kopf. »Ja, das habe ich wörtlich gesagt: Du brutaler Prolet. Alle Leuten haben das natürlich gesehen und gehört, und guckten nun zu uns, und es war sehr peinlich, aber ich nahm meine Tasche und lief fort. Aus dem Garten raus und in den Ort hinein, so schnell ich konnte.«

»Ja«, sagte ich, »ich verstehe. Das war gewissermaßen der berühmte Tropfen, der den Krug zum Überlaufen bringt.«

»Genau.«

»Und dann? Wie kamen Sie vom Chiemsee hier an den Waldrand?«

»Das war so. Weil ich dachte, er käme mir nach, lief ich bis zur Straße und winkte dort den Wagen. Ich dachte, es nimmt mich einer mit nach München. Ich wollte nicht zurück in seinen verdammen Angeberkarren.«

»Verstehe.«

»Ich hab' so was noch nie gemacht und bin prompt an den Falschen geraten. Der Kerl, der endlich anhielt, war widerlich. So ein großer, schwarzer Bulle. Dick, und furchtbar geschwitzt hat er. Und auf dem Handrücken hatte er lauter schwarze Haare.«

Ich blickte unwillkürlich auf meine Hände. Nein, ich hatte da bestimmt nicht ein Haar.

»Am liebsten wäre ich nicht mitgefahren. Aber das ging ja nun nicht. Außerdem hatte ich Angst, Eberhard käme jeden Moment. Unterwegs wurde der Kerl dann frech. Faßte mich ans Knie und sagte . . . das kann ich nicht wiederholen, was er alles sagte. Schließlich meinte er, wenn so ein netter, kleiner Seitenweg käme, sollten wir ein bißchen abseits fahren. Sie verstehen?«

Ich nickte. Ich verstand. Darum war sie so krötig gewesen.

»Gott sei Dank kamen wir dann da vorn an die Bahnschranke, und weil sie zu war, mußten wir halten. Da machte ich die Wagentür auf, er wollte mich festhalten, aber ich riß mich los und lief weg.«

»Und da haben Sie die Tasche liegenlassen?«

»Ja.«

Sie schwieg, griff in die Zigarettendose, die auf dem Tisch stand, und nahm sich eine Zigarette. Ich nahm mir auch eine, hob den Zinnleuchter und gab uns beiden Feuer.

»Und der Kerl im Wagen?«

»Dann war der Zug vorbei, die Schranke ging auf, und hinter ihm standen noch mehr Wagen. Da wollte er sich wohl nicht blamieren und fuhr weiter. Er grinste noch unverschämt zu mir heraus.«

»Wenigstens die Tasche hätte er Ihnen hinausgeben können.«

»Na, vielleicht hat er nicht gesehen, daß sie da lag.«

»Und Sie?«

»Ich traute mich natürlich nicht, jetzt noch einen anderen Wagen anzuhalten. Ich hatte die Nase voll. Andererseits fürchtete ich, daß Eberhard jeden Moment angefahren kommen könnte. Also lief ich ein Stück von der Straße weg. Und dann kam das Gewitter.«

Das war also ihre Geschichte. Alles wegen eines kleinen Hundes. Und auch deswegen, weil Eberhard nicht der Richtige war.

»Nun verstehe ich alles sehr gut«, sagte ich nach einer kleinen Weile. »Da saßen sie nun, naß und unglücklich, und ich kam, und Sie dachten, das wäre nun der dritte Mann an diesem Tag, über den Sie sich ärgern müßten.«

»So ungefähr. Es tut mir leid, daß ich so unfreundlich war.«

»Schon vergessen. Mir ist es jetzt ganz verständlich.«

Darauf schwiegen wir eine lange Weile einträchtig vor uns

hin, rauchten und tranken den Himbeergeist aus. Es war angenehm warm im Zimmer. Der kleine elektrische Ofen heizte in dieser Jahreszeit ganz schön ein. Der Himbeergeist auch. Mein Besuch gähnte. Ich blickte sie an.

»Entschuldigen Sie.«

»O bitte«, sagte ich. »Sie sind müde.«

»Ein bißchen, ja. Wie komme ich jetzt bloß nach Hause?«

»Hm.« Ich überlegte, wie ich ihr die Tatsache, daß sie hier übernachten mußte, am schonendsten beibrachte.

Es war mittlerweile zehn Uhr geworden. Es gab weder eine Bahn noch einen Bus und auch kein privates Auto in dieser Gegend, das jetzt noch nach München fuhr. Ja, so ist das nun mal mit dem Waldhaus. Nicht weit von einer Großstadt entfernt und mitten im zwanzigsten Jahrhundert.

»Um Ihnen die Wahrheit zu sagen«, begann ich, »nach München kommen Sie heute nicht mehr hinein. Es sei denn, Sie gehen unten an die Landstraße und halten ein Auto an. Aber ich nehme an, dazu haben Sie nicht viel Lust.«

»Nein. Wirklich nicht.« Sie starrte eine Weile nachdenklich in die Kerze und sagte dann zögernd: »Das heißt also . . .«

»Das heißt, daß Sie hier übernachten müßten.«

»Hier bei Ihnen?«

»Ja. Hier bei mir.«

Eine längere Pause. Dann richtete sich der Blick dieser klaren, blauen Augen auf mich. »Sie leben allein hier, nicht wahr? Das, was Sie vorhin gesagt haben, das von Ihrer Frau, das war Schwindel.«

Ich schlug den Blick nieder. »Ich muß gestehen, ja. Ich habe es nur gesagt, damit Sie mitkamen.«

»Aber . . .« Ihr Blick ging zur Schlafzimmertür. Sie dachte wohl an die beiden Betten.

»Ich bin geschieden«, sagte ich. »Um die Wahrheit zu sagen, seit genau neun Tagen. Meine Frau hat mich verlassen. Und da Sie ja nun sehen, wie ich hier lebe, das Haus, die Einsamkeit, nicht mal einen Wagen habe ich, abends um zehn kommt man nicht mehr in die Stadt hinein, werden Sie vielleicht begreifen, warum. Meine Frau hätte sich vielleicht mit mir abgefunden, aber nicht mit meiner Lebensweise.«

Das letzte mußte etwas bitter geklungen haben, denn als ich sie wieder ansah, erkannte ich in ihren Augen Mitgefühl.

»Nun ja«, sagte sie zögernd, »das Landleben liegt eben nicht jedem. Manche Leute wünschen es sich sehnlichst und müssen in der Stadt bleiben. Und andere fühlen sich nur in der Stadt wohl. Sie hätten sich eben noch eine Wohnung in München dazumieten müssen.«

»Hätte ich vielleicht, aber könnte ich nicht. Ich nehme an, Sie sind darüber orientiert, was eine Wohnung derzeit kostet.« Ihr die Sache mit Munis Wohnung zu erklären, die mir ja zur Verfügung stand, aber Rosalind auch nicht komfortabel genug erschien, führte wohl zu weit.

»Sie sind Schriftsteller?« fragte sie.

»Ja. Und ein ziemlich erfolgloser. Das erklärt wohl alles.«

Jedenfalls war sie so taktvoll, jetzt nicht die Stirn zu runzeln und nachdenklich zu murmeln: Schmitt? – Schmitt? Habe ich doch schon mal gehört. Das tun die Leute manchmal, und dann könnte ich aus der Haut fahren. Natürlich hat jeder schon mal Schmitt gehört. Aber nicht im Zusammenhang mit mir. Außerdem sind die meisten meiner Bücher unter Pseudonym erschienen.

Sie kam sachlich zu ihren eigenen Belangen zurück.

»Also besteht wirklich keine Möglichkeit, heute noch in die Stadt zu kommen?«

»Nur die eine, die ich Ihnen genannt habe. Aber Sie können gern hier übernachten. Morgen ist Sonntag, und ich nehme an, Sie versäumen nicht viel. Es sei denn, es wartet in München irgend jemand auf Sie, der sich vielleicht Sorgen macht.«

»Auf mich wartet niemand«, erwiderte sie, und das klang auch ein wenig bitter.

»Nun, vielleicht . . . dieser . . . dieser Eberhard? Eigentlich müßte es ihn ja interessieren, wo Sie abgeblieben sind?«

»Ja«, gab sie zu, »vielleicht. Vielleicht aber auch nicht. Je nachdem, wie beleidigt er ist.«

»Dann tut es ihm mal ganz gut, wenn Sie einen Tag lang verschwunden sind. Am Montag fällt die Versöhnung dann um so leichter.«

Sie richtete sich auf und blickte mich gerade an. »Mir ist es Ernst. Wir passen nicht zusammen. Es ist nicht nur der kleine Hund. Da ist noch . . . noch verschiedenes, was mich abstößt.« Und auf einmal klang ihre Stimme ganz verzweifelt, als sie fragte: »Warum ist es denn so schwer, einen Menschen zu finden, den man . . . mit dem man . . . ich meine, der eben richtig ist?«

»Haben Sie ihn denn geliebt?« fragte ich vorsichtig.

»Ich habe es mir eine Zeitlang eingebildet.«

»Hm.« Nach einer kleinen Pause fuhr ich fort: »Also, mein Angebot bleibt bestehen. Morgen ist sicher wieder ein schöner Tag. Sie können sich hier erholen und, wann es Ihnen paßt, in die Stadt hineinfahren.«

»Und . . . und jetzt?«

»Hier«, ich stand auf und ging zu der Tür im Hintergrund des Raumes und öffnete sie. »Hier ist das Zimmer meiner Tochter. Das heißt, Zimmer ist übertrieben, es ist mehr eine Kammer. Aber ein Bett ist darin, ein kleiner Tisch, ein Stuhl, und an der Tür ist ein Schlüssel, da können Sie sich einschließen. Niemand wird Sie stören. Ich bestimmt nicht. Höchstens, daß Dorian mal bellt.« Ich kam zurück, stellte mich vor sie hin. »Oder haben Sie immer noch Angst vor mir?«

»Nein«, sagte sie langsam, die Augen ruhig auf mich gerichtet. »Nein. Ich vertraue Ihnen.«

Unwillkürlich rötete sich meine Stirn. Es gibt diese und jene Situationen. Vielleicht ist es für einen Mann nicht unbedingt ein Kompliment, wenn ein Mädchen ganz seelenruhig in einem einsamen Waldhaus bei ihm übernachtet und nichts von ihm befürchtet. Vielleicht würde es Leute geben, die sagen: Na, mit dem Burschen kann nicht viel los sein. Vielleicht. Andererseits bin ich der Meinung, es ist eine Menge wert, wenn ein Mensch zu einem anderen Menschen, auch eine Frau zu einem Mann, sagen kann: Ich vertraue Ihnen.

Eine Million Dollar ist das wert, mindestens, meiner Meinung nach. Und jetzt, als das Mädchen zu mir aufblickte mit diesen schönen klaren Augen in dem schönen klaren Gesicht unter dem weichen blonden Haar, da dachte ich: Was für ein wunderbarer Beginn. Wenn solch ein Wort am Anfang steht.

Eine halbe Stunde später, als ich im Bett lag, mußte ich mich über mich selber wundern. Was hieß das, Beginn? Wo stand geschrieben, daß es eine Fortsetzung gab? Wollte ich das denn?

Vor dem offenen Fenster hörte ich die Bäume leise rauschen. Über dem Wald sah ich ein paar Sterne, groß und leuchtend standen sie im dunklem Samt des Himmels. Hoher Frühling, und bald würde es Sommer sein. Die Erde blühte und leuchtete und lebte. Und sie ließ es einfach nicht zu, daß einer leer und tot und ohne Hoffnung und Wünsche blieb. Sie war selber zu lebendig und erfüllt.

Ja, ich wollte, daß es eine Fortsetzung gab. Ich wollte, daß sie mich wieder ansah mit diesen ruhigen schönen Augen, daß sie mir zulächelte, daß sie wieder sagte: Ich vertraue Ihnen. Oder sogar auch . . .

Pst! Die Nacht schweigt. Der Wald, das Land, die Sterne schweigen. Schweige auch du, dummes, altes, törichtes, trotz aller Enttäuschungen immer wieder hoffnungserfülltes Herz. Warte doch. Warte doch wenigstens erst einmal bis morgen.

Sonntagsgespräche mit einem schlechtgekämmten Mädchen

Ich erwachte davon, daß Dorian mir seine kühle Nase ins Gesicht stupste. Er ist der zuverlässigste Wecker, den man sich vorstellen kann. Nicht rücksichtslos, nein. Er weiß, daß ich kein leidenschaftlicher Frühaufsteher bin. Im Sommer so gegen acht, im Winter gegen neun, oder wenn es sehr kalt und ungemütlich ist, wartet er auch mal bis halb zehn, aber dann hält er es für angebracht, mich wissen zu lassen, daß der Tag begonnen hat.

Zu diesem Zweck kommt er mit den Vorderpfoten aufs Bett oder, seit das zweite Bett im Zimmer leer ist, springt er auch da hinauf und rückt mir auf den faulen Pelz. Mit dem zweiten Bett, das hätte ich ihm vielleicht verbieten sollen. Aber wozu? Hier ist mein Haus, und hier kann jeder Mensch und jeder Hund tun, was ihm paßt.

»Guten Morgen, mein Freund«, sagte ich, wendete den Kopf nach rechts und machte dann erst die Augen auf.

Dorian lag der Länge nach auf Rosalinds Bett, die Nase wenige Zentimeter von meiner entfernt, um eventuell seinen Weckversuch zu wiederholen. Gewohnheitsmäßig fuhr meine Hand in sein seidiges Fell und kraulte ihn.

»Guten Morgen, ihr beiden«, rief eine warme, fröhliche Stimme von der Tür her.

Ich fuhr geradezu entsetzt auf. Ich war noch nicht so wach gewesen, daß mir mein Gast schon eingefallen wäre.

Das Mädchen stand unter der Tür zu meinem Schlafzimmer. Sie sah frisch und blitzblank munter aus, trug ihr blaues Sommerkleid, das offensichtlich trocken, wenn auch etwas zerknautscht war, und ihre blonden Haare strubbelten sich um ihren Kopf.

»Oh, hallo, guten Morgen«, sagte ich. »Sie sind schon auf? Tüchtig, tüchtig . . .«

Ich war doch nicht etwa einer Frühaufsteherin in die Hände gefallen? Das wäre furchtbar.

»Ja«, sagte sie, »schon seit einer halben Stunde. Ich bin es nicht gewohnt, so früh ins Bett zu gehen. Und geschlafen habe ich ganz herrlich. Trotz allem. Es muß wohl an der Luft hier draußen liegen.«

»Ja, die Luft«, rief ich enthusiastisch und blinzelte zu ihr hin. Richtig aufsetzen konnte ich mich nicht. Ich habe nun mal die Angewohnheit, ohne Pyjama zu schlafen, und vielleicht fand sie das komisch.

»Entschuldigen Sie, daß ich hier stehe«, sagte sie, »aber die Tür stand offen.«

»Ja, ich lasse die Tür zum Wohnzimmer immer angelehnt, damit Dorian Bewegungsfreiheit hat.«

»Ich hab' mir gedacht, ich könnte vielleicht Frühstück machen«, meinte sie, »falls Sie mir sagen, wo alles ist. Und dann«, sie legte den Kopf auf die Seite und runzelte bekümmert die Stirn, »es ist schrecklich, aber ich bin wirklich mit allem und jedem auf Sie angewiesen. Haben Sie zufällig einen Kamm?«

»Aber sicher. Was dachten Sie? Wir sind doch keine Barbaren hier draußen, nicht Dorian? Wir haben jeder einen. Meiner liegt dort auf der Kommode. Wenn sie sich vielleicht ein paar Schritte näher bemühen würden, ich kann im Moment schlecht aus dem Bett.«

Sie sah meinen nackten Arm, der zu der bezeichneten Stelle deutete, und lächelte.

»Sie schlafen wohl ohne?«

»Ich muß gestehen, ja. Ich hoffe, Sie betrachten das nicht als mangelndes Moralgefühl.«

»Woher denn? Ich tue es auch.«

»Ach nein, wirklich? Wie angenehm.«

Sie lächelte ein wenig, errötete ein wenig und trat dann vor den Spiegel, der über der Kommode hing, und begann mit konzentrierter Aufmerksamkeit ihr Haar zu kämmen.

Natürlich, heute nacht hatte sie auch ohne schlafen müssen. Ich war nicht mal auf die Idee gekommen, ihr einen Schlafanzug von mir anzubieten. Dabei lagen schließlich die zwei Stück, die ich besaß, sauber gewachen und gebügelt im Schrank.

Sie fuhr sich zunehmend zorniger und energischer mit dem Kamm durchs Haar.

»Schrecklich«, sagte sie, »aber da ist nichts zu machen. Durch den Regen ist die ganze Frisur zum Teufel. Sehe ich sehr abscheulich aus?«

Sie wandte sich um und blickte mich fragend an.

Zweifellos, diese Frage enthielt eine gewisse Portion Koketterie. Der Spiegel mußte ihr gesagt haben, daß ihr Haar zwar glatt und einfach über die Ohren fiel, aber duftig, weich und schimmernd war, und daß die glatte Frisur ihr sehr gut stand.

»Und ich habe überhaupt nichts da, was man eigentlich braucht«, fuhr sie fort, »keinen Lippenstift, keinen Augenbrauenstift, keinen Puder. Sie müssen in absolutem Rohzustand mit mir vorliebnehmen.«

»Sehr verehrtes gnädiges Fräulein«, sagte ich und versuchte, eine würdige Miene aufzusetzen, »ich weiß nicht, was Sie sonst für eine Frisur tragen, wenn Sie nicht zufällig im Gewitter spazierengehen, und ich weiß auch nicht, wieviel Pfund Farbe Sie sich an normalen Arbeitstagen ins Gesicht schmieren . . .«

»Überhaupt keine«, rief sie empört dazwischen.

». . . aber die Frisur, die Sie heute tragen, kleidet Sie vortrefflich. Soviel ich gehört habe, ist Regenwasser sehr wohltuend für das Haar. Und was den Rohzustand betrifft, so finde ich, daß Sie jung und hübsch genug sind, um in ebendiesem unter der Menschheit zu wandeln. Meine Augen ruhen mit ausgesprochenem Wohlgefallen auf Ihnen.«

Sie errötete wieder, ihre Lippen öffneten sich, als wolle sie etwas sagen, aber dann lächelte sie bloß. Wandte sich noch einmal zum Spiegel zurück, machte noch einen Strich mit dem Kamm durch ihr Haar, befeuchtete dann eine Fingerspitze mit der Zunge und fuhr damit über die schönen kräftigen Augenbrauen.

»Danke«, sagte sie durch das Spiegelbild zu mir. »Es ist sehr angenehm, wenn der Sonntag mit einem Kompliment beginnt. Und nun mache ich Frühstück.«

»Sie finden alles, was Sie brauchen, in dem Schränkchen und in dem Regal neben dem Herd. Der Kaffee ist in der roten Büchse.«

Als sie das Zimmer verließ, sprang Dorian mit einem Satz vom Bett und lief ihr nach. Dieser alte Schlawiner! Anscheinend fand er es ganz in der Ordnung, daß ich Damenbesuch hatte. Und er schien das Mädchen sympathisch zu finden, sonst würde er ihr nicht so eifrig nachlaufen. Er konnte nämlich, wenn ihm jemand nicht paßte, von einer geradezu aufreizenden Arroganz sein. Jeder Zoll ein sich belästigt fühlender Grandseigneur.

Ich krabbelte aus dem Bett, schlüpfte in meine Badehose, nahm die Flanellhose und das weiße Hemd über dem Arm und sprang zum Fenster hinaus. Das Gras war noch taufeucht, die Sonne erst vor kurzem über die Baumwipfel bis zu unserer Lichtung gelangt. Ein herrlicher Tag wieder. Mir war auf einmal sauwohl zumute. Ich hätte schreien können vor Freude.

Ich lief hinten ums Haus herum, kletterte auf der anderen Seite durch das offene Fenster in das Badezimmer, verriegelte lautlos die Tür und begann mit meiner Morgentoilette.

Badezimmer ist ein etwas übertriebener Ausdruck. Früher war das ein kleiner Schuppen gewesen. Aber nachdem Rosalind sich geweigert hatte, ohne Badezimmer zu leben, hatte ich mit der Zeit und mit Hilfe eines Installateurs von Ober-Bolching wirklich so etwas Ähnliches wie ein Badezimmer zustande gebracht. Eine Wanne war da, eine Dusche, ein Waschbecken, die Wände hellgrün gestrichen, und einen Warmwasserboiler hatte ich schließlich auch anbringen lassen. Das war alles so nach und nach gekommen, wann immer ich ein paar Groschen in die Hand bekam. Jedes Honorar in den letzten Jahren war in das Haus gesteckt worden.

Rosalind hatte einmal wütend gesagt: »Wenn man zusammenrechnet, was du bis jetzt in diese verdammte Bude investiert hast, da könnten wir gut und gerne den Zuschuß für eine anständige Wohnung in München bezahlen . . .«

Ja, vielleicht den Zuschuß. Aber noch lange nicht die Miete jeden Monat. Die Verbesserungen am Haus hatte ich angebracht, wann immer Geld da war. Die Miete müßte ich jeden Monat bezahlen. Pünktlich am Ersten. Und dafür gab es nun leider gar keine Gewißheit, daß ich pünktlich jeden Ersten dreihundert Mark besaß. Und schließlich und endlich wollte ich nun mal nicht in der Stadt leben. Ich nicht. Ich fand es hier draußen herrlich und komfortabel genug.

Das Klo zum Beispiel. Auf das Klo war ich besonders stolz. Es ließ sich wirklich nichts an ihm aussetzen. Entstanden war es aus einem Rundfunkhonorar. Dem höchsten Honorar für eine Sendung, das ich je erhalten hatte. Die Sendung hieß ›Die Angst des Menschen vor seinen natürlichen Gefühlen‹ und

hatte eine Stunde lang gedauert und war in einer besonders gescheiten Nachtstudioreihe gesendet worden. Ich war damals
mächtig stolz gewesen, daß sie so viel von mir sendeten und
mir auch eine ansehnliche Summe dafür bezahlten, und hatte
die stille Hoffnung genährt, daraus würde sich ein Dauerzustand entwickeln. Aber entweder war das Hörerecho auf die
natürlichen Gefühle zu negativ ausgefallen, oder ich verstand
es eben nicht richtig, mich bei den richtigen Leuten im Funkhaus beliebt zu machen.

Das hatte jedenfalls Rosalind immer gesagt: »Wenn du hier
draußen sitzt und denkst, die senden vielleicht einen reitenden
Boten, um den verehrten Herrn Autor heranzuholen, dann
irrst du dich, mein Lieber. Sie können dich nicht mal anrufen.
Solche wie dich haben sie in der Stadt dutzendweise sitzen,
und die rennen ihnen wahrscheinlich jeden Tag die Bude ein
mit neuen Ideen. Die brauchen dich nicht. Du brauchst sie. Du
mußt dich dort sehen lassen, und zwar regelmäßig.«

Ach ja, das war es wohl. Sie brauchten mich nicht, aber ich
brauchte sie. Das ist der Punkt, von dem aus der Erfolg sich nie
einstellt. Wenn man kommt und sagt: »Ach, bitte, möchten Sie
nicht und würden Sie nicht und könnten Sie nicht, ich habe da
eine Idee . . .«, dann gucken sie einen an, als wolle man saure
Heringe verkaufen, und hören gar nicht zu.

Autsch, jetzt hatte ich mich geschnitten. Verbiestert starrte
ich auf mein dämliches Gesicht im Spiegel. War ich nicht eben
noch guter Laune gewesen? Doch, es stimmt, ich war es noch.
Draußen wartete das blonde Mädchen auf mich, ohne Frisur
und ohne Schminke im Gesicht, und es gab gleich Frühstück.
Es war ein Sonntag im Mai, und es hatte gar keinen Zweck,
immer über das gleiche Problem nachzudenken: wie man zu
Erfolg kommt, wenn man nicht schon welchen hatte.

Ich beendete meine Morgentoilette sehr sorgfältig, kletterte
dann wieder aus dem Fenster, ging vorn zur Haustür und
klopfte. Die Tür ging auf, und das Mädchen schaute mich erstaunt an. »Nanu? Wo kommen Sie denn her?«

»Ich wollte höflich fragen, ob ich wohl in diesem Haus ein
kleines Frühstück haben könnte.«

»Aber bitte sehr, immer herein. Es ist alles fertig.«

Der Tisch war gedeckt, der Kaffee duftete herrlich, die Eier
standen bereit. Dorian saß erwartungsvoll neben dem Tisch
und schien auch Frühstücksappetit zu haben.

»Mit Dorian haben Sie sich aber gut angefreundet«, sagte ich ein wenig eifersüchtig.

»Ja«, sagte sie, »er hat mir heute früh schon geholfen, meine Sachen von der Leine zu holen.«

»Davon habe ich nicht das geringste gemerkt.«

»Nein. Sie haben fest geschlafen wie ein Baby. Ich konnte Sie durch die offene Tür sehen.«

Sieh mal an. Sie hatte mich beobachtet, wie ich schlief. Ganz schön keß war sie so am hellen Morgen.

Der Tag verlief in schönster Harmonie. Nach dem Frühstück machten wir einen Spaziergang und besuchten Isabel. Das Mädchen geriet völlig aus dem Häuschen, als sie Isabel sah und hörte, daß sie mir gehörte.

»Ja dann«, rief sie, »dann verstehe ich hundert- und tausendmal, warum Sie hier draußen leben. Sie haben ein Pferd! Mein Gott, wie ich sie beneide. Und wie schön es ist. Ein richtiges Märchenpferd.«

Ich war über diese Begeisterung bei einem Stadtmädchen einigermaßen erstaunt.

»Wieso? Haben Sie denn Pferde so gern?«

»Ob ich Pferde gern habe?« rief sie geradezu entrüstet. »Ich bin verrückt auf Pferde. Sie mögen mich ja für ein berechnendes Frauenzimmer halten, und vielleicht bin ich es auch, aber es war auch so ein Grund, warum ich Eberhard heiraten wollte. Ich dachte, wenn ich gut verheiratet bin, kann ich vielleicht wieder reiten gehen.«

»Sie können reiten?« Dieses hereingeschneite Frauenzimmer wurde mir doch immer sympathischer.

»Ein bißchen«, sagte sie, »nicht besonders gut. So ein richtiger Sonntagsreiter bin ich halt. Ich hab' als junges Mädchen in der Universitäts-Reitschule in München Unterricht genommen, nicht sehr regelmäßig, immer wenn ich es mir halt gerad' leisten konnte. In den letzten Jahren«, ihr helles Gesicht wurde auf einmal ernst, fast kummervoll, »in den letzten Jahren hatte ich kein Geld mehr dafür, leider.« Sie strich Isabel, die bei uns stand, zärtlich über die Nüstern. »So eine Schöne. Und wie sanft sie ist.«

»Na, das täuscht. So sanft ist sie nicht immer.«

»Isabel heißt sie?«

»Ja.«

»Isabel«, flüsterte sie und neigte ihr Gesicht nahe zu dem Pferd, »hübsche, feine Isabel. Magst du Zucker?«

Ich gab ihr Zucker aus meiner Tasche, und sie hielt die Stücke, eins nach dem anderen, Isabel hin, die sie, wie immer sehr zierlich und vorsichtig, von der ausgestreckten Hand nahm.

»Und warum reiten Sie heute nicht?«

»Na, sie kann heute mal auf der Koppel bleiben. Gestern waren wir drei Stunden unterwegs.«

»Doch nicht meinetwegen?«

»Auch. Ich habe nicht jeden Tag ein hübsches Mädchen in meiner Gesellschaft.«

»Na, von wegen hübsch«, sie fuhr sich wieder ins Haar. »Wissen Sie, wenn ich richtig zurechtgemacht bin und so, kann ich ganz annehmbar aussehen.«

»Ich hoffe, Sie werden mir Gelegenheit geben, das festzustellen.«

Sie warf mir einen raschen Blick von der Seite zu und lachte. Die zweite Hälfte des Vormittags verbrachten wir in den Liegestühlen. Zuvor war sie an mein Bücherregal getreten und hatte die Titel studiert. Sie wies auf ein Buch, das als Autor einen gewissen Adolf Schmitt nannte.

»Sind Sie das?«

»Ich muß es gestehen.«

»Sie heißen Adolf?«

Ich glaube Mißbilligung in ihrer Stimme zu hören und sagte kleinlaut: »Ich muß auch das zugeben.«

»Aber das macht doch nichts«, erwiderte sie großmütig. »Ist das das einzige Buch, das Sie geschrieben haben?«

»Das einzige unter diesem Namen. Die anderen sind unter Pseudonym erschienen. Hier.« Ich wies auf die Bände, die daneben standen.

»Oh«, meinte sie anerkennend, »das sieht schon besser aus. Fünf Stück im ganzen.« Sie zog eines der Bücher heraus. »Darf ich? Welches würden Sie mir denn empfehlen?«

»Sie sind alle gleich schlecht. Und Sie sind in keiner Weise genötigt, etwas davon zu lesen. Man soll die Höflichkeit nicht zu weit treiben.«

»Ich möchte aber«, sagte sie eigensinnig, klemmte sich das Buch unter den Arm und nahm es mit auf den Liegestuhl. Da lag sie dann und las und sprach eine Stunde lang kein Wort.

Ich blinzelte ein paarmal zu ihr hinüber. Sie war ernst und konzentriert und, wie ich mir schmeichelte, auch gefesselt. Was sie da las, war ein Roman, der teilweise im Krieg und zum anderen Teil in der Nachkriegszeit spielte und von einem jungen Mann handelte, der mit sich selber und der Zeit und daher auch mit seiner Liebe zu einem Mädchen nicht fertig wurde und ein recht verqueres Leben führte. Ich hielt das für mein zweitbestes Buch. Sie hätte es schlimmer treffen können.

Es mochte so gegen zwölf Uhr sein, als sie aufblickte und mich eine Weile prüfend betrachtete.

»Da stehen ganz gescheite Sachen drin«, sagte sie.

»So?« fragte ich bescheiden.

»Ja. Hier zum Beispiel. ›Das sind die schlimmsten Wunden, jene, die wir uns selber schlagen. Weil wir sie nicht heilen lassen und mit dem stumpf gewordenen Schwert eines vergangenen Kampfes immer wieder darin bohren. Ein Schwert, das uns die Eitelkeit, ein lächerlicher Stolz und die Enttäuschung über unerfüllte Träume in die Hand drückt.‹«

»Hm«, machte ich. Das ›Bohren‹ in dem Satz gefiel mir immer noch nicht. Erst hatte ich ›wühlen‹ geschrieben, aber das klang so pathetisch. Aber ›bohren‹ war auch schlecht.

Sie blätterte zurück auf die Titelseite und las den Titel laut: »›Der Tag nach dem Gestern.‹ Das ist eigentlich gut. Dieser Verlag, bei dem Ihre Bücher erscheinen, den kenne ich gar nicht.«

»Das glaube ich gern. Das ist nur ein kleiner Verlag, der so wenig bekannt ist wie ich, der Autor. Ich weiß auch nicht, warum der Mann immer wieder meine Bücher herausbringt. Reich wird er damit nicht.«

»Waren Sie sehr unglücklich, als Sie das schrieben?«

»Unglücklich? Nö, eigentlich nicht. Ich habe mich halt zeitentsprechend unbehaglich gefühlt. Im Grunde bin ich ein heiterer Mensch.«

»Das ist schön«, sagte sie, das Buch im Schoß, und blickte hinaus zu den Wipfeln der Tannen, die am Rande der Lichtung stehen.

»Haben Sie Ihre Frau sehr geliebt?« fragte sie plötzlich.

»Ja«, antwortete ich.

»Und Sie lieben sie noch?«

Und ich sagte: »Ich glaube ja.« Dann dachte ich mir, daß dies eine dumme Antwort gewesen war. Was sollte das? Rosalind war fort, und alles war vorbei, und daher konnte ich sie auch nicht mehr lieben.

Sie richtete sich auf und stellte die Beine auf den Boden.

»Entschuldigen Sie«, sagte sie leise, »es ist ungehörig, solche Fragen zu stellen. Es ist überhaupt blödsinnig, was ich hier treibe. Liege in der Sonne und kümmere mich um nichts, anstatt daß ich sehe, wie ich weiterkomme. Gehe ich Ihnen sehr auf die Nerven?«

Ich richtete mich ebenfalls auf, sah sie an und sagte: »Sie wissen genau, daß Sie mir nicht auf die Nerven gehen und daß ich mich freue, daß Sie hier sind. Oder glauben Sie, es ist schön, immer allein herumzusitzen?«

»Vielleicht wollen Sie arbeiten.«

»Das kann ich morgen auch noch. Das kann ich jeden Tag. Zeit ist das einzige, was ich im Überfluß habe.«

»Zeit«, sagte sie, »hat niemand im Überfluß. Das Leben ist verdammt kurz.«

Ich nickte. »Auch ein schöner Satz. Mit Ihrer Erlaubnis werde ich ihn in einem meiner Bücher verwenden.«

Sie lachte. »Ich glaube nicht, daß ich damit etwas besonders Originelles gesagt habe.«

»Die wenigsten Schriftsteller schreiben etwas Originelles. Ist auch schwierig, weil alles schon mal gesagt oder geschrieben worden ist. Aber wenn man etwas hinschreibt, was wahr ist, dann beeindruckt es die Leute doch, wenn sie es gedruckt lesen.«

Sie stand plötzlich auf. »Und wie komme ich nun wirklich nach München hinein?«

»Sie haben einen Zug kurz nach zwei und einen um halb sechs.«

»Und wie weit ist es von hier bis zur Bahn?«

»Zu laufen etwa eine Stunde.«

»Donnerwetter. Dann müßte ich ja bald gehen, wenn ich den Zwei-Uhr-Zug erreichen will.«

»Müssen Sie denn um zwei fahren? Sie könnten doch auch um halb sechs fahren.«

Sie blickte zweifelnd auf mich nieder. »Warum?«

»Weil es mich freuen würde, wenn Sie noch hierblieben.«

»Ja?«

»Ja.«

»Eigentlich ist es ja egal«, meinte sie dann. »Offen gestanden habe ich sowieso Angst vor dem Nachhausekommen.«

»Warum?«

»Na, hören Sie, das können Sie sich doch denken. Erstens

sind die Schlüssel weg. Ich muß also klingeln und meiner Wirtin sagen, daß ich die Schlüssel verloren habe. Das wird ein Theater geben.«

»Sie haben sie ja nicht verloren.«

»Wie es richtig war, kann ich erst recht nicht sagen. Das wäre ein Fressen für die.«

Sie setzte sich wieder, stützte die Ellenbogen auf die Knie, legte das Gesicht in die Hände und schaute mit trübsinniger Miene vor sich hin.

»Es ist überhaupt furchtbar, was mir alles bevorsteht. Wirklich! Ich könnte auf und davon gehen.«

»Sie können ja hierbleiben«, schlug ich vor.

»Ich muß doch morgen früh ins Büro.«

»Ach, Sie sind berufstätig?«

Sie warf mir einen schiefen Blick zu. »Was dachen Sie denn? Sehe ich aus wie eine Millionärstochter? Ich bin Sekretärin. Eine ganz gewöhnliche Vorzimmerdame.«

»Ein interessanter Beruf«, sagte ich höflich.

Diesmal war der Blick noch schiefer. »Was Sie nicht sagen! Gut, daß mir das mal einer mitteilt. Wäre ich nie drauf gekommen.«

»Und Eberhard?« wagte ich nach einer Weile schüchtern zu fragen. »Vielleicht hat er sein schlechtes Benehmen eingesehen, bereut es und steht vor der Tür, wenn Sie heimkommen. Mit einem großen Blumenstrauß. Eigentlich muß er sich doch Sorgen um Ihren Verbleib machen.«

»Müßte er. Aber vermutlich ist er tief gekränkt und schert sich den Teufel darum. Außerdem erfährt er es morgen früh genug.«

»Wieso?«

»Eberhard«, sagte sie, »ist mein Chef.«

»Ach du meine Güte!« rief ich anteilnehmend.

»Ja, jetzt können Sie sich ungefähr vorstellen, was mir alles bevorsteht, nicht?« Sie hob die Hand und zählte an den Fingern an. »Erst das Theater mit meiner Wirtin wegen der verlorenen Schlüssel. Dann morgen früh das Büro. Eberhard, der ganz gemütlich abwarten kann, bis ich da wieder antanze. Die lieben Kolleginnen, die mir Eberhard natürlich nicht gegönnt haben und ihren Spaß daran haben werden, daß alles aus ist.«

»Aber villeicht«, meinte ich, »vielleicht ist gar nicht alles aus. Morgen versöhnen Sie sich wieder mit ihm.«

»Aber ich will mich gar nicht mit ihm versöhnen. Ich mag ihn nicht mehr. Ich weiß das jetzt. Und ich kann ihn doch nicht nur deswegen behalten, damit die anderen nicht zu ihrer Schadenfreude kommen. Oder?« Sie blickte mich ganz verzweifelt an. »Man kann doch einen Mann nicht allein deswegen heiraten, damit man nicht blamiert ist.«

»Aber Sie sind doch nicht blamiert. Sie haben ihn doch in dem Café sitzenlassen, nicht er Sie.«

»Ha!« Das war geradezu ein Aufschrei. »Sie haben eine Ahnung. Das müßten Sie als Schriftsteller eigentlich wissen. Wenn eine Frau und ein Mann auseinandergehen, dann heißt es immer, er hat sie sitzenlassen. Und wenn sie ihn zehnmal hinausgeworfen hat. Immer betrachtet man die Frau mit boshafter Schadenfreude.« Und leiser fügte sie hinzu: »Und bei mir ist es nun schon das zweitemal.«

»Alles stimmt aber nicht, was Sie sagen«, widersprach ich. »Wenn ich zum Beispiel an meine eigenen Erfahrungen aus jüngster Zeit denke, also bei mir kann kein Mensch sagen, ich hätte Rosalind sitzenlassen. Hier ist es ganz offensichtlich, wer der Sitzengelassene ist.«

»Ja, vielleicht ist Ihre . . . wie heißt sie? Rosalind? . . . Ihre Rosalind mit einem anderen Mann weggegangen.«

»Ja, das stimmt allerdings.«

»Na, sehen Sie. Das sieht natürlich besser aus.«

»Aha.« Ich schwieg und dachte darüber nach. Die Frauen hatten da wohl so ihren eigenen Kodex. Und einen neuen Mann brauchten sie wohl immer dazu, damit ihre Weltordnung stimmte. Nicht ihretwegen. Sondern wegen der anderen Frauen.

»Wenn Sie sich wirkich nicht mit Eberhard versöhnen wollen«, sagte ich, »dann müssen Sie eben einen anderen Mann haben. Sie müssen Ihren Kolleginnen sagen, Sie hätten sich in einen anderen verliebt.«

»Sie sind gut. Das ist kein Roman, den wir hier schreiben, das ist Wirklichkeit. Wo kriege ich denn so schnell einen neuen Mann her?«

»Einen Phantasiemann. Sie können mich ja als Modell nehmen. Erfolgreicher Schriftsteller, hat ein prächtiges Landhaus in den Bergen, ist einmalig charmant, keine Frau kann ihm widerstehen, und gegen ihn ist Eberhard ein Klecks.«

»Eberhard sieht sehr gut aus«, sagte sie verträumt.

Ich schwieg beleidigt. Na schön, sollte sie wieder zu dem Kerl hinkriechen, der kleine Hunde mit einem Fußtritt durch die Luft beförderte. Sie würde schon sehen, was sie sich da einhandelte.

Nach längerer Pause sagte sie: »Also wenn es Ihnen recht ist, würde ich dann mit dem Abendzug fahren. Für den anderen ist es ja sowieso zu spät.«

»Fein«, freute ich mich.

»Und daß Sie mir das Fahrgeld pumpen müssen, das wissen Sie ja.«

»Das werde ich gerade noch zusammenkratzen können. Also das wäre geklärt. Jetzt bleibt noch die Frage des Mittagessens zu erörtern.«

»Soll ich was kochen?« fragte sie eifrig.

»Ist leider nichts da. Aber wir können nach Ober-Bolching ins Wirtshaus gehen. Da ißt man ganz ordentlich.«

»Hätten Sie das auch gemacht, wenn Sie allein wären?«

»Nö. Dann würde ich mir ein paar Rühreier machen. Oder eine Dose aufmachen.«

»Das mache ich. Gleich mal sehen, was da ist.«

Sie sauste ins Haus hinein, und nach einer Weile hörte ich sie drinnen herumklappern. Eine halbe Stunde später gab es Mittagessen. Rühreier mit Schinken, Bratkartoffeln und gemischtes Gemüse. Sehr schön. Nichts daran auszusetzen. Nur Dorian schaute etwas enttäuscht drein. Aber für ihn hatte ich glücklicherweise noch ein paar Kalbsknochen aufbewahrt.

Der Nachmittag verging ähnlich wie der Vormittag. Ich erzählte ein bißchen von Rosalind und von Lix und wie wir hier so gelebt hatten in den vergangenen Jahren. Und wie dann alles gekommen war.

»Sie sehen«, sagte ich als Abschluß, »Rosalind macht genau das, was Sie jetzt nicht mehr machen wollen: eine gute Partie.«

»Ich wollte ja eigentlich auch«, meinte sie nachdenklich, »ich habe mir das sehr angenehm vorgestellt. Aber es geht eben nicht. Das Dumme ist bloß, daß ich nun auch noch eine andere Stelle suchen muß.«

Ich nickte. Das sah ich ein. Wenn sie wirklich entschlossen war, mit diesem Eberhard Schluß zu machen, dann würde ihr wohl nichts anderes übrigbleiben. Das ist der Nachteil, wenn eine Frau ein Verhältnis mit ihrem Chef hat. Sollte sie sich immer gut überlegen.

Nach dem Kaffeetrinken brachen wir auf, um rechtzeitig nach Tanning zu kommen.

Ehe wir die Lichtung verließen, drehte sie sich noch einmal um. Ich sah etwas wie Bedauern in ihren Augen.

»Eine Oase des Friedens«, meinte sie, »so würden Sie vielleicht schreiben, nicht? Es hat mir gut gefallen bei Ihnen. Und ich danke Ihnen.«

»Sie haben mir nichts zu danken«, sagte ich. »Aber wenn es Ihnen gefallen hat, kommen Sie doch einmal wieder.«

Wir schlenderten langsam durch den Wald, sie hatte den Kopf gesenkt.

Nach einer Weile sagte sie: »Soll ich wirklich?«

»Ja. Und ich muß doch auch wissen, wie das alles weitergeht.«

»Neugierig sind Sie auch. Na ja, ich bin selber gespannt. Ach, ich wünschte, ich wäre eine Woche älter.«

»Ich bin noch in anderer Beziehung neugierig«, sagte ich.

»In welcher?«

»Ich wüßte gern, wie Sie heißen. Wenigstens den Vornamen.«

»Ach so«, sie schien ehrlich erstaunt zu sein, »habe ich Ihnen das noch nicht gesagt? Ich heiße Steffi. Also eigentlich richtig Stefanie. Stefanie Bergmann.«

»Stefanie«, wiederholte ich. »Steffi. – Danke.«

Wir lächelten uns ein wenig verlegen an und marschierten weiter. Als wir auf der Bahnstation von Tanning standen, mitten zwischen allerhand Ausflüglern, und der Zug schon zu sehen war, sagte ich plötzlich: »Hören Sie, Steffi, ich könnte mich ja eigentlich im Laufe der Woche mal danach erkundigen, wie das alles ausgegangen ist. Ich muß sowieso nach München hinein, Dienstag oder Mittwoch.«

»Sie müssen nach München hinein?«

»Ja, dringend. Kann ich Sie erreichen?«

»Doch«, sagte sie, und ihre blauen Augen strahlten mich an, »natürlich. Und ich würde mich freuen, wenn Sie sich mal melden.« Und dann sagte sie mir die Telefonnummer von ihrem Büro. Und dann auch gleich noch, weil sie vielleicht bis dahin schon hinausgeflogen sein könnte, die Adresse, wo sie wohnte.

Ich schrieb mir das alles in mein kleines Notizbuch, während der Zug an der Station Tanning vorfuhr und hielt. Dann gaben wir uns die Hand.

»Auf Wiedersehen, Steffi. Und Kopf hoch. Es wird schon nicht so schlimm werden.«

»Hoffentlich nicht. Und – vielen, vielen Dank für alles.«

Und dann, als sie im Zug war und am Fenster stand und der Stationsvorsteher von Tanning schon pfiff, sagte ich auf einmal: »Übrigens, Steffi, ich würde mich sehr freuen, wenn Sie sich mit Eberhard nicht wieder versöhnen würden.«

Sie gab keine Antwort, sah mich nur an, sehr ernst, und nur ganz allmählich, da fuhr der Zug schon an, stahl sich ein Lächeln in ihre Augen. Wurde darin angezündet wie ein kleines Licht. Ein kleines Hoffnungslicht.

Und so ging ich nach Hause. Vor meinen Augen das Mädchengesicht, mit dem kleinen zaghaften Lächeln in den Augen.

Rendezvous mit einer wohlfrisierten Dame

Den Montag brachte ich einigermaßen mit Anstand hinter mich. Ich hatte ja über das Erlebte nachzudenken, und dann arbeitete ich sogar etwas.

Am Dienstagmorgen dachte ich: Heute ist noch zu früh. Aber im Laufe des Tages wurde ich immer kribbeliger. Vielleicht war diese Steffi mit den blauen Augen ganz froh, wenn jemand kam, der sich nach ihrem Ergehen erkundigte. Gleichzeitig dachte ich aber auch: Du bist ein Esel, mein Lieber. Höchstwahrscheinlich hat sie sich wieder mit ihrem Eberhard versöhnt, gute Partie, großes Auto und dann die Schadenfreude der Kolleginnen, wenn nichts daraus wurde, und sie ist gar nicht begeistert, dich zu sehen, und will möglichst nicht an das vergangene Wochenende erinnert werden. Denn hinterher ist es ja immer peinlich, wenn man jemand zu seinem Vertrauten gemacht hat, einen ganz Fremden noch dazu. Mit diesem Einerseits und Andrerseits beschäftigte ich mich den ganzen Dienstag über. Und dann, in allerletzter Minute, entschloß ich mich, in die Stadt hineinzufahren. Muni würde sich auf jeden Fall freuen, wenn ich kam. Und Lix konnte ich auch anrufen und für das nächste Wochenende einladen. Also nahm ich mein Rad, entschuldigte mich bei Dorian, und wir gondelten zum Andres hinauf, wo ich den enttäuschten Dorian zurückließ, und kam gerade in Tanning noch zurecht, um den letzten Zug zu erwischen.

Muni war höchst überrascht, als ich auftauchte.

»Ist was passiert?« fragt sie erschrocken.

»Nö«, sagte ich, »warum soll denn was passiert sein? Ich muß auf die Redaktion, und ins Funkhaus wollte ich auch mal, und ich dachte mir, ich könnte das diese Woche erledigen.«

»So«, meinte Muni und betrachtete mich mißtrauisch.

Diesen Abend, hatte ich mir vorgenommen, würde ich nichts unternehmen, sondern am nächsten Tag bei Steffi im Büro anrufen. Da würde ich ja gleich an ihrer Stimme und an der Art, wie sie auf meinen Anruf reagierte, merken, was los war.

Für diesen Abend lud ich Muni ins Kino ein, wogegen sie nichts einzuwenden hatte, denn ins Kino ging sie für ihr Leben gern. Am nächsten Vormittag wandelte ich auch treu und brav zu der Redaktion der Tageszeitung, die schon manchmal kleine Beiträge von mir gebracht hatte. Sie taten so, als ob sie sich schrecklich freuten, mich zu sehen, und meinten, sie würden gern wieder einmal etwas von mir bringen. Ich ließ ihnen eine Kurzgeschichte und ein Feuilleton da, die ich kürzlich mal geschrieben hatte. Dann ging ich zum Weißwurstessen in den Franziskaner, trieb mich anschließend ein bißchen in der Stadt herum, und dann zog ich mich in eine Telefonzelle zurück.

Zuerst Lix. Sie war schließlich meine Tochter.

Eine helle, resolut klingende Frauenstimme meldete sich: »Hier bei Generaldirektor Killinger.«

Generaldirektor! – Hörte sich doll an.

»Schmitt«, sagte ich kurz, »ich wollte gern Lix sprechen, ich meine Angelika.« Und damit die Unbekannte am anderen Ende des Drahtes – sicher war es diese Hausdame, Frau Boll – auch genau wußte, mit wem sie es zu tun hatte, fügte ich hinzu: »Meine Tochter.«

»Ach, Herr Schmitt«, kam es darauf sehr liebenswürdig an mein Ohr gesäuselt. »Einen kleinen Moment, bitte. Lix ist im Garten.« Die nächste Stimme, die an mein Ohr drang, gehörte nicht Lix, sondern Rosalind.

»Dodo, Liebling«, rief sie lebhaft, »bist du in der Stadt?«

»Ja. Tag, Rosalind.«

»Tag, mein Schatz, wie geht es dir denn?«

»Danke, bestens«, sagte ich und versuchte meiner Stimme

einen fröhlichen Klang zu geben. »Und dir? Du bist schon aus Paris zurück?«

»Ja. Mehr Zeit hatte Conny leider nicht. Du weißt ja, wie das ist mit den Herren Managern. Zeit haben sie nie.«

»Hm. War's hübsch in Paris?«

»Wunderbar. Ziemlich heiß allerings. Ich hab' mir ein paar süße Sachen gekauft. Aber teuer ist dort alles. Entsetzlich.«

»Hm.«

»Kommst du raus zu uns, zum Kaffeetrinken?«

»Nein, danke. Ich habe keine Zeit.«

»Wieso?« Das klang aggressiv. »Wieso hast du keine Zeit?«

»Ich habe eben keine.«

»Das ist doch Unsinn. Was kannst du denn schon so Wichtiges zu tun haben?«

Das war echt Rosalind. Was ich zu tun hatte, war in ihren Augen nie wichtig.

Ich ging nicht näher darauf ein. »Ich wollte mich bloß mal bei Lix melden. Sie hat mir geschrieben.«

»Ja, das hat sie gesagt, und ich . . . warte doch, Lix, du hörst doch, daß ich noch mit Paps spreche. Ja, hörst du, Dodo? Die beiden Mädels wollten eigentlich am Wochenende zu dir rauskommen. Aber alle beide auf einmal, das ist ein bißchen viel für dich, fürchte ich. Und ich kann nicht mitkommen, ich habe keinen Wagen. Conny muß übers Wochenende nach Garmisch, da ist ein Geschäftsfreund von ihm, der ist zur Zeit in einem Sanatorium, den will er besuchen. Da werde ich wohl mitfahren.«

»Wir auch, Mami?« hörte ich die Stimme von Lix aufgeregt dazwischenfragen. Sie gab den Besuch bei mir offensichtlich leichtherzig auf. Und daß sie mit der Bahn zu mir hinausfahren könnte, das stand wohl nicht mehr zur Debatte.

»Das weiß ich noch nicht. Nun sei doch still«, sagte Rosalind ungeduldig zu ihrer Tochter. Und dann wieder zu mir: »Das ist ja egal, wann sie zu dir hinauskommen, nicht Dodo? Du bist ja immer da.«

»Ja«, erwiderte ich kurz. Ich war immer da und stand zur Verfügung. Wenn man eben gerade mal Zeit für mich hatte. Und der Wagen frei war. Und nichts Interessanteres vorlag. Aber im Moment kam es mir gar nicht so ungelegen. Vielleicht – man wußte ja nicht, aber vielleicht kam Steffi zu mir hinaus? Vorausgesetzt, sie und Eberhard bildeten nicht inzwischen wieder ein glückliches Paar.

»Na, das sehen wir dann schon«, beschied mich Rosalind. »Du wirst ja merken, wenn wir kommen.«

»Zweifellos«, sagte ich.

»Und wie geht's dir sonst?«

»Das hast du mich schon gefragt. Mir geht es gut.« Und dann konnte ich die Frage nicht unterdrücken: »Sag mal, wohnst du denn jetzt schon da draußen?«

»Aber nein, wo denkst du hin? Was würde das für einen Eindruck machen. Ich bin bloß meist zum Mittagessen da, Conny kommt ja selten heim zum Essen, weißt du. Und ich kümmere mich um die Fratzen. Daß sie auch Schularbeiten machen und so was alles.«

»Aha.«

»Jetzt laß mich mal«, hörte ich Lix wieder sagen.

»Also gut, ist noch was, Dodo? Willst du wirklich nicht zum Kaffee herauskommen? Wir sind ganz unter uns . . .«

»Nein«, sagte ich, »danke, ich habe nicht viel Zeit. Ich habe noch eine Verabredung.«

»Verabredung?« fragte Rosalind erstaunt zurück. »Mit wem denn?«

Ich ließ eine kleine Pause verstreichen, ohne zu antworten.

»Hallo?« fragte sie.

»Ja?«

»Ich habe dich was gefragt.«

»Ich habe es vernommen.«

»Ach, du willst mir nicht antworten?« Ein kleines verärgertes Lachen. »Na, wie du willst. Anscheinend bist du der Meinung, das geht mich nichts mehr an.«

»Genau das«, sagte ich.

»Du bist albern, Dodo. Also dann, mach's gut. Und bis auf bald.«

Gleich darauf hörte ich Lix vergnügt in den Apparat zwitschwern.

»Paps? Warum kommst du denn nicht? Wir könnten hier fein auf der Terrasse sitzen und Kaffee trinken. Und ich habe zwei neue Kleider, die möchte ich dir gern zeigen.«

Rosalinds Tochter. Bald würde sie auch keine anderen Interessen mehr haben als neue Kleider.

»Die werde ich schon noch zu sehen kriegen«, sagte ich. »Tag, meine kleine Lix. Ich gratuliere zu der Eins.«

»Was für eine Eins?«

»In Mathe.«

»Ach so.« Das hatte sie schon wieder vergessen, war ja auch eine ganze Weile her. »Was macht Dorian?«

»Dem geht's gut. Läßt dich grüßen.«

»Wir haben hier keinen Hund«, erzählte Lix. »Das ist eigentlich traurig. Ich habe Onkel Conny schon gesagt, daß ich furchtbar gern einen möchte. Aber er meint, ihn stört das Gebell. Wie findste das?«

»Na ja«, sagte ich. Ich werde mich hüten, Kritik an Herrn Generaldirektor Killinger zu üben. Wenn ihn das Gebell störte, dann störte es ihn eben. Damit würde Lix sich abfinden müssen. Dafür bekam sie zwei neue Kleider auf einen Fleck.

»Kommst du wirklich nicht?« fragte Lix noch einmal.

»Nein. Jetzt geht es nicht.«

»Und morgen?«

»Ich weiß nicht, ob ich morgen noch in der Stadt bin. Wenn ja, dann rufe ich dich wieder an, und dann könntest du vielleicht doch am Nachmittag zu Muni zum Kaffeetrinken kommen.«

Lix etwas leiser: »Du willst wohl nicht gern hierherkommen?«

»Nein«, sagte ich.

»Ich verstehe«, sagte Lix. Es klang sehr erwachsen und vernünftig. »Dann komme ich eben zu Muni. Aber ruf mich bestimmt an, ja?«

»Bestimmt.«

Und noch leiser: »Paps?«

»Ja?«

»Du bist mein Paps. Mein allerliebster, allerbester Paps.«

»Ist recht«, sagte ich und schluckte.

Und als ich den Hörer hingehängt hatte, sagte ich noch: »Danke, kleine Lix.«

Sie hatte das Gefühl gehabt, mir ein kleines Trostpflaster draufpappen zu müssen.

Vor der Telefonzelle stand ein Mann und trat von einem Fuß auf den anderen. Ich hatte nicht das Herz, das zweite Gespräch anschließend zu erledigen, ging erst mal hinaus und ließ ihn rein. So bin ich eben. Wenn jemand denken sollte, dies sei eine gute Eigenschaft von mir, so irrt sich der. Deswegen wird aus mir auch nichts. Derjenige, der hineingegangen war, führte drei Gespräche hintereinander, und es störte ihn gar nicht, daß ich davorstand und wartete.

Ich dachte derweil über das eben geführte Telefongespräch nach. Es hatte mich traurig gemacht. Du bist mein allerliebster, allerbester Paps. Na ja. Gut gemeint. Die Große redete zuckersüß mit mir und gab mir Trostpfläsderchen, und die Kleine nun auch schon. Sie saßen auf der Terrasse bei Generaldirektors, und ich stand hier vor der Telefonzelle. Und eigentlich war ich ein Trottel gewesen, daß ich mich von Rosalind hatte scheiden lassen. Warum denn eigentlich? Sie war meine Frau, und Lix war meine Tochter, verdammt noch mal! Ich war kein Generaldirektor, aber verhungert waren sie bei mir auch nicht. Warum sagte ich denn immer zu allem ja und amen? Ich hätte ja auch sagen können: Nein, und zum Donnerwetter, ihr gehört zu mir und bleibt da. Basta. Es gab Leute, die waren dafür, die Scheidung ganz abzuschaffen. Und vielleicht hatten sie recht. Vielleicht auch nicht, es war schwer zu entscheiden.

Bis die Telefonzelle glücklich wieder frei war, hatte ich schlechte Laune und eigentlich gar keine Lust mehr, Steffi anzurufen. Was sollte das denn? Hatte ich nicht Enttäuschungen genug erlebt? War ich partout auf eine neue aus? Aber ich hatte es mir nun mal vorgenommen, und darum wählte ich also die Nummer, die Steffi mir auf der Station von Tanning genannt hatte.

Sie war sogar selbst am Apparat. Ich erkannte ihre Stimme sofort. Also war sie noch dort, und vermutlich war alles wieder in bester Butter.

»Hier ist Schmitt«, sagte ich spröde.

»Oh!« sagte sie. Eine winzige Pause, und dann sehr lebhaft, sehr aufgeregt: »Das ist aber nett, daß Sie anrufen.«

So, war das nun Höflichkeit, oder freute sie sich wirklich?

»Ja«, sagte ich lässig, »ich bin heute in der Stadt und wollte mich mal erkundigen, wie es Ihnen geht.«

»Mir? Na ja, so là là.«

Aha!

»Störe ich bei der Arbeit?«

»Das macht nichts.«

»Und sind Sie gut nach Hause gekommen?«

»Doch, ja.«

Mehr sagte sie nicht. Aber vielleicht hörte jemand zu, und sie konnte nicht sprechen. Andrerseits brachte ich es nicht über mich, einfach zu fragen, wie das denn nun alles abgelaufen sei und wie die Dinge lagen. Lieber Gott, sie war ja eine Fremde. Und was ging es mich denn an.

»Bleiben Sie länger in der Stadt?« fragte sie.

»Ich weiß noch nicht. Vielleicht bis morgen.«

»So.«

Also jetzt frage ich sie einfach mal. Mehr wie nein konnte sie nicht sagen.

»Können wir uns mal sehen?«

»Aber natürlich«, rief sie, und ich konnte aus dem befreiten Ton heraushören, daß sie auf die Frage gewartet hatte. Das tat mir gut.

»Wann?«

»Sagen Sie.«

»Heute abend?«

»Gern.«

Nun wurde ich ganz kühn. »Kann ich Sie an Ihrem Büro abholen?«

»Das wäre wunderbar«, das klang nun geradezu enthusiastisch, und ich grinste. Sie war nicht mit Eberhard versöhnt, und sie wollte gern von einem Mann abgeholt werden, ganz egal, was für einer. So einer wie ich tat es auch.

»Ich bin um halb sechs fertig«, sagte sie, und sie sprach es genüßlich und langsam, nannte dann Straße und Hausnummer, und ihre Stimme war eitel Sonnenschein und Freude, woraus ich schloß, daß sich Eberhard im Zimmer befinden mußte. Und schließlich fügte sie noch hinzu: »Aber groß ausgehen können wir nicht. Ich bin nicht angezogen.«

Oh, Eberhard, du wirst platzen!

»Nein, nein«, sagte ich nonchalant, »nur ein kleines Abendessen, wo es Ihnen beliebt. Also dann bis halb sechs.«

Als ich wieder auf der Straße stand, blickte ich auf meine Uhr. Jetzt war es drei, Zeit im Überfluß bis halb sechs. Ich würde nach Hause zu Muni gehen und meinen hübschen hellgrauen Anzug anziehen, der dort bei ihr im Schrank hing, und einen Hut würde ich auch aufsetzen, den eleganten hellen, den Rosalind mir letzten Sommer geschenkt hatte und den ich noch nie getragen hatte, weil ich keine Hüte mochte. Aber heute würde ich ihn aufsetzen. Steffi sollte von einem einigermaßen ansehnlichen Individuum abgeholt werden. Sie sollte ihren kleinen Triumph haben. Flüchtig überlegte ich, ob ich vielleicht ein schnittiges Sportkabriolett bei einem Autoverleiher für diesen Abend mieten sollte. Aber dann fiel mir ein, daß ich ja keinen Führerschein besaß. Schade.

Ich verzichtete auf die Straßenbahn und lief den Weg zu Munis Wohnung zu Fuß. War gesund, und Zeit hatte ich genug. Auf diesem Weg ging mir allerhand durch den Kopf. Träume, Wünsche, aber auch ganz bestimmte Pläne. So ging es mit mir nicht weiter. Ich mußte etwas aus mir machen. Geld verdienen. Rosalind hatte recht. Auch Schriftsteller lebten heutzutage ganz angenehm, wenn sie es verstanden, ein bißchen auf die Tube zu drücken. Lieber Himmel, ich war doch nicht dumm. In meinem Kopf war doch allerhand drin. Und sich immer da draußen verkriechen im Waldhaus und warten, daß alles von selbst geschah, das war eben doch nicht der richtige Weg, um zu etwas zu kommen. Ich mußte mich ein wenig bemühen. Jawohl, und das würde ich auch tun. Und Auto fahren würde ich jetzt auch lernen. Nun gerade. Ich würde es Rosalind schon zeigen.

Mit Energie aufgeladen wie ein Atommeiler kreuzte ich bei Muni auf, trank mit ihr Kaffee und begann dann, mich auf Hochglanz herzurichten.

Ich rasierte mich noch einmal, zog mir ein frisches weißes Hemd an und den grauen Anzug, kämmte sorgfältig mein dunkelblondes Haupt mit viel Wasser und wollte dann meine Schuhe putzen.

»Gib her«, sagte Muni ungeduldig und riß mir die Schuhe aus der Hand. »Wie oft habe ich dir schon gesagt, du sollst nicht Schuhe putzen, wenn du ein sauberes Hemd anhast. So was macht man vorher.«

Sie putzte selbst meine Schuhe, ich sah ihr zu, rauchte eine Zigarette und summte vor mich hin.

»Ich bin ja nicht neugierig«, meinte Muni, »aber warum wirfst du dich so in Schale?«

»Ich habe ein Rendezvous«, verkündete ich stolz.

»Ach nee«, sagte Muni. Sie warf mir einen kurzen Blick zu und fragte: »Mit Rosalind?«

»Rosalind?« fragte ich im Ton höchsten Erstaunens zurück. »Wie kommst du denn darauf? Was geht mich Rosalind an. Nein, mit jemand anders.«

»Mit wem denn?«

»Ich denke, du bist nicht neugierig.«

»Ich frag' halt bloß.«

»Ich merke es. Mit einer sehr reizenden jungen Dame.«

»So?«

»Ja.«

»Hast du die heute kennengelernt?«

»Heute? Nein, die kenne ich schon einige Zeit.«

»Na, so was«, sagte Muni und überreichte mir die glänzenden Schuhe. »Dann wünsche ich viel Spaß.«

»Danke sehr.«

Zuletzt setzte ich mir etwas schräg und verwegen den silbergrauen Hut aufs Haupt, prüfte mich sorgfältig im Spiegel und fand mich nicht so übel.

»Du machst doch hoffentlich keinen Blödsinn?« erkundigte sich Muni besorgt.

»Was, teure Mutter«, sagte ich und wandte mich in meinem vollen Glanz zu ihr, »was würdest du als Blödsinn bezeichnen?«

»Man sollte meinen«, sagte Muni langsam, »du hättest jetzt mal die Nase voll von Frauengeschichten.«

»Frauengeschichten«, erwiderte ich, »hat es bei mir nie gegeben. Das weißt du ganz genau. Aber vielleicht fange ich jetzt damit an. Schließlich bin ich kein alter Mann.«

»Natürlich«, sagte Muni, »das stimmt schon.« Und mit mütterlichem Stolz fügte sie hinzu: »Du siehst sehr gut aus.«

»Danke«, sagte ich und betrachtete mich nochmals im Spiegel.

Im Treppenhaus inspizierte ich meine Brieftasche. Fünfundvierzig Mark. Das müßte eigentlich reichen für heute abend.

Und ab morgen würde ich ein neues Leben beginnen und viel Geld verdienen. Ich wußte noch nicht, wie, aber ich würde.

Ich war pünktlich da und studierte zuerst einmal das Schild an der Haustür. »Eberhard Klug, Immobilien und Wohnungsvermittlung.« So einer also war das. Von der Sorte gab es heutzutage viel. Neben guten alten und seriösen Firmen waren da auch allerhand Scharlatane am Werk, das war mir bekannt.

Das Haus sah gut aus. Ein großer eleganter Neubau in einer Nebenstraße, meist Büros und Geschäftsräume im Haus. Auf der Straße parkten mehrere große Straßenkreuzer. Einer davon würde wohl Eberhard gehören.

Es beruhigte mich, daß keine Parklücke frei war. Selbst wenn ich in einem Wagen vorgefahren wäre, hätte ich ihn hier nicht hinstellen können, und so wäre Steffi also um den ganz großen Auftritt gekommen.

Ich schaute auf meine Uhr. Halb sechs. Ich gab meinem Hut noch einen kleinen verwegenen Ruck nach rechts und postierte mich dann gegenüber der Haustür auf der anderen Seite der Straße. Ein wenig erwartungsvoll, ein wenig ängstlich. Wie sie wohl heute aussehen würde, mit Frisur und Make-up? Und vielleicht hatte sie sich seit heute nachmittag um drei doch mit Eberhard versöhnt?

Angenommen, Eberhard hatte das Gespräch mit angehört und dann zu ihr gesagt: »Wer war der Kerl?«

Und sie: »Geht dich das was an?«

»Ich verbiete dir, dich mit dem Kerl zu treffen.«

»Was fällt dir eigentlich ein? Du hast mir gar nichts zu verbieten.«

»So? Das werden wir ja sehen.« Und dann war er um den Schreibtisch herumgekommen, hatte sie in die Arme gerissen und geküßt. Wild und leidenschaftlich, vielleicht sogar brutal, und Steffi war schwach und nachgiebig in seinem Arm geworden und hatte schließlich »Ach!« geseufzt. Und jetzt kamen sie gleich Arm in Arm hier heraus, und Steffi würde zu mir sagen: »Es tut mir schrecklich leid, Herr Schmitt. Es ist was dazwischengekommen. Ich muß heute Überstunden machen«, oder: »Meine Tante ist krank geworden«, oder irgend so was.

Das ist eben die Tragödie, wenn man Schreiber ist. Man hat zuviel Fantasie. Man stellt sich alles so genau vor, alles viel schöner, als es schön sein kann, und auch viel schlimmer, als es schlimm sein kann, und die Wirklichkeit hinkt immer hinterdrein. Aus der Tür begannen da drüben ein paar Leute zu sickern. Meist Mädchen und Frauen.

Und plötzlich sah ich sie. Mit zwei anderen jungen Damen kam sie zur Tür heraus. Sie trug ein graues Kostüm und sah sehr elegant und erwachsen darin aus. Helle Schuhe mit hohen Absätzen und helle Handschuhe in der Hand, die Tasche unter dem Arm. Eine sehr distinguierte junge Dame. Sie sah mich auch gleich, blieb stehen, verabschiedete sich lächelnd von ihren Begleiterinnen und kam über die Straße auf mich zu.

Ich ging ihr entgegen, und wir trafen uns mitten auf der Straße, gaben uns die Hand, ich legte höflich meine Hand unter ihren Ellenbogen und führte sie weiter über die Straße, denn es kam ein Auto.

Ich drehte mich nicht um, aber ich wußte, daß wir genau beobachtet wurden.

Steffi wußte das auch.

Sie ging neben mir her, langsam und aufrecht, mit ihrem schönen federnden Gang, und sagte: »Jetzt steht er oben am Fenster und sieht uns nach.«

»Eberhard?«

»Ja.«

»Also war er heute dabei, als wir telefoniert haben?«

»Er diktierte mir gerade, als Ihr Anruf kam.«

»Ich dachte mir so was.«

»Warum?«

»Das Telefongespräch machte den Eindruck, als hörte jemand mit, und ich dachte mir, es könnte Eberhard sein.« Wir waren an die Ecke gelangt und bogen in die Hauptstraße ein. Es war ein toller Verkehr, die Luft erfüllt von ekelhaftem Benzin- und Auspuffgestank. Als wir weitergingen, überholten wir die beiden jungen Damen, die mit Steffi aus dem Haus gekommen waren. Steffi lächelte ihnen im Vorbeigehen zu, und ich zog höflich den Hut. Gut, daß ich ihn aufhatte.

»Na, jetzt haben sie was zu reden«, meinte Steffi, als wir vorbei waren.

»Und was hat Eberhard gesagt, nachdem er gehört hatte, daß Sie sich verabredeten?« fragte ich.

»Zunächst nichts. Wir haben während dieser drei Tage nicht ein einziges privates Wort gesprochen. Nur über die Arbeit, sehr kurz und sehr höflich. Er sieht durch mich hindurch, als ob ich Luft wäre.«

»Und er hat sich auch nicht erkundigt, wie Sie nach Hause gekommen sind?«

»Nein. Aber vorhin, wie ich ihm die Briefe zum Unterschreiben brachte, da sagte er: ›Ich denke, wir hätten einiges zu besprechen.‹«

»Und Sie?«

»Ich sagte: So?«

Ich betrachtete sie amüsiert von der Seite. Bei diesem ›So?‹ steckte sie die Nase ein wenig in die Luft und zog eine kleine hochmütige arrogante Miene. Niedlich machte sie das.

»Und dann?«

›Dann sagte er: Warte bitte, bis ich hier fertig bin, dann können wir zusammen essen gehen.‹ Und ich sagte: ›Tut mir leid, heute geht es nicht. Ich bin schon verabredet.‹«

Welche Wonne es für sie bedeutet haben mußte, das zu sagen. Ich sah es ihr an, ich hörte es an ihrer Stimme. »Und er?« fragte ich bereitwillig.

»Er sagte ganz kühl: ›Nun, wie du willst. Wenn dir nichts dran liegt, die Geschichte zu bereinigen . . .‹ Und ich sagte: ›Nein. Mir liegt nicht sehr viel daran.‹ Und dann unterschrieb er schweigend die Briefe, und dann haben wir kein Wort mehr miteinander gesprochen.«

Ach ja. So ist das mit der Liebe. Ich wußte ja nicht, wie sehr die beiden sich geliebt hatten, wie lange ihre Liebesgeschichte dauerte und was alles gesagt und getan worden war in ihrem Verlauf, und plötzlich dann tut man fremd und gleichgültig, verletzt sich mit so kleinen hingeworfenen Sätzen, während einem doch das Herz zum Sterben weh tut. So ist es oft. Und es ist so töricht und so sinnlos.

Ich hatte das Gefühl, ich müßte Steffi am Arm nehmen und zu ihrem Eberhard zurückbringen und sagen: ›Nun seid vernünftig, Kinder, geht zusammen essen, sprecht euch aus, dann umarmt euch und küßt euch wieder und schlaft heute nacht zusammen. Morgen ist dann alles wieder gut.‹

Aber ich wußte ja zuwenig von der ganzen Geschichte. Ich wußte nicht, ob Eberhard das Herz weh tat, ob es Steffi weh tat, ob es besser war, daß sie zusammenblieben oder wirklich auseinandergingen. Bloß was *ich* hierbei eigentlich tat, das wußte ich in diesem Moment absolut nicht. Das war nicht das Mädchen, das bei mir im Waldhaus gewesen war. Das war eine selbstbewußte, kühle junge Dame, die neben mir herging, im korrekten grauen Kostüm mit weißer Bluse, die Harre waren frisiert und lagen in einer leichten Welle um ihren Kopf, endeten in einer sanften Innenrolle, die beim Gehen leise wippte. Der Mund war rot geschminkt, die Wangen zart getönt, die Wimpern dunkel getuscht. Eine fremde Frau, die mich nichts anging und die mir gleichgültig war. Und wenn man es genau nahm, hatte sie sich heute mit mir verabredet, um ihren Eberhard zu ärgern, um sein verbocktes Schweigen endlich zu lösen, und das war ihr ja auch schon gelungen, der erste Schritt war getan, und morgen würde man dann weitersehen. Meine

Rolle in diesem Stück Leben anderer Menschen war ausgespielt.

Wir waren eine ganze Weile schweigend nebeneinanderher gegangen. Das fiel mir aber erst auf, als Steffi fragte: »Wie geht es Dorian?«

»Ich hoffe, gut«, sagte ich.

»Was machen Sie denn mit ihm, wenn Sie in der Stadt herinnen sind?«

Ich erzählte es ihr, und dann wollte sie wissen, wo ich wohnte in der Stadt. Da erzählte ich ihr also auch von Muni und auch, daß ich heute mit meiner Tochter telefoniert hatte.

Dann blieb ich stehen. Wir waren beim Hofgarten gelandet, und ich fragte: »Wo gehn wir hin? Wo möchten Sie gern zu Abend essen?«

»Es ist ja noch zu früh zum Essen«, meinte sie. »Wenn es Ihnen nichts ausmacht, würde ich gern ein Stück durch den Englischen Garten gehen, bloß wegen der Luft, nicht? Und dann könnten wir irgendwo in Schwabing essen.«

»Gut«, meinte ich, »das ist eine feine Idee.«

Wir gingen also schräg durch den Hofgarten, beim Harmlos vorüber, überquerten die Prinzregentenstraße und spazierten dann in den Englischen Garten hinein. Der Himmel war ein wenig bedeckt heute, es war auch nicht ganz so warm wie in der vergangenen Woche. Aber im Park waren trotzdem viele Menschen, die noch ein wenig frische Luft haben wollten, ehe sie nach Hause gingen. Soweit frische Luft eben in einer Großstadt zu haben ist.

Wir sprachen nicht viel miteinander, als wir so dahinschlenderten. Wir waren ein wenig befangen. Schließlich kannten wir uns so kurze Zeit und wußten doch ziemlich viel voneinander. Das kann eine Belastung sein bei einer so jungen Bekanntschaft. Wir wußten zuviel persönliche Dinge, und das war ein wenig peinlich. Schließlich fragte ich, wie sie das denn mit ihrer Wirtin und den Schlüsseln gemacht hätte.

»Ach, ich habe gesagt, daß ich meine Tasche in Eberhards Auto liegenließ und daß sie dann anscheinend herausgefallen sein muß. Manchmal muß man eben ein bißchen schwindeln.«

»Ja«, gab ich zu, »das muß man manchmal. Und war sie denn damit zufrieden?«

»Sie äußerte sich ziemlich wortreich über die Unzuverlässigkeit der heutigen Generation und daß ihr so was nie passiert wäre. Aber jetzt ist ein neues Paar Schlüssel in Auftrag gegeben. Deshalb darf ich auch heut nicht zu spät heimgehen, weil ich ja klingeln muß.«

»Natürlich.«

Nach einer Weile äußerte sie trübsinnig: »Und ich war so froh, daß ich dort ausziehen konnte.«

Ich blickte sie fragend an.

»Na ja, wenn ich geheiratet hätte, nicht? Dann hätte ich doch eine eigene Wohnung gehabt. Stellen Sie sich mal vor.«

»Tja«, sagte ich. »Aber wir wollen die Hoffnung nicht aufgeben. Vielleicht renkt sich alles wieder ein.«

»Wie meinen Sie das?«

»Na, mit Eberhard.«

Längere Pause. Dann sagte sie leise: »Neulich, als ich da draußen in den Zug stieg, haben Sie etwas ganz anderes gesagt.«

Ich wußte genau, was ich gesagt hatte. Ich hatte gesagt: ›Ich wäre froh, wenn Sie sich nicht wieder mit Eberhard versöhnen würden.‹

Aber so was sagt sich leicht. Jetzt sah ich, daß sie unglücklich war. So leicht legt man einen Mann und eine Liebe nicht beiseite. Da kann man noch soviel davon reden, daß die Frauen heutzutage modern und vernünftig seien und ihr Liebesleben ähnlich großzügig handhaben wie die Männer. Irgendwie geht eben doch immer etwas Unwiederbringliches verloren. Und eigentlich ist es ja auch bei Männern nicht anders. Wenn einer nicht ganz kaltschnäuzig und oberflächlich ist.

Es sah so aus, als würde das ein ganz verkorkster Abend werden. Sie war bedrückt und ich voller Hemmungen. So wie wir zwei uns kennengelernt hatten, da konnte es entweder eine sehr schöne Fortsetzung geben oder gar keine. Das, was wir jetzt machten, zivilisierte Leute, die sich kürzlich kennengelernt hatten und nun eine wenig Konversation machten, das ging hier nicht. Das war deprimierend für uns beide.

Das wurde erst besser, als nach dem Essen der Toni zu uns stieß. Wir waren im Werneckhof gelandet, hatten sogar einen Platz gefunden, manierlich zu Abend gegessen und uns artig dabei ein bißchen unterhalten, ohne viel Begeisterung auf jeder Seite.

Und plötzlich, als ich einmal aufblickte, sah ich den Toni an der Tür stehen. Er sah mich auch gleich.

»Hö«, schrie er über den ganzen Raum weg, »altes Mondkalb! Was machst du denn hier? Ich dachte, du wärst längst in deinem Weiher da draußen ersoffen.«

Er kam, die Hände in den Hosentaschen, auf uns zugeschaukelt, offensichtlich hatte er schon wieder einiges geladen. Unterwegs blieb er noch ein paarmal stehen, begrüßte hier und da die Leute, dann die Wirtin, und dann die Katze von der Wirtin, und dann war er endlich bei unserem Tisch gelandet.

»Mensch, Ado«, sagte er, »alter Hinterwäldler! Wie kommst du denn nach Schwabing? Du wirst dich doch nicht am Ende noch zu einem vernünftigen Menschen entwickeln?« Dann nahm er die Hände aus den Taschen, machte eine formvollendete Verbeugung vor Steffi. »Entzückt, meine Gnädigste, Sie hier zu sehen.«

Ich erhob mich von meinem Sitz, schüttelte Toni die Hand und stellte die beiden dann korrekt einander vor.

»Toni Wylos – Fräulein Bergmann.«

Eigentlich hieß er ja Wlydlozinsky oder so ähnlich; kein Mensch konnte sich den Namen merken oder ihn aussprechen, bekannt war er allgemein als Toni, und seine Arbeiten unterschrieb er mit Wylos, wenn er, Gott behüte, mal was arbeitete, was selten genug vorkam. Er war eins von diesen Schwabinger Originalen, lebte davon, daß er gute Freunde besaß, und war doch im Grunde so etwas, was man Genie nennt. Er selbst war davon überzeugt, seine Freunde auch, aber sonst wußte es niemand, weil er zu faul war, um zu arbeiten. Ein riesengroßes, breites Trumm von einem Mann mit bemerkenswert edlen, durchgebildeten Händen, einem klugen Schädel und einem rettungslos verluderten Leben. Ursprünglich kam er aus Polen oder irgendwo aus dieser Ecke, lebte aber nun schon seit einem Menschenalter in München, das heißt in Schwabing, und sprach, wenn er wollte, so geschert bayrisch wie ein Braubursch. Ich konnte mich nicht erinnern, daß in letzter Zeit eine Arbeit von ihm erschienen war. Kein Buch, kein Beitrag in der Zeitung, nichts. Aber erstaunlicherweise sagte jetzt Steffi: »Oh, Herr Wylos. Ich habe schon viel von Ihnen gelesen.«

Toni riß die Augen auf. Er ließ sich auf einen Stuhl plumpsen und sagte erstaunt: »Aber Kinderl, so alt san S' noch net. Das ist nicht gut möglich.«

»Doch.« Steffi nickte nachdrücklich. »Ich kenne Gedichte von Ihnen und auch ein paar Bücher. Warten Sie!« Sie krauste die Stirn und dachte nach. »›Von den Narren im Reich der Träume‹, nicht wahr? So heißt eines.«

Toni nickte sprachlos.

»Und ein Gedicht von Ihnen hat mir besonders gefallen«, fuhr Steffi fort. »Da wo es heißt: ›Und dein Weg über die Brücke, die sich morgen nennt, ist ein Weg in den Abgrund, der keinen Boden kennt.‹ Stimmt's?«

Der Toni sah mich an und schüttelte verblüfft den Kopf.

»Was sagst?«

Ich war ordentlich stolz auf Steffi. Ich hätte das nicht gewußt.

»Darauf muß ich was trinken«, meinte Toni. Er drehte sich um und winkte der Bedienung. Die nickte nur aus der Ferne. Die wußte, was der Toni für gewöhnlich trank. Und ich wußte, daß ich das zahlen mußte. Denn Geld hatte der Toni nie. Aber er traf immer einen, der für ihn zahlte.

»Ich bin gerührt, meine Gnädigste«, sagte er zu Steffi. »Jetzt sagen Sie mir bloß, woher Sie das kennen.« Er sprach im gepflegtesten Hochdeutsch. »Als ich das geschrieben habe, können Sie noch gar nicht auf der Welt gewesen sein.«

Steffi lachte. »Eine Tante von mir hat mehrere Bücher von Ihnen. Und sie hat sie mir alle zu lesen gegeben. Sie sagte dabei: ›Das ist einer, der noch was zu sagen hat.‹«

Der Schoppen Wein wurde vor Toni auf den Tisch gestellt, er hob das Glas und prostete Steffi zu. »Ich trinke auf das Wohl Ihrer Frau Tante. Der Herrgott möge sie einst in Gnaden aufnehmen, obwohl sie so einen verbotenen Geschmack hat.«

Dann sagte er zu mir: »Weißt du, wann diese Dinger von mir erschienen sind? 1925 oder 26 oder da herum. Da warst du noch ein Hosenscheißer. Aber da haben wir hier Kunst gemacht. Und was für eine Kunst. Nicht so eine Industrie, wie ihr sie euch heute zusammenbastelt.«

Und dann ging's los, eine Stunde lang brauchten wir kein Wort zu sagen. Denn wenn der Toni auch nicht mehr selbst produzierte, so war er doch genau orientiert über alles, was vorging, und kannte die meisten meiner Kollegen, auch die berühmten und erfolgreichen, ganz genau. Er klärte uns auf über die Literatur der Gegenwart und über ihre Hintergründe und Machenschaften.

Es war eigentlich ganz amüsant. Jedenfalls für mich. Durch den Toni erfuhr ich immer ganz genau, was in der Branche los war. Was Steffi sich dabei dachte, wußte ich nicht. Aber sie hörte jedenfalls aufmerksam zu und schien auch an Tonis Berichten interessiert zu sein. Das beflügelte den Toni nur noch mehr. Immer wieder blickte er in Steffis blaue Augen und stellte öfter die Frage: »Was sagen Sie dazu meine Gnädigste? Ist es eine Schand'?« Dann nickte Steffi, und Toni begann eine neue Geschichte.

Als er beim dritten Glas Wein angelangt war, hatte er sein Pulver verschossen und beschäftigte sich auf einmal mit mir.

»Na, und du, altes Rindvieh? Was treibst du zur Zeit?«

Ich hob die Schultern. »Immer das gleiche, du weißt ja. Im Herbst ist ein neues Buch von mir erschienen, das wirst du ja sicher nicht kennen.«

»Ich kenne es«, verkündete der Toni. »Sehr mittelprächtig. Du hast schon bessere Bücher geschrieben. Wie war denn der Absatz?«

»Ebenfalls mittelprächtig«, sagte ich.

»Wieviel?« Er wollte es genau wissen.

Das war mir peinlich. »Ganz genau weiß ich es nicht, so ein- bis zweitausend Stück etwa.«

»Immerhin«, meinte Toni. »Und davon lebst du, Mensch?«

»So in etwa«, sagte ich zurückhaltend.

»So in etwa«, wiederholte er geziert. »Spricht ein epochemachendes Deutsch, der junge Mann, nicht?« Diese Frage war an Steffi gerichtet, und die lachte.

Übrigens ließ er sich keinerlei Verwunderung anmerken, daß er mich hier mit Steffi, also mit einer fremden Frau traf. Er kannte Rosalind. Aber trotz aller Poltrigkeit war er ein feiner Mann, und es wäre ihm nicht eingefallen, eine diesbezügliche Frage zu stellen. Er erwähnte Rosalind mit keinem Wort. Statt dessen sagte er: »Wir gehen in die ›Seerose‹. Bin da verabredet.«

»Du«, sagte ich, »wir nicht.«

»Ihr kommt mit. Oder wenigstens die junge Dame. Du kannst von mir aus nach Hause gehen. Denkst du, ich laß mir die Gelegenheit entgehen, dort mal mit einem hübschen Mädchen aufzukreuzen?«

Also gingen wir in die ›Seerose‹, wo Toni einen ganzen Tisch guter Freunde traf, der uns bereitwilligst in seine Runde aufnahm. Da waren Maler, Schreiber wie wir, eine zur Zeit berühmte Kabarettistin und ein bildschönes, blutjunges Mädchen, angehende Schauspielerin, wie wir erfuhren, die in Begleitung eines spätmittelalterlichen, korpulenten Herrn segelte. Ihr Freund, wie Toni mir mitteilte, und dazu verurteilt, das versammelte Künstlervolk freizuhalten.

»Das kann er sich schon leisten«, sagte Toni. »Abgesehen davon, daß es für den dicken Banausen eine Ehre ist, in unserem Kreis zu verkehren. So was gibt es nicht umsonst.«

Toni duldete auch nicht, daß ich für uns bezahlte.

»Blöd wirst sein«, teilte er mir in voller Lautstärke mit, als wir zum Gehen rüsteten. »Das geht in einem hin.«

Mir war es ein wenig peinlich, aber der Dicke sagte generös: »Aber ich bitte Sie, Herr . . . äh . . . es war mir ein Vergnügen, Sie kennengelernt zu haben.«

Na schön, wenn er partout wollte!

Als wir gingen, Steffi und ich, saßen die anderen noch wie festgeleimt. Aber Steffi hatte mir zugeflüstert, daß sie unbedingt gehen müsse.

»Sie hätten ruhig bleiben können«, sagte sie, als wir auf der Straße standen. »Es war ja wirklich sehr lustig. Aber Sie wissen ja, ich muß klingeln und kann deswegen nicht so spät kommen. Außerdem muß ich morgen früh aufstehen.«

Sie wohnte nicht allzuweit entfernt, am Hohenzollernplatz, und wir gingen zu Fuß. Ich schob meine Hand vorsichtig unter ihren Arm und fragte: »Darf ich?«

»Mhm, es ist ziemlich kühl, nicht?«

Das betrachtete ich als Aufforderung, meinen Arm durch ihren zu schieben und ihn fest an mich zu pressen. Sie schien nichts dagegen zu haben.

»Das ist eine ulkige Nummer, dieser Toni«, sagte sie, nachdem wir eine Weile schweigend nebeneinanderher gegangen waren.

»Ja. Ziemlich. Und wenn er nicht so faul wäre, hätte aus ihm etwas werden können. Er kann nämlich was. Haben Sie wirklich Bücher von ihm gelesen?«

»Ja. Bestimmt. Es ist genauso, wie ich es erzählt habe. Tante Josefa müßte ich auch wieder mal besuchen. Ich glaube, sie wird ganz zufrieden damit sein, daß es zwischen Eberhard und mir aus ist. Ihr gefiel er gar nicht.«

»So?«

»Nein. Sie hat ihn nur ein einziges Mal gesehen. Da habe ich ihn mal mit hingenommen, und ich muß zugeben, er hat sich sehr blöd verhalten, so richtig arrogant und blasiert. Das kann er nämlich gut, wenn er will.«

»Und er gefiel ihr also nicht«, stellte ich befriedigt fest.

»Nein. Sie sagte: ›Mein liebes Kind, mit dem Mann wirst du nie glücklich werden. Das ist ein Egoist und ein eingebildeter Pinsel obendrein. Aber ihr jungen Dinger seid ja so töricht, ihr laßt euch immer von Äußerlichkeiten blenden.‹ Na ja, vielleicht hat sie recht.«

»Gut möglich«, sagte ich, »ältere Damen haben manchmal sehr viel Menschenkenntnis.« Ich dachte dabei an Muni. Der konnte auch keiner was vormachen, nicht mal ich.

»Ich werde Tante Josefa am Sonntag besuchen«, meinte Steffi.

Ich blieb stehen und drehte sie ein wenig zu mir herum.

»Am Sonntag? Ich dachte, am Sonntag sind Sie wieder im Waldhaus.«

Sie blickte mich ein wenig unsicher an. Ich konnte das im Licht der Straßenlampen sehr gut erkennen.

»Bei Ihnen draußen?«

»Ja. Angenommen, an dem Status Eberhard-Steffi ändert sich nichts, angenommen, Sie bleiben dabei, daß Sie ihn nicht mehr mögen, und angenommen, es bestehen keine anderen dringenden Verpflichtungen, und angenommen . . .« Ich stockte.

»Was noch angenommen?« fragte sie lächelnd.

»Ich wollte sagen, angenommen, Sie empfinden meine Gesellschaft nicht als ausgesprochen lästig, dann könnten Sie doch wieder herauskommen. Dorian würde sich freuen.«

»Dorian?«

»Ja. Und ich mich auch.«

Wir blickten uns eine Weile schweigend in die Augen. Dann senkte Steffi den Blick.

»Ja aber«, begann sie zögernd und sprach nicht weiter.

»Ein Wochenende in der frischen Luft täte Ihnen bestimmt gut«, erklärte ich eifrig. »Wir könnten spazierengehen und, wenn es warm ist, im Weiher baden, und Sie machen mir wieder Rühreier mit Schinken. Wäre das nicht fein?«

Steffi gab keine Antwort. Sie setzte sich wieder in Bewegung, und ich mußte notgedrungen mitlaufen. Nach einer Weile sagte sie: »Das erstemal war es Zufall, daß ich bei Ihnen landete. Und eine . . . na ja, eine Art Zwangslage. Wenn ich wiederkäme . . .« Sie stockte.

Ich wußte genau, was sie sagen wollte. Sie wollte die Grenzen abstecken und mir mitteilen, daß ich mir keine falschen Hoffnungen machen sollte.

Ich nahm ihr weitere Erklärungen ab. »Ich weiß«, sagte ich ruhig. »Diesmal kämen Sie freiwillig, und Sie sollen nur kommen, wenn Sie es gern tun. Sie brauchen keine Angst zu haben, daß ich mir etwas einbilde, was nicht zutrifft. Und Sie können sicher sein, daß Sie ganz unbehelligt bleiben. Sie haben letzten Samstag zu mir gesagt: ›Ich vertraue Ihnen.‹ Und ich hoffe doch nicht, daß Sie dieses Wort jetzt zurücknehmen, nachdem wir uns ein bißchen besser kennen.«

Sie blickte mich kurz von der Seite an und sagte dann: »Nein.«

Wir sprachen nicht mehr, bis wir bei dem Haus, in dem sie wohnte, angelangt waren.

»Also?« fragte ich und behielt ihre Hand ein wenig in meiner. »Wie ist es? Geben Sie mir einen Korb oder kommen Sie?«

»Möchten Sie denn gern, daß ich komme?« fragte sie kindlich.

»Ja, sehr gern. Sie wissen ja, ich bin ein einsamer Mann.« Ganz gut, daß Lix nicht mit ihrer Freundin zum Wochenende hinauskam. Ich war bereits dabei, meine Tochter zu verraten. Aber sie hatte mich doch schließlich zuerst verraten.

»Ja also«, sagte Steffi zögernd, »dann am Sonntag . . .?«

Plötzlich hatte ich eine bessere Idee.

»Nein«, sagte ich, »wie wär's mit Freitagabend. Oder arbeiten Sie Samstag?«

»Nein.«

»Prima. Morgen ist Donnerstag, ich habe sowieso in der Stadt noch zu tun, da fahren wir Freitag zusammen hinaus. Was halten Sie davon?«

»Wenn Sie meinen . . .«

»Ich meine! Und wie ich meine.«

Wir machten noch aus, daß ich sie im Büro anrufen würde, dann küßte ich ihr die Hand, und sie verschwand im Haus. Die Haustür machte leise bum, und ich stand allein auf der nachtstillen Straße.

Ich schob die Hände in die Taschen und setzte mich langsam in Bewegung. Und wie immer, wenn ich zufrieden bin, pfiff ich leise vor mich hin. Sehr schön. Freitagabend würde ich zusammen mit Steffi ins Waldhaus fahren. Nicht allein diesmal.

Für einen Abend und zwei Tage würde ich Gesellschaft haben. Eine reizende Gesellschaft.

Wenn nicht . . . ich blieb plötzlich stehen. Wenn sie sich nicht morgen oder übermorgen doch noch mit diesem blödsinnigen Eberhard versöhnen würde.

Noch nicht

Meine Bedenken waren durchaus berechtigt. Als ich Steffi am Freitagvormittag anrief, teilte sie mir mit, daß es ihr sehr leid täte, aber sie könne nicht mit mir fahren.

»Aha«, sagte ich.

»Was heißt aha?« fragte sie zurück.

»Demnach ist alles wieder in Butter.«

»Nicht, was Sie denken. Nein, Tante Josefa ist krank. Sie liegt in der Klinik. Wissen Sie, ich habe Ihnen doch von ihr erzählt. Ich muß sie heute abend besuchen, und da könnte ich den Zug nicht mehr erreichen.«

»So.«

»Glauben Sie mir etwa nicht?« fragte sie zurück.

Ich zögerte mit der Antwort. Nein, ich glaubte ihr nicht. Die Krankheit von Tante Josefa war eine faule Ausrede. Wahrscheinlich saß der wunderbare Eberhard gleich neben dem Telefon und grinste sich eins.

»Ich wünsche Ihrer Tante gute Besserung«, sagte ich steif.

»Hören Sie, Herr Schmitt, seien Sie nicht albern. Sie ist wirklich krank. Ich kann nicht einfach wegfahren, ohne mich um sie zu kümmern. Es wäre eine Gemeinheit. Verstehen Sie denn das nicht?«

»Doch.«

Ich glaubte ihr kein Wort.

Sie schien es zu merken. »Eigentlich sollte ich mich ärgern, daß Sie mich für eine Schwindlerin halten«, sagte sie ein wenig böse. »Ich kann jetzt nicht reden. Ich bin zwar im Moment allein, aber es kann jeden Augenblick jemand kommen. Ich mache Ihnen einen Vorschlag. Wir wäre es, wenn ich morgen abend hinauskäme?«

Tat ich ihr am Ende unrecht?

»Warum dann nicht morgen vormittag?« schlug ich vor. »Da bleibe ich eben heute nacht noch in der Stadt, und wir fahren morgen zusammen mit dem Zug um halb elf.« Na, nun würde es sich ja zeigen, ob sie wollte oder nicht.

»Gut«, rief sie. »So können wir es machen.«

Ich freute mich, sagte ihr auch noch die genaue Abfahrtszeit, und wir verabredeten uns am Bahnhof.

Muni war sehr überrascht, daß ich noch eine Nacht bei ihr blieb. Und neugierig natürlich auch. Es blieb mir nichts anderes übrig, als ihr ungefähr zu erzählen, was vorging.

»Muß das sein?« fragte sie ein wenig pikiert. »Eben bist du die andere losgeworden, und jetzt fängst du schon wieder so eine Geschichte an.«

»Ich fange gar nicht ›so eine Geschichte‹ an«, erwiderte ich ein wenig ärgerlich. »Und nimm bitte zur Kenntnis, daß ich nicht die Absicht habe, den Rest meines Lebens als Eremit zu verbringen.«

»So?« fragte sie spitz. »Das ist mir neu. Ich dachte gerade, das hättest du vor.«

»Nein.«

»Nein? Na bitte, du wirst ja sehen, was du dir da wieder zusammenrührst.«

Mütter sind was Liebes. Aber auf diesem Gebiet nun mal eben nicht ansprechbar. Um weiteren Gesprächen über meine zukünftigen Abenteuer auszuweichen, lud ich Muni abermals ins Kino ein, was in meine Kasse ein großes Loch riß, aber damit brachten wir den Freitagabend mit einigem Anstand hinter uns.

Und Samstagvormittag, o Wunder, kletterte Steffi wirklich mit mir in den Zug nach Tanning.

Sie hatte ein kleines Köfferchen dabei und eine große prallgefüllte Einkaufstasche.

»Was haben Sie denn da alles drin?« fragte ich.

»Ich habe eingekauft«, sagte sie vergnügt. »Schließlich müssen Sie auch mal was anderes bekommen als Rühreier.«

Sie hatte eingekauft! Das enthob mich verschiedener Sorgen, denn ich war mit meinem Geld ziemlich am Ende und hatte schon überlegt, wie ich es anstellen sollte, Steffi standesgemäß zu ernähren.

An sich hatte ich vorgehabt, wenn ich Dorian holen ging, ein paar vertrauliche Worte mit Mali zu wechseln.

Etwa so: »Mei, jetzt krieg' ich Besuch am Sonntag und hab' vergessen, was zum Essen zu kaufen.«

Das genügte schon. Daraufhin hätte mir die Mali sicher ein ansehnliches Paket zusammengepackt. Das erübrigte sich jetzt. Aber ich runzelte dennoch die Stirn.

»Das sollen Sie nicht. Sie sind mein Gast, und es ist meine Angelegenheit, für Sie zu sorgen. Ich hatte mir gedacht, daß wir nachher in Ober-Bolching was einkaufen.«

»Das brauchen wir nicht, denn ich habe bereits eingekauft«, erwiderte Steffi friedlich.

»Dann werden wir abrechnen«, beharrte ich eigensinnig.

»Das werden wir nicht«, sagte sie jetzt energisch, »und es wird auch gehen. Und wenn Sie noch ein Wort davon reden, steige ich sofort wieder aus.«

Da der Zug noch am Bahnhof München-Ost stand, hielt ich den Mund. Daß sie eine junge Dame war, die rasche Entschlüsse liebte und mit dem Weglaufen schnell bei der Hand war, wußte ich ja.

Der Zug war heute, am Samstag, ziemlich voll, und als wir fuhren, kamen wir nicht dazu, uns weiter zu unterhalten. Ich hatte ein paar Zeitungen gekauft, und darin blätterten wir herum. Manchmal blickte ich auf und sah Steffi an, die mir gegenübersaß. Einmal trafen sich unsere Blicke, und sie lächelte. Mir wurde ganz warm ums Herz. Und ein bißchen mulmig war mir auch. Ich hatte so große Worte gemacht und alle möglichen Sicherheiten zugesagt, aber jetzt, wenn ich sie so vor mir sah, kam es mir vor, als wenn es ziemlich schwierig sein würde, standhaft zu bleiben.

Mein Gott, wie lange war ich jetzt allein! Rosalind war im vergangenen Oktober endgültig aus dem Waldhaus ausgezogen. Und seitdem lebte ich allein. Erst war es mir nicht schwergefallen. Ich war auch zu bedrückt und hatte meinen Kummer, weil Rosalind mich verließ. An eine andere Frau hatte ich nicht gedacht. Aber nun . . . Ja, um ehrlich zu sein, nun dachte ich daran. Sogar recht lebhaft. Ich war frei und ledig, und so alt war ich schließlich auch nicht, und ein Leben mit einer Frau ist eben etwas ganz anderes als ein Leben ohne Frau. Das war sicher. Aber so wie die Dinge lagen bei mir, konnte ich es eigentlich nicht wagen und nicht verantworten, mich an eine Frau zu binden. Ich hatte ja erlebt, was dabei herauskam. Konnte ich noch mal einer Frau des Leben im Waldhaus zumuten? Und Steffi war auch kein Wunderwesen, sondern eine Frau von heute. Warum hatte sie schließlich ihren Eberhard heiraten wollen? Vielleicht auch ein bißchen deswegen, weil er Geld hatte und ein großes Auto und weil sie, wie sie mir erzählt hatte, dann eine hübsche eigene Wohnung bekommen würde. Das Leben hatte nun mal seine Spielregeln, damit mußte ich mich abfinden. Ich konnte mich allenfalls selbst außerhalb stellen, aber einer Frau konnte ich es nicht abverlangen. Ja, ich hatte allerhand zu denken auf dieser Fahrt nach Tanning. Unter anderem dachte ich auch, ob es nicht eine große Torheit gewesen sei, Steffi zu diesem Wochenende einzuladen. Mußte ich mir zu meinem sonstigen Kummer noch einen neuen aufladen?

Zwei Tage zuvor war Lix zu Muni gekommen. Wir hatten zu dritt Kaffee getrunken. Muni hatte einen großartigen Kuchen gebacken, und Lix hatte die ganze Zeit erzählt. Von ihrem neuen Leben. Von Onkel Conny, Frau Boll, der Freundin Dolly, dem feinen Haus, in dem sie wohnte, und den neuen Kleidern, die sie jetzt besaß. Eines davon hatte sie angehabt. Und sie war nicht weniger stolz gewesen als Rosalind mit ihren neuen Kleidern.

Geld! Daß Geld so wichtig war. Aber nur ein Narr konnte behaupten, es sei unwichtig. Ich hatte lange genug den Narren gespielt. Ich konnte für mich allein, nur für mich allein, sagen, mir genüge, was ich hatte, ich brauche nicht mehr. Dann mußte ich auch konsequent allein bleiben.

Als wir in Tanning ausgestiegen waren, sagte Steffi: »Sie haben während der ganzen Fahrt so ein nachdenkliches Gesicht gemacht.«

Und ich erwiderte darauf: »Ich habe auch allerhand nachzudenken.«

Steffi gab mir einen kurzen raschen Blick von der Seite und sagte nichts weiter. Vielleicht fing *sie* jetzt an, nachzudenken.

Ich holte mein Rad aus dem Schuppen packte ihren Koffer und die Einkaufstasche darauf, und dann machten wir uns auf den Weg. Zunächst schweigend. Nach einer Weile, als wir den Ort hinter uns hatten und zwischen den Feldern entlanggingen, sagte ich: »Vielleicht sollte ich mir doch ein Auto kaufen.«

Steffi lachte: »Haben Sie darüber nachgedacht?«

»Unter anderem.«

»Ein Auto ist natürlich ganz praktisch«, sagte sie sachlich. »Überhaupt für Sie, wenn Sie hier draußen wohnen. Wenn es zum Beispiel jetzt regnen würde, nicht?«

Sicher, wenn es regnen würde. Es regnete zwar nicht, aber es könnte. Der Himmel war bedeckt, und es wehte ein unfreundlicher Wind. Ich war schon oft durch die Felder im Regen geradelt. Allein machte mir das nicht viel aus. Aber man stelle sich vor, wenn es jetzt regnete.

»Dann hätten Sie wahrscheinlich ein für allemal genug von einem Wochenende im Waldhaus«, sagte ich.

Sie überlegte eine Weile, und dann antwortete sie sehr vielsagend: »Das hängt nicht allein vom Wetter ab.«

Ein hübsche Antwort. Sie heiterte mich wieder ein wenig auf. Aber ehe ich dazu kam, weitere dumme Fragen zu stellen, wechselte Steffi das Thema. Sie erzählte mir von ihrer Tante Josefa, die sie am Abend zuvor besucht hatte. »Nach Mutters Tod hat sie sich immer um mich gekümmert. Sie ist der einzige Mensch, dem ich ganz offen alles erzählen kann. Man hat zu wenig Menschen, mit denen man über alles reden kann, nicht?«

Ich nickte. Ja, das stimmte. Sehr wenig Menschen.

»Bei einem Mann«, fuhr Steffi fort, »ist es vielleicht anders. Der hat Freunde. Was eine Frau so für gewöhnlich Freundin nennt, ach, du lieber Gott! Das ist meist eine sehr zweifelhafte Angelegenheit. Ich war eigentlich immer viel allein.«

»Das kann ich mir gar nicht vorstellen«, sagte ich, »ein hübsches junges Mädchen wie Sie.«

»Vielen Dank. Aber so hübsch und vor allem so jung bin ich auch nicht mehr.«

Ich hätte sie gern gefragt, wie alt sie sei, aber das fragt man eine Dame nicht.

So Mitte Zwanzig etwa schätzte ich, und auch darum paßte sie nicht zu mir. Viel zu jung für mich alten Narren.

»Sie sind wirklich ein Kavalier«, lobte mich Steffi.

»Wieso?«

»Nun, weil Sie nicht gefragt haben. Es war Ihnen deutlich an der Nasenspitze anzusehen, daß Sie es gern getan hätten.« Sie lachte und sah mich ein wenig spöttisch an.

»Wirklich?« fragte ich. »Na ja, es ist eine dumme Angewohnheit. Aber Sie sehen ja, ich habe nicht gefragt.«

»Zum Dank dafür werde ich es Ihnen sagen. Ich bin achtundzwanzig. Und als meine Mutter starb, war ich zwanzig. Seitdem lebe ich allein.«

»Ich hätte Sie nicht älter geschätzt als höchstens vierundzwanzig«, sagte ich höflich.

»Vielen Dank. Ein Kavalier. Ich sagte es ja.«

»Immer werden Sie doch nicht allein gewesen sein«, kam ich zum Thema zurück.

»Wenn Sie damit Männer meinen, nein, immer war ich nicht allein. Aber ich habe kein Glück in der Liebe, das haben Sie ja miterlebt.«

»Na ja, wegen Eberhard. Wie hat sich das nun eigentlich abgespielt in den letzten Tagen?« Ein bißchen neugierig war ich doch.

»Sehr korrekt, was den täglichen Geschäftsablauf betrifft. Gestern nachmittag hat er sich in meiner Gegenwart telefonisch für heute verabredet. Mit einer gewissen Erika.«

»Das war die Rache für Mittwochabend.«

»Genau. Ich saß dabei mit meinem Stenogrammblock und war wütend. Komisch, aber es ist nun mal so. Frauen sind merkwürdige Geschöpfe.«

»Männer auch in dieser Beziehung«, sagte ich. »Es gehört anscheinend dazu, daß man sich gegenseitig verletzt. Auch wenn man es gar nicht gern tut und sich selbst damit am meisten weh tut. Das Klügste, was einer tun kann, ist, der Liebe ganz aus dem Weg zu gehen.«

»Aber kann man denn das?«

Sie sah mich an, und ich sah sie an und sagte dann: »Eben nicht. Und darum ist das Leben so verdammt kompliziert.«

Schweigend und nachdenklich liefen wir weiter. Als wir Ober-Bolching hinter uns hatten, sagte Steffi: »Ich habe es Tante Josefa erzählt, daß mit Eberhard Schluß ist.«

»Und? Was sagte sie?«

»Sie sagte: ›Gott sei Dank, das finde ich ganz in Ordnung. Den Fußtritt, den der kleine Hund bekommen hat, hättest du wahrscheinlich eines Tages auch bekommen.‹ Das ist ja nun übertrieben.«

»Vielleicht hat sie es symbolisch gemeint.«

»Möglich. Sicher sogar. Übrigens habe ich Tante Josefa auch von Ihnen erzählt und daß ich heute hier heraus fahren würde.«

»O weia! Da war sie sicher dagegen?«

»Nein, gar nicht. Sie sagte . . .« Steffi verstummte und betrachtete interessiert ein paar Kühe, die von der Weide neugierig zu uns herüberäugten.

»Was sagte sie?«

»Das will ich lieber nicht erzählen.«

»Warum nicht? Wenn sie nicht dagegen war, dann kann sie doch nur etwas Nettes gesagt haben.«

Steffi lachte ein wenig verlegen. »Wie man's nimmt. Sie würden es vielleicht nicht so nett finden.«

»Sagen Sie's schon.«

»Na ja, sie sagte: ›Das Beste, wenn man sich über einen Mann ärgert, ist ein anderer Mann‹.« Sie errötete und sah mich immer noch nicht an. »Dumm, nicht?«

»Find' ich gar nicht. Tante Josefa ist sehr lebensklug.«

Und ob sie das war! Paßte bei mir genauso, ihr alberner Spruch. Das Beste, wenn man sich über eine Frau ärgert, ist eine andere Frau.

Aber nein, so wollten wir nicht beginnen, Steffi und ich. Beide mit einem Rucksack voll Kummer auf dem Buckel, hilflosen Zorn und törichten Trotz im Herzen, den Blick nach rückwärts gewandt und dann versuchen, miteinander etwas anzufangen. Nein.

Ich blieb stehen. »Hören Sie, Steffi«, sagte ich ernst. »Teils hat Tante Josefa recht, aber teils stimmt es gerade bei uns nicht. Ich dachte, wir wollen gute Freunde werden, ganz unabhängig von dem, was uns beide bedrückt. Sie müssen nicht denken, daß ich Sie bei mir haben will, bloß um nicht an Rosalind zu denken. Rosalind ist Vergangenheit. Das ist vorbei.«

»Es ist nicht vorbei«, sagte sie leise. »Und es ist auch keine Vergangenheit. Das weiß ich ganz gut. Aber ich kann mich nicht darüber beklagen. Es ist ja bei mir auch noch so . . . so ein Gewurschtel. Seelisch meine ich.«

»Also schön«, sagte ich, »einigen wir uns darauf, daß wir beide zur Zeit ein seelisches Gewurschtel haben. Irgendwann werden wir damit schon klarkommen. Und dann wird uns wohler sein.«

Wir blickten uns an und lächelten. »Ja«, sagte sie mit einem tiefen Seufzer, »das denke ich auch.«

Und als ich sie ansah in diesem Moment, ihr Lächeln, ihre Augen, da hatte ich das Gefühl, als könne es für mich ganz leicht sein, mit meinem Gewurschtel fertig zu werden. Ich mußte bloß aufhören mit meinen ewigen Bedenken, meinen Komplexen, die Vergangenheit wirklich vergessen und dem Augenblick, der Stunde, der Gegenwart leben, dann würde alles ganz einfach sein.

»Und wie geht es denn nun Tante Josefa?« fragte ich, um das seelische Gewurschtel für heute abzuschließen.

»Leider gar nicht gut. Sie hat schon seit längerer Zeit mit dem Herzen zu tun. Und Kreislaufstörungen hat sie auch. Sie sieht wirklich elend aus. Aber sie hat auch kein leichtes Leben hinter sich.«

Als wir im Waldhaus ankamen, machten wir alle Fenster auf, und Steffi packte die große Tasche aus.

»Fürchten Sie sich, eine Viertelstunde allein zu bleiben?« fragte ich. »Ich will nur schnell Dorian holen.«

»Ich fürchte mich nicht. Vor was denn? Holen Sie Dorian, und ich mache inzwischen Mittagessen.«

Als wir wiederkamen, Dorian und ich, hatte Steffi den Tisch gedeckt. Es gab gebratene Leber, Kartoffeln und eine große Schüssel grünen Salat.

»Oh! Donnerwetter!« sagte ich. »Das sieht verlockend aus, und großen Hunger habe ich auch.«

Dorian begrüßte Steffi wie eine alte Bekannte, und während wir aßen, saß er zwischen uns und blickte von einem zum anderen. Er war so selig gewesen, als ich ihn geholt hatte. Drei Tage waren eine verdammt lange Zeit für ihn. Schon während des Essens fing es an zu regnen. Ich hatte mir schon so etwas gedacht. Die Wolken waren gar so tief gewesen.

»Schade«, sagte ich.

»Aber das macht doch nichts«, meinte Steffi. »Regen beruhigt. Außerdem habe ich ja noch zu lesen. Ihr Buch.«

»Hm, wenn es unbedingt sein muß.«

»Es muß sein. Und erst werde ich abwaschen und hier ein bißchen Ordnung machen.«

»Hören Sie, Steffi, zum Arbeiten sind Sie aber nicht herausgekommen.«

»Ich habe nicht die Absicht, viel zu arbeiten. Nur so ein bißchen herumpusseln. Mach' ich gern.«

Na schön, wenn sie partout wollte.

»Was gibt's denn morgen zu essen?« fragte ich neugierig.

Sie lachte: »Spargel mit Schinken und neuen Kartoffeln und zerlassener Butter.«

»Mmm! Eins von meinen Leibgerichten.«

»Das dachte ich mir.«

Am Nachmittag kam der Wastl vom Gstattner-Hof heruntergeradelt, um mich zu fragen, ob ich zu einer Runde Skat hinaufkommen wolle.

»Ich hab' Besuch«, sagte ich.

»Des siach i«, meinte der Wastl und betrachtete meinen Gast mit großem Interesse.

»Wenn Sie . . . wenn Sie gern Karten spielen wollen«, sagte Steffi, »dann gehen Sie ruhig. Ich habe ja zu lesen.«

»Nein«, sagte ich, »heute nicht. Heute nicht, heute bleibe ich lieber da.«

Der Wastl nickte nachdrücklich mit dem Kopf. »Des ko i scho verstenga«, meinte er und zog wieder von dannen.

Wir gingen nicht zu spät schlafen. Und diesmal waren wir ein wenig befangen, als wir uns gute Nacht sagten. Das erstemal, das war etwas anderes gewesen. Vor einer Woche stand eine Attacke meinerseits ganz außer Betracht. Diesmal . . .? Ich wußte nicht recht, ob meine Zusicherung des freien Geleits von ihr so ganz ernst genommen worden war. Daß ich so meine Hintergedanken dabei gehabt hatte, zum Teufel, ja, ich brauchte mir da selbst nichts vorzumachen. Ich nahm Steffi bei den Armen und zog sie an mich heran. Und da sagte sie etwas sehr Hübsches.

Sie sah mich an, die hellen Augen wurden dunkler dabei, und ihre Stimme zitterte ein wenig, als sie sagte: »Bitte, noch nicht . . .«

Ich küßte sie sanft auf die Wange.

»Schlaf gut«, sagte ich leise.

Als ich im Bett lag, klopfte mein Herz. Und wenn ich mich nicht täuschte, klopfte es glücklich. Noch nicht, hatte sie gesagt. Noch!

Liebe Sonntagsgäste

Einmal des Nachts, als ich aufwachte, hörte ich den Regen auf dem Dach klopfen und in den Bäumen rauschen. Sicher ist es morgen wieder schön, dachte ich und schlief wieder ein.

Am Morgen regnete es immer noch. Sacht und stetig, der Himmel war grau und das Gras um das Waldhaus grün und naß. Ich blieb still im Bett liegen und wartete, bis sich Steffi rührte. Heute sollte sie einmal richtig ausschlafen. Und das tat sie denn auch. Es war halb zehn, als ich sie draußen im Wohnraum herumklappern hörte. Dorian, der schon ungeduldig vor meinem Bett gelegen hatte, sprang sofort auf und drückte mit der Nase die Tür zum Wohnraum auf.

»Gibt's Frühstück?« rief ich.

»Ja, gleich. Stehen Sie nur erst mal auf, Sie Faulpelz.«

Wir frühstückten ausgiebig, und als wir fertig waren, meinte ich: »Wenn es nicht regnen würde, könnten wir einen kleinen Spaziergang machen.«

»Das können wir trotzdem tun«, meinte Steffi. »Ich habe Regen gern. Ich weiß bloß nicht, was ich anziehen soll.«

»Es ist noch ein alter Regenmantel von Rosalind da«, sagte ich zögernd. »Falls Sie den mögen?«

»Na ja«, sagte sie, und es kam etwas langsam heraus.

Verstand ich schon. Keine Frau zieht gern Sachen von einer andern an.

Ich holte den Mantel aus dem Schrank. Steffi betrachtete ihn ein wenig schief, dann zog sie ihn an. Er war ihr zu kurz und zu schmal über die Schultern, aber es ging einigermaßen. Über ihr Haar band sie sich ein Kopftuch, und dann marschierten wir los.

Im Wald war es nicht so schlimm mit dem Regen, man merkte gar nicht viel davon. Dafür duftete es nach frischer Erde und nassen Blättern.

»Herrlich«, sagte Steffi. »Ich kann schon verstehen, daß Sie gern hier draußen wohnen.«

Wir gingen bis zum Weiher, und ich sagte: »Hier können wir im Sommer baden.«

Darauf verstummte ich überrascht und mußte schnell ein bißchen nachdenken. Es war nicht zu leugnen, ich plante Steffi bereits für mein künftiges Leben ein. Sollte das heißen, daß ich etwa . . .? Unsinn. Ich kannte Steffi erst so kurz. Seltsamerweise aber kam es mir vor, als kenne ich sie schon lange. Ihre Gegenwart tat mir gut. Rosalind hatte immer elektrische Funken versprüht, in ihrer Gesellschaft war man stets unruhig, gespannt und auch nie ganz sicher, was nun gleich passieren würde. Als ich einmal eine kurze Bemerkung darüber gemacht hatte, lachte Rosalind und sagte: »Darum gerade liebst du mich ja, mein Schatz. Eine Frau darf alles sein, nur nicht langweilig. Sie muß einen Mann ständig in Spannung halten, dann hat sie ihn fest in der Hand.«

Es hatte sich damals schon ein kleiner Widerspruch in mir

geregt, aber ich ließ ihn nicht laut werden. Es war besser, mit Rosalind über ein derartiges Thema nicht zu diskutieren. In Sachen Liebe, beziehungsweise in der Frage Mann und Frau, hielt sie sich und ihre Ansichten für unwiderlegbar und jederzeit zutreffend und kompetent.

Heute dachte ich: Ob sie sich damals nicht doch getäuscht hat? Ist das Gefühl der Ruhe, der Sicherheit, des Friedens unbedingt gleichzusetzen mit Langeweile? Kann man sich nicht einer Frau und einer Liebe sicher sein und dieses gemäßigte Verhältnis vielleicht mehr vertiefen, als wenn man ewig in Spannung lebt, um eine Frau fürchten muß, um ihre Liebe und ihre Zuverlässigkeit? Man wird dann mit sich selbst uneins und vernachlässigt daraus resultierend die eigene Persönlichkeit, und schließlich müssen die eigenen Leistungen zu wünschen übriglassen.

Hier hielt ich schnell inne mit Denken und dachte dagegen. War es nicht unfair, Rosalind jetzt nachträglich für mein berufliches Versagen oder, vielleicht besser ausgedrückt, für meinen höchst mittelmäßigen Erfolg verantwortlich zu machen?

Von solchen Gedanken wollte ich mich doch gleich mal zurückpfeifen.

Aber etwas Wahres mochte wohl daran sein. Kein Mensch kann ständig in Spannung leben. Irgendwie leidet die Liebe darunter. Eine Müdigkeit tritt ein, dann ein Gefühl der Resignation und schließlich der Wunsch nach Kapitulation. Warum endlich hatte ich denn Rosalind so leicht aufgegeben? Warum hatte ich mich nicht gewehrt gegen ihr Weggehen? Hatte nur still gedacht: Na schön, na gut, einmal mußte es ja so kommen.

Komisch, daß mir diese Erkenntnisse jetzt erst kamen. Steffi hatte mich, ohne daß wir ein Wort davon gesprochen hatten, zu diesen Gedanken angeregt. Ihr Wesen, ihre Art, die so grundsätzlich verschieden schienen von Rosalinds Wesen und Art. Ich mußte zugeben ›schienen‹, denn wissen konnte ich davon noch nichts. Wissen kann man eigentlich von einer Frau immer sehr wenig.

Steffi hatte mich mit einem kurzen Seitenblick gestreift, als ich das vom Baden im Sommer sagte. Und nun, nachdem ich eine Weile nachdenklich in das Wasser vor uns gestarrt hatte, sagte sie: »Das hört sich so an, als hätten Sie die Absicht, mich noch öfter in diesem Sommer in Ihr Waldhaus einzuladen?«

Ich wandte meinen Kopf zu ihr, dann drehte ich mich ganz, und wir sahen uns an.

»Ja«, sagte ich, sehr bestimmt. »Ich habe diese Absicht. Es hängt nur von Ihnen ab, ob Sie kommen wollen oder nicht.«

Sie senkte die Lider, und in ihre Wangen stieg ein leichtes Rot. Ich war gespannt, was sie antworten würde.

Was sie dann allerdings sagte, überraschte mich. Sie sagte: »Wir müssen zurückgehen. Ich habe zwei Pfund Spargel zu schälen.«

So eine Antwort kann nur eine Frau geben. In der Beziehung waren sie eben doch alle gleich.

Ich mußte lachen, nahm ihre Hand, hob sie und küßte sie leicht.

»Also gut, gehen wir. Und Sie haben natürlich ganz recht, Steffi. Man soll über die Zukunft nicht reden, man soll warten, bis sie Gegenwart wird und dann . . . ja, dann soll man sie fest in die Arme schließen.«

Eigentlich hatte ich sagen wollen: Dann soll man das Beste daraus machen. Aber ›in die Arme schließen‹ schien mir in diesem Fall zutreffender und poetischer. Steffi errötete noch ein wenig mehr, lächelte aber dabei, und wir gingen den Weg ins Waldhaus zurück.

Während Steffi den Spargel schälte, setzte ich mich an die Maschine und arbeitete ein bißchen. Oder tat jedenfalls so.

Das Mittagessen war ein Gedicht. Und ich ließ das auch des öfteren verlauten. Eine Frau, die etwas Gutes auf den Tisch stellt, nicht ausführlich zu loben, ist wirklich und wahrhaftig seelische Grausamkeit und könnte meiner Meinung nach als Scheidungsgrund anerkannt werden.

Ich hatte zum Essen eine Flasche Wein spendiert, weil sich Bier schlecht mit Spargel verträgt. Nachdem ich die reichliche – die sehr reichliche Hälfte von dem Spargel verdrückt hatte, also mehr als ein Pfund, seufzte ich zufrieden und sagte: »Schade, daß es nicht das ganze Jahr über Spargel gibt.«

»Ganz im Gegenteil«, erwiderte Steffi. »Sie würden es halb so genießen, wenn es immer welchen gäbe. Gerade, daß es ihn nur vier bis sechs Wochen gibt, ist das Geheimnis des Erfolgs beim Spargel. Alles, was man immer hat, schätzt man nicht.«

Ich runzelte die Stirn, füllte noch einmal Wein in die Gläser und sagte: »Steffi, der Schriftsteller in der Familie bin ich. Und weise Bemerkungen sind mein Ressort.«

Sie lachte. »So weise war das gar nicht. Mehr ein Gemeinplatz, würde ich sagen.«

Ich hob dozierend den Finger und stellte fest: »Der Unterschied zwischen Weisheiten und Gemeinplätzen ist meist gar nicht so groß, wenn überhaupt vorhanden. Weise ist, was wahr ist. Und Wahrheiten drängen sich im Laufe der Zeit und im Verlauf eines Lebens von selbst auf und werden so zu Gemeinplätzen.«

»Sehr hübsch«, meinte Steffi, »einigen wir uns also darauf, daß Wahrheiten, sofern sie Weisheiten sind, Ihnen zustehen, falls sie aber bereits Gemeinplätze sind, mein Ressort sein dürfen.«

Ich freute mich. »Damit hätten wir unser Familienleben, jedenfalls zum Teil, bestens geregelt.«

Sie lachte und räumte den Tisch ab. Ich hatte wieder einmal etwas, um darüber nachzudenken. Nämlich darüber, daß ich mit Rosalind nie solche Gespräche führen konnte. Sie war nicht dumm, nein, das gewiß nicht. Aber sie war niemals in dieser Form auf mich eingegangen.

Und jetzt, in diesem Augenblick, als ich meinen Wein austrank und eine Zigarette dazu rauchte, kam ich zu der überraschenden Feststellung, daß ich auf dem besten Wege war, mich wirklich in Steffi zu verlieben.

Nun denn! Sei's drum, so sprach ich im schönsten Schriftstellerdeutsch zu mir selbst: Warum eigentlich nicht? Ich war ein freier Mann und hatte das größte Recht dazu. Und Steffi war, möglicherweise, eine freie Frau, und man würde sehen, was sie davon hielt.

Meine Laune war die allerbeste. Und der Himmel schien sich daran beteiligen zu wollen. Während wir aßen, hatte es aufgeklart, und jetzt schien die Sonne.

Pfeifend wanderte ich vor das Haus, holte die Liegestühle unter ihrem Dach hervor und stellte sie auf.

Als Steffi gespült hatte, legten wir uns beide in die Sonne.

»Und wenn du Lust hast auf Kaffee«, sagte ich, sie kühn duzend, »bitte ich um Meldung. Den Kaffee koche ich, und er wird dir hier am Liegestuhl serviert.«

»Sehr schön«, sagte sie, »das läßt sich hören.«

Sie verwies mir das Du nicht, und ich beschloß, dabei zu bleiben.

Zunächst las Steffi wieder in meinem Buch, aber nach einer

Weile, als ich von meiner Zeitung aufblickte, hatte sie sich zurechtgekuschelt und schlief.

Ich war nicht im mindesten gekränkt. Vielleicht war mein Buch etwas langweilig. Auf jeden Fall war es erfreulich, daß sie so beruhigt in meiner Gegenwart schlummerte. Außerdem sah sie ganz reizend dabei aus.

Leider blieb ihr nicht viel Zeit zu ihrem Mittagsschläfchen. Ich war auch gerade dabei, einzunicken, als ich in der Stille ein leises Gesumm vernahm. Ein leises Gesumm, nicht mehr. Je größer und moderner der Wagen, um so weniger Geräusch erzeugt er, das war mir bekannt. Ich richtete mich auf, und da rollte schon der blaugraue Mercedes unter den Bäumen hervor und hielt wenige Schritte von uns entfernt. Der Wagenschlag wurde aufgerissen, und mit wehendem Haarschopf stürzte meine Tochter Lix auf mich zu.

»Hei, Paps!« schrie sie mit voller Lautstärke. »Wir sind da.« Ich hatte gerade noch Zeit gehabt, mich zu erheben, da sprang sie mir schon an den Hals und umarmte mich stürmisch. Aus dem Augenwinkel sah ich, daß Steffi aufgefahren war und leicht benommen die Invasion zur Kenntnis nahm.

Währenddessen stieg Rosalind aus dem Wagen, und hinter ihr kam noch eine Göre mit langen Beinen und einem dunklen Pferdeschwanz. Das war eine Überraschung!

»Na, so was«, sagte ich, als Lix mir wieder Luft zum Atmen ließ, »wo kommt ihr denn her? Ich dachte, ihr seid in Garmisch?«

Rosalind kam langsam auf uns zu. Sie zog ein wenig die Brauen hoch, beachtete mich kaum, musterte aber sehr genau das Mädchen im Liegestuhl.

»Wie du siehst, sind wir nicht«, sagte sie. »Wir dachten, wir könnten dich besuchen in deiner Einsamkeit. Aber möglicherweise kommen wir ungelegen?« Das klang ein wenig spitz.

»Aber woher denn?« stotterte ich. »Wieso denn?«

Mehr zu äußern war mir nicht möglich, denn Rosalind legte ebenfalls einen Arm um meinen Hals und gab mir einen leichten Kuß auf den Mund.

Dann lächelte sie mich verführerisch an und sagte:

»Guten Tag, mein Liebling.«

Ich war verstummt. Es war eine ganze Weile her, daß Rosalind mich das letztemal geküßt hatte. Und warum sie es jetzt tat, wußte ich ganz genau.

»Wie ich sehe, hast du Besuch«, fuhr Rosalind fort.

»Allerdings«, sagte ich.

Rosalind lächelte aus dem Mundwinkel ein wenig auf Steffi herab und meinte kühl: »Das freut mich. Da bist du wenigstens nicht so allein.«

Steffi war nun richtig wach. Sie blieb sitzen, lächelte ebenfalls kühl zurück und musterte Rosalind ohne große Begeisterung. Ich machte die beiden Damen miteinander bekannt, sie reichten sich reserviert die Hand. Dann lernte ich Dolly kennen, Rosalinds zukünftige Stieftochter, und Lix kugelte sich mit Dorian im Gras herum.

Einige Minuten lang ging es sehr lebhaft zu. Wir Großen machten Konversation, die Kinder lachten und quietschten durcheinander, dann rannte Lix mit Dolly weg, um ihr das Haus und seine Umgebung zu zeigen.

»Ihr seid also nicht nach Garmisch gefahren?« fragte ich ziemlich dämlich.

»Nein«, sagte Rosalind. »Conny hat anderweitig zu tun. Und ich dachte, du freust dich vielleicht, wenn wir kommen.«

»Ich freue mich sehr«, beeilte ich mich zu versichern, aber es klang wohl etwas gezwungen, denn Rosalind lächelte ironisch.

»Es ist hübsch hier draußen«, wandte sich Rosalind jetzt an Steffi, »so . . . so erholsam, nicht?«

»Ja«, sagte Steffi, »ich bin immer sehr gern hier.«

»Ach? Sie waren schon öfter da?«

»Doch«, sagte Steffi in aller Ruhe, »ich bin jedes Wochenende hier.«

Das verschlug Rosalind für einen Augenblick die Sprache. Sie blickte mich an, und ich sah, daß ihre Nasenflügel bebten.

»So«, sagte sie dann, und es klang ein wenig schwach. »Ja, gewiß. Schön ruhig. Und wenn das Wetter schön ist, auch recht nett.«

»Ach«, sagte Steffi lächelnd, »ich bin auch gern hier bei Regen. Heute morgen, als es regnete, war es wirklich wunderschön. Man ist dann so ganz für sich, wie auf einer kleinen Insel.« Sie sah mich an, sehr liebevoll, wie es mir vorkam, und fuhr fort: »Und letzten Sonntag, als das Gewitter war, weißt du noch? War doch auch ganz fantastisch.«

»Ja, gewiß«, sagte ich, »ganz fantastisch.«

Steffi hatte mich geduzt. Es war das erstemal. Und sie tat es zweifellos, um Rosalind zu ärgern. Vielleicht aber auch ein bißchen mir zuliebe. Justament und gerade.

»Da werde ich mal Kaffee kochen«, sagte ich.

»Laß nur, das mache ich schon«, sagte Steffi, erhob sich langsam, lächelte Rosalind noch mal an und wandelte mit ihren schönen langen Beinen ins Haus.

Rosalind sah ihr perplex nach. Ihre Nasenspitze kam mir ein wenig weiß vor. Es zeigte immer an, daß sie sich ärgerte.

»Na, weißt du«, sagte sie dann zu mir.

»Ja?« fragte ich unschuldig.

»Wirklich, Dodo, ich muß mich über dich wundern.«

»Aber warum denn, mein Schatz?«

»Wie lange geht das schon?«

»Was?«

»Na, das . . . das Verhältnis zu dieser Person.«

»Steffi ist keine Person«, erwiderte ich ruhig. »Nimm zur Kenntnis, daß ich sie sehr gern habe.«

»Tss!« Rosalind stieß einen Laut aus, der dem gereizten Zischen einer Schlange glich. Oder jedenfalls, wie ich mir das vorstellte. Ich hatte noch keinen näheren Umgang mit Schlangen gepflogen.

»Das ist ja die Höhe! Du hast sie gern. Du betrügst mich also.«

»Falls du es vergessen haben solltest«, sagte ich ruhig, »wir sind geschieden.«

»Ja«, fuhr Rosalind mich an, »seit zwei Wochen. Wenn diese . . . diese Person aber jedes Wochenende hier ist, mußt du sie ja schon länger kennen. Noch aus der Zeit, *ehe* wir geschieden waren.«

»Schon möglich«, sagte ich diplomatisch. »Aber du hattest da ja auch schon Beziehungen zu einem anderen Mann, nicht wahr?«

»Was hat das damit zu tun?« Logik war noch nie Rosalinds starke Seite gewesen.

»Lassen wir das«, sagte ich friedlich. »Schließlich bist du nicht gekommen, dich mit mir zu streiten. Und wie gesagt, dieses Thema ist ja nun zwischen uns nicht mehr akut.«

Rosalind schob die Brauen zusammen und betrachtete mich unter halbgesenkten Lidern. »Mir scheint, ich habe dich immer falsch eingeschätzt.«

»Das glaube ich nicht. Du bist eine so kluge Frau, du hast ei-

115

gentlich immer sehr genau gewußt, wie du mit mir dran bist. Und darum konntest du auch nicht erwarten, daß ich den Rest meines Lebens in tiefer Einsamkeit verbringe. Vergiß bitte nicht, du hast mich verlassen, nicht ich dich. Aber wie auch immer, du konntest nicht erwarten, daß es außer dir keine Frau mehr auf der Welt für mich gäbe.«

Rosalind blickte an mir vorbei, hinauf in die Baumwipfel. Irritiert sah sie aus und fast traurig. Möglicherweise hatte sie das wirklich gedacht. Na ja, um ehrlich zu sein, ich hatte es ja selber viele Jahre lang geglaubt. Noch bis vor wenigen Tagen.

Lix und Dolly kamen wieder herangesaust.

»Mensch, Paps!« rief Lix. »Du hast aber Petersilie hinter dem Haus. So viel kannst du ja gar nicht verbrauchen. Können wir da nicht was mitnehmen?«

»Sicher«, sagte ich. Es würde mir eine Ehre sein, den Haushalt des Herrn Generaldirektors zu versorgen.

Lix warf ihrer Mutter einen Blick zu, sah deren verdunkelte Miene, und als Rosalinds kluge Tochter wußte sie auch sofort den Grund. »Wer ist denn die Frau?« fragte sie neugierig.

»Die Dame heißt Fräulein Bergmann«, erwiderte ich zurechtweisend.

»Ist das deine neue Freundin?«

»Lix!« rief Rosalind wütend.

Und ich scharf: »Lix, laß diese frechen Redensarten.«

»Na, wieso denn?« maulte Lix. »Man wird doch mal fragen dürfen. Interessiert mich doch.«

Dolly, Generaldirektors einzige, hatte gespannt von einem zum anderen geblickt und sagte nun sachlich: »Warum soll er denn keine Freundin haben?«

Mir wurde etwas mulmig. Das konnte ja ein reizender Nachmittag werden. Wenn das so weiterging, würde Steffi vermutlich auf und davon laufen.

Doch das war nicht der Fall. Steffi fand sich mit viel Eleganz in die Situation. Ob sie im Haus etwas von unserem Gespräch erlauscht hatte, wußte ich nicht. Jedenfalls erschien sie ganz unbefangen, als sie zur Tür herauskam und mich fragte: »Trinken wir draußen Kaffee? Dann mußt du ein paar Stühle heraustun.«

Sie blieb beim Du. Mir sollte es recht sein. Ich holte den Klapptisch und trug die Stühle hinaus und half dann Steffi beim Tischdecken. »Kuchen haben wir leider nicht«, sagte ich dabei.

»Wir haben welchen mitgebracht«, sagte Rosalind, scheinbar ganz friedlich. »Lix, hol ihn mal.«

Lix holte den Kuchen aus dem Wagen und brachte das Paket zu Steffi ins Haus. Sie blieb neben Steffi stehen, stumm und mit feindseligem Blick, als diese den Kuchen auf eine Platte legte. Zwölf Jahre war der Fratz und schon ein richtiges Frauenzimmer. Genau wie Rosalind betrachtete sie mich als ihren alleinigen Besitz. *Sie* konnten tun, was sie wollten. Ich hatte mich nach ihnen zu richten und für sie da zu sein.

Ein jäher Ärger flog mich an, als ich Lix' kritische Blicke sah, mit denen sie Steffis Tätigkeit beobachtete. Als der Kuchen untergebracht war, drückte ich die Platte Lix in die Hand. »Da!« sagte ich energisch. »Trag's hinaus.«

Lix hob die Nase, sah mich nicht an und schob mit der Kuchenplatte ab.

Bittend sah ich Steffi an. »Es tut mir leid«, sagte ich leise.

Steffi lächelte ein wenig kühl. »Aber warum denn? Ist nun mal nicht zu ändern. Und schließlich *ist* sie ja nicht mehr Ihre Frau.«

»Nein. Aber Sie sehen ja . . .«

»Ich sehe«, sagte Steffi. »Die Kleine auch schon. Aber«, und nun sah sie mich voll an, und Wärme kam in ihren Blick, »das soll uns nicht stören. Oder stört es Sie?«

»Nein«, sagte ich, »mich gar nicht. Ich wollte bloß nicht, daß Sie sich ärgern.«

»Aber gar nicht. Ich weiß doch, wie Frauen sind.«

Der Nachmittag verlief im weiteren einigermaßen harmonisch. Die beiden Frauen gingen sehr liebenswürdig miteinander um. Ein unbefangener Zuhörer hätte die spitzen Untertöne nicht empfunden.

Rosalind wollte ein bißchen mit ihrer Pariser Reise angeben, was verständlich war, denn bei mir war sie nicht viel herumgekommen. Aber Steffi konnte sie damit nicht imponieren. Es stellte sich heraus, daß sie Paris sehr gut kannte, besser als Rosalind. Sie war ein halbes Jahr dort gewesen und hatte eine Dolmetscherschule besucht.

»Wie interessant«, meinte Rosalind liebenswürdig und ein wenig respektvoll. »Es ist sehr wertvoll, wenn man Sprachen kann.«

Daß sie nicht Französisch konnte, wußte ich. Sie hatte überhaupt ihr Leben lang wenig Wert darauf gelegt, etwas zu lernen, was mir manchmal Kummer bereitet hatte.

»Ja gewiß«, sagte Steffi.

Lix, die wieder friedlich war, denn sie war im Grunde eine freundliche Natur, rief: »Das finde ich prima. Mami, das möchte ich auch mal machen.« Und zu Steffi: »Können Sie auch Englisch?«

»Natürlich«, erwiderte Steffi.

Dolly, die bisher sehr ausführlich mit ihrer Torte beschäftigt war, steckte den letzten Bissen in den Mund und teilte uns dann mit: »Wenn ich mit der Schule fertig bin, gehe ich nach Amerika.«

»Das ist fein«, sagte ich. »Und wieso weißt du das heute schon?«

»Meine Mutti wohnt jetzt dort. Sie hat einen Amerikaner geheiratet.«

Ach ja, ich erinnerte mich. Rosalind hatte mir mal erzählt, daß die verflossene Frau Killinger sich mit einem Amerikaner abgesetzt hatte.

»Er hat *sehr* viel Geld«, prahlte Dolly.

»Das ist sehr angenehm für ihn und deine Mutti auch«, sagte ich höflich. Diese Dolly gefiel mir wenig. Ich wünschte, Lix hätte eine andere Freundin.

»Darum nennt sie sich jetzt auch Dolly«, teilte mir Lix mit, »eigentlich heißt sie Dorothea.«

Rosalind schien es angemessen, das Thema zu wechseln.

»Was macht dein neues Buch?« fragte sie mich süß. »Kommst du gut voran?«

»Danke, ja«, sagte ich überrascht.

»Das freut mich«, fuhr Rosalind fort und lächelte mich sehr zärtlich an. »Conny ist nämlich gut mit Willmann befreundet, dem großen Verleger. Du kennst den Namen doch?«

»Natürlich.«

»Ich habe mir gedacht, ich könnte dich gelegentlich mal mit ihm bekannt machen. Wäre doch ganz nützlich.«

»Sicher.«

»Da, wo du jetzt bist, kannst du nicht bleiben. Da wird nie was aus dir.«

Ich schluckte. Meine frühere Frau wollte mich also protegieren. Dafür mußte ich ihr wohl dankbar sein. Aber es war ein komisches Gefühl.

»Noch eine Tasse Kaffee?« fragte Steffi, ganz Hausfrau.

»Nein, danke«, erwiderte Rosalind und steckte sich eine Zigarette zwischen die Lippen. Ich gab ihr Feuer, und erst als ich das Streichholz ausgeschüttelt hatte, sah ich, daß Steffi inzwischen auch eine Zigarette in der Hand hatte. »Oh, Verzeihung«, sagte ich und riß ein zweites Streichholz an. Und ein drittes brauchte ich, um meine eigene Zigarette anzustecken. Ohne Zweifel, ich war ein wenig verwirrt.

»Paps, ob wir baden können?« fragte Lix.

»Du hast eben drei Stück Kuchen gegessen«, antwortete ich, »du weißt doch, mit vollem Magen soll man nicht schwimmen. Außerdem fürchte ich, daß das Wasser ziemlich kalt ist nach dem Regen.«

»Das macht uns nichts aus«, meinte Lix.

Sie zog Dolly am Arm und sagte: »Los, komm, wir gehn baden.«

»Geht erst ein bißchen spazieren«, rief ich ihnen nach. »Daß sich der Kuchen besser verteilt.«

Wir drei Großen versuchten uns in zivilisierter Unterhaltung. Es ging ein wenig mühsam. Da war die Frau, die so lange zu mir gehört hatte, und daneben die andere, die nicht oder noch nicht zu mir gehörte, und dazwischen ich, der sich reichlich hilflos vorkam.

Nach einer Weile verschwand Rosalind im Haus, und ich wußte genau, was sie dort tat. Sie wollte nachsehen, wo Steffi wohnte, in welchem Bett sie schlief.

Ohne Zweifel hatte sie festgestellt, daß das kleine Köfferchen in Lix' ehemaligem Zimmer stand und daß dort das Bett benutzt war.

So ulkig es war, aber es war Tatsache: Rosalind war eifersüchtig. Nun ja, man sagt ja immer, daß Eifersucht ein paar Tage älter als Liebe wird.

Die drei Besucher brachen nicht zu spät auf. Rosalind bot Steffi liebenswürdig an: »Sie können ja mit uns hineinfahren. Da brauchen Sie nicht zur Bahn.«

Ich hielt den Atem an. Was konnte Steffi anderes tun, als ja zu sagen. Es war ein günstiges Angebot. Außerdem würde sie den letzten Zug sowieso nicht mehr kriegen. Aber Steffi sagte nein. Ebenso liebenswürdig, wie Rosalind gefragt hatte, erwiderte sie: »Vielen Dank, ich bleibe noch hier.«

Das Lächeln verschwand aus Rosalinds Gesicht. Der Blick,

den sie Steffi zuwarf, war ausgesprochen giftig, und der Abschied fiel kühl aus.

»Wann kommst du in die Stadt?« fragte sie mich, als sie schon hinter dem Steuer saß. »Ich habe mit dir zu sprechen.«

»Aber das hättest du doch heute tun können«, sagte ich harmlos. »Diese Woche komme ich nicht hinein.«

Sie startete ziemlich heftig und rangierte dann den großen Wagen mit viel Gasgeben und Schalten auf dem kleinen Platz, der ihr zur Verfügung stand. Das lenkte sie ein wenig ab. Aber sie gönnte mir dennoch keinen einzigen Blick mehr, bis sie losbrauste. Viel zu schnell für den schmalen Waldweg. Ich blickte dem Wagen besorgt nach.

»Hoffentlich kommen sie gut heim«, murmelte ich. Einerseits waren einem die Frauen immer überlegen. Andererseits waren sie wie Kinder. Es war wirklich nicht so einfach, mit ihnen umzugehen.

Ich ließ mich in meinen Liegestuhl fallen und stöhnte dabei: »Uff!«

Steffi lächelte ironisch. »Das war ein strapaziöser Nachmittag für Sie, nicht?«

»Doch«, sagte ich, »einigermaßen.«

Jetzt sagte sie wieder Sie. Immer dasselbe. Sie war eben auch eine Frau.

»Hätte ich mitfahren sollen?« fragte sie.

»Sie wollten ja offenbar nicht.«

»Nein. Nicht sehr gern, wenn Sie das verstehen.«

»Doch. Ich verstehe durchaus. Aber was nun?«

»Eben. Der Zug ist weg.«

»Sonntag abend geht noch einer«, sagte ich. »Bißchen später. Aber dafür ist es auch zu spät.«

»Dann müssen Sie mich noch über Nacht hierbehalten«, sagte sie sanft.

»Mit dem größten Vergnügen. Aber was wird morgen aus dem Büro?«

»Komme ich eben ein bißchen später. Da wird die Welt auch nicht untergehen. Man kann ja mal sein Wochenende überziehen. Kann doch vorkommen.«

Sie dachte also schon wieder daran, wie sie ihren Eberhard ärgern konnte. Himmeldonnerwetter, es war wirklich ein Gewurschtel. Rundherum und nicht nur seelisch.

Ich unterdrückte jeden Kommentar und schlug einen kleinen Abendspaziergang vor. Steffi war einverstanden. Zusammen mit Dorian spazierten wir durch den Wald, bis hin zum Waldrand, wo man über die Felder sehen kann. Genau zu der Stelle, wo ich an jenem Samstag das naßgeregnete Mädchen gefunden hatte.

Steffi dachte natürlich auch daran.

»Hier war es«, sagte sie.

»Ja.«

Sie blickte über die Wiesen, hinüber zu den Bergen. Sie war ernst und sehr nachdenklich.

»Vielleicht hätte ich doch mit in die Stadt fahren sollen«, murmelte sie nach einer Weile.

»Warum?«

»Ach, nur so.«

Schweigend gingen wir wieder nach Hause. Zum Abendessen hatten wir beide wenig Hunger, das kam von dem Kuchen. Wir aßen lustlos jeder ein Brot. Dann setzte ich mich aufs Sofa und breitete meine Manuskriptblätter aus. Steffi saß mit dem Buch in einem Sessel und las.

Ich blickte mehrmals zu ihr hinüber.

Was hatte ich falsch gemacht? Sie hatte sich großartig benommen an diesem Nachmittag. Und sie war nicht mitgefahren, sondern war hier bei mir geblieben. Es war eine Solidaritätserklärung gewesen. Oder nicht?

Doch, zweifellos. Und irgendwie hatte ich nicht richtig darauf reagiert, das war mir klar. Ich mochte Steffi doch, und ich war sehr froh, daß sie hier war. Aber Rosalinds Gegenwart hatte mich verwirrt. So weit war ich noch nicht, daß ich meine Gemütsruhe bewahren konnte, wenn Rosalind in der Nähe war.

Liebte ich sie noch? Nein! Nein! Ich wollte nicht und konnte nicht, und es war vorbei, verdammt noch mal.

Der Schein von der Stehlampe fiel auf Steffis Haar und zauberte einen goldenen Schimmer hinein. Ihr geneigtes Gesicht war schmal und sanft und rührend jung. Ein wenig hilflos sah sie aus, ein wenig verlassen. Hatte ich ihr weh getan? Das war das letzte, was ich wollte.

Sie sah auf und traf meinen Blick.

»Komm her«, sagte ich leise.

Und sie kam. Sie stand auf und kam um den Tisch herum zu mir. Ich nahm sie bei der Hand und zog sie neben mich auf das

Sofa, legte meinen Arm um sie und küßte sie. Es war ganz einfach und ganz selbstverständlich. Sie war weich und nachgiebig in meinem Arm. Ihr Mund war zunächst ein wenig fremd, aber nachdem wir uns eine halbe Stunde lang geküßt hatten, auch nicht mehr.

Hatte ich eigentlich jemals eine andere Frau geküßt als Rosalind? Vielleicht ganz früher mal, in einem anderen Leben. Ich hatte es vergessen. Es war lange her. Und so würde ich Rosalind jetzt vergessen. Ich würde nicht mehr an sie denken. Ich wollte nicht mehr.

Aurora, die Göttin der Morgenröte

Die Woche begann meinerseits mit einem riesigen Tatendrang und dem deutlichen Gefühl, daß das Leben eine herrliche Sache sei. Ohne Liebe taugte eben das Dasein nichts, es war eine nicht zu leugnende Tatsache. Und in meinem Leben hatte nun also die süße Blume Liebe wieder zu blühen begonnen. Die süße Blume, die bittere Blume. Die süße Blume mit dem manchmal bitteren Duft. Es war noch eine kleine bescheidene Pflanze, man mußte sie sorgsam hegen und pflegen. Die Sonne darauf scheinen lassen und sie ständig begießen. Es geschah nichts von selbst auf dieser Welt. Ich war mittlerweile alt genug geworden, um das zu wissen. Man mußte sehr viel tun zu den Dingen und an den Dingen, die einem am Herzen lagen, mußte wissen, wie man mit ihnen umging und wie man sie behandelte. Nichts war schwieriger zu behandeln als die Liebe. Eine junge Liebe genauso wie eine alte Liebe, eine große Liebe wie eine kleine Liebe. Die junge, damit sie alt werden konnte, und die kleine, damit sie groß wurde. All das wußte ich nun. Nicht umsonst war ich vierzig Jahre alt geworden. Und ich war voll des besten Willens, es diesmal bestimmt richtig zu machen. Vielleicht war ich ein Narr, das zu denken. Aber ich war fest entschlossen, ein glücklicher Narr zu sein.

Heiteren Gemütes radelte ich durch die Felder, nachdem ich Steffi in den Frühzug gesetzt hatte, und sang dabei laut vor mich hin. »Süße Blume der Liebe! Bittere Blume des Glücks! Ein glücklicher Narr ging durch den Wald und fand die bittersüße Blume der Nacht!« So etwa sang ich vor mich hin. Es fehlte nicht viel, und ich würde mich wieder einmal an Lyrik vergreifen, das hatte ich viele Jahre lang vermieden. Aber ich spürte Steffis Lippen noch auf den meinen, hatte noch das Gefühl in meinen Armen, ihren festen schlanken Leib zu halten. Eine junge Frau, zart und kraftvoll zugleich. Sie war bei mir geblieben. Sie würde wiederkommen. Ich war nicht mehr allein. An Rosalind dachte ich nicht mehr. Nicht an diesem Morgen.

Als ich auf dem Gstattner-Hof ankam, stand der Andres mit dem Tierarzt vor der Stalltür.

»No, du strahlst ja wie die Heiligen Drei König in einer Person«, begrüßte mich der Andres. »I ko mir scho denken, warum.«

Der Wastl hatte geschwatzt, hatte von meinem Besuch erzählt. Ich grinste nur, und der Andres fuhr fort: »Du bist mir a Heimlicher. A ganz G'hängter.«

Ich begrüßte den Doktor und fragte: »Es ist doch nichts mit Isabel?«

»Woher denn?« beruhigte mich der Andres. »Die is guat beinand. Hättst sehen solln, wie schnell die Krippen heut morgen wieder leer war. Arm wird's dich no fressen. Naa, die Mimi hat ihr Kaibi kriegt.«

»Ah, das vom Herkules. Is gut worden?«

»A bildschönes Kalb«, teilte mir der Doktor mit. »A Prachttier scho. Aber a schwere Geburt war's.«

Ich ging mit in den Stall und betrachtete das Neugeborene. Ich wußte, wieviel dem Andres an diesem Nachwuchs in seinem Stall lag. Das erstemal war die Mimi, seine schönste und kräftigste Kuh, bei Herkules, dem preisgekrönten Stier des Grafen Tanning, gewesen. Nicht jeder Kuhdame wurde diese Ehre zuteil, und es hatte damals vor reichlich neun Monaten allerhand Aufregung gegeben. Nun war also das Kälbchen da. Und wohlgeraten war es, das konnte ich sogar sehen, obwohl ich nicht viel davon verstand.

Ich beugte mich über das Baby und berührte sanft sein weiches, zartes Fellchen, das noch feucht war. Gab es etwas Herzanrührenderes als so ein neugeborenes Wesen in all seiner unzerstörten Unschuld, die es aus jener Welt, aus der es kam, mitbrachte? Ob Mensch oder Tier, junges Leben erschien mir immer wie etwas Heiliges. Mir wurde ganz andächtig ums Herz. Um dieses dumme Herz, das sowieso an diesem Morgen aufgetan und glücklich, auch voll neuem Leben war.

Andres, der neben mir lehnte, war weit entfernt von so poetischen Gedanken.

»Damit fang i a neue Zucht an«, murmelte er. »Was der Graf ko, des ko i scho lang.«

»Aldann geh' ich jetzt«, sagte der Tierarzt. »Ich hab' auch noch was anderes zu tun. Sag der Mali Vergeltsgott für den guten Kaffee.«

»Magst net no a Tassen?«

»Naa. I hab' schon drei. Das Herz klopft mir eh, so stark war er.«

Der Andres lachte und erklärte mir: »Die halbe Nacht san mir im Stall gesessen. Grad wie die Sonn' aufgangen is, is kemma, des Kaibi.«

»Dann solltest du es Aurora nennen«, meinte ich.

Andres sah mich mißtrauisch an. »Warum nachher des?«

»Das ist die Göttin der Morgenröte, die heißt so. Die aus Griechenland, weißt. Und da das Kleine einen griechischen Halbgott zum Vater hat, fände ich es ganz angemessen.«

Der Doktor lachte vergnügt vor sich hin und ging breitbeinig aus dem Stall.

Andres warf mir einen langen Blick zu und folgte ihm. Eine Frage stellte er nicht. Denn wer Herkules war, hatte ich ihm damals, anläßlich der Hochzeit zwischen Mimi und Herkules, erklärt. Es hatte allerhand Eindruck auf ihn gemacht.

Ich beugte mich noch einmal zu dem Kälbchen hinab und erzählte ihm: »Also wird es wohl bei Aurora bleiben, Kleines.« Und wenn es so weiterging, setzte ich in Gedanken hinzu, wenn Andres Erfolg hatte mit seiner geplanten Zucht, dann würde hier wohl bald die ganze griechische Mythologie auf den Wiesen herumlaufen.

Jetzt endlich nahm ich Kenntnis von dem aufgeregten Geglucke, das von der anderen Seite des Stalles her immer dringlicher an mein Ohr drang. Isabel konnte nicht verstehen, warum ich heute nicht kam, um sie zu begrüßen. Sie hatte den Kopf über den Boxenrand gestreckt und rief mich. Jetzt begann sie sogar mit dem rechten Huf an die Boxenwand zu poltern. Dorian saß vor der Box und blickte vorwurfsvoll zu mir hinüber.

»Ich komm' ja schon«, sagte ich und ging zu den beiden. »Wirst du wohl aufhören, an die Tür zu schlagen, Isabel? Benimmt sich eine Dame so? Ich hab' doch bloß nach dem Baby gesehen.« Ich machte die Tür auf, Isabel trat heraus und rieb ihren Kopf an meiner Schulter.

»Da hast du wohl auch nicht viel geschlafen heute nacht, was?« fuhr ich fort und kraulte sie auf der Stirn. »Die arme Mimi, sie hat es schwer gehabt. Aber nun ist sie glücklich. Sieh nur.« Als wir bei Mimi vorbeigingen, wollte ich Isabel veranlassen, einen Blick auf das Kind und die glückliche Mutter, die ihr Baby abschleckte, zu werfen. Aber Isabel war an Aurora nicht im mindesten interessiert. »Du hast überhaupt keinen Mutterinstinkt«, sagte ich, als ich sie im Hof anband, um sie zu putzen. »Dabei könntest du ohne weiteres selbst ein Baby bekommen. Eines Tages werden wir dir einen netten Mann suchen. Möchtest du nicht?«

Isabel schüttelte energisch den Kopf. Sie tat es, um die Fliegen zu vertreiben, die ihr im Gesicht herumkrabbelten. Aber es sah aus, als antwortete sie auf meine Frage.

»Nein? Na, vielleicht später. Wenn du älter und vernünftiger geworden bist.«

Mali kam aus dem Haus, um mir guten Morgen zu sagen. »Hast das Kaibi gesehen?«

»Ja. Hübsch ist sie, die kleine Aurora.«

»Au . . .?«

»Aurora. So heißt es.«

»Aurora«, sprach die Mali mir sorgfältig nach. »Is des nachher aa no a Name für a Kuh?«

»Warum nicht? Gefällt er dir nicht?«

»I woaß net. Vielleicht gwohnt ma sich dran.«

»Sicher. Du hast dich auch dran gewöhnt, Mercedes zu sagen, nicht wahr?«

Genau wie vorher der Andres gab mir die Mali einen langen Blick. »Wos hat denn des damit z'toa?«

»Nichts. Nichts, ich meine nur. Das eine ist ein spanischer Name, das andere ein griechischer. So wird man international auf dem Lande.«

Der Mali war die Internationalität auf dem Lande nicht so interessant. Etwas anderes interessierte sie mehr. »Hast du ein schönes Wochenende verbracht?« fragte sie mich in gepflegtestem Hochdeutsch.

Aha. Wastl mußte tolle Geschichten erzählt haben.

»Ja«, antwortete ich. »Danke. Ein sehr schönes Wochenende.«

Pause. Dann die Mali: »Das freut mich.«

»Mich auch«, sagte ich und kämmte sorgfältig Isabels langen Schweif.

Darauf folgte wieder ein längeres Schweigen. Mali schluckte die vielen Fragen hinunter, die ihr auf der Zunge lagen. Aber immerhin kam sie zu einem abschließenden Resümee: »Na ja, so alt bist ja aa no net.«

»Eben«, bestätigte ich ernsthaft. Ich wandelte zum Brunnen, tauchte den Schwamm hinein und wusch Isabel das Gesicht. Dabei mußte ich mich auf die Zehen stellen, denn sie streckte den Kopf so hoch, wie sie konnte.

»Des mog's net«, stellte die Mali fest.

»Nein. Genau wie die kleinen Kinder. Die lassen sich auch nicht gern waschen.«

Fünf Minuten später trabte ich vom Hof, gefolgt von Dorian. Ich würde einen schönen weiten Ritt machen. Der Morgen war herrlich. Anschließend würde ich im Weiher schwimmen und mich dann ohne weiteren Verzug an die Maschine setzen und arbeiten. Heute würde ich gut vorankommen, das wußte ich. Heute und morgen und übermorgen. Und dann kam noch ein Tag, und dann war Freitag. Am Freitagabend würde ich Steffi von der Bahn abholen. Sie würde aus dem Zug steigen, ich würde sie in die Arme nehmen und küssen. Na, vielleicht nicht gerade noch am Bahnsteig von Tanning. Vielleicht erst draußen, wenn wir zwischen den Feldern waren.

Bis Freitagabend war es lang hin. Es würde schwer sein, standhaft zu bleiben und nicht in die Stadt hineinzufahren. Aber es ging nicht an, daß ich jede Woche in die Stadt fuhr. Ich mußte arbeiten. Ich mußte mir das Wochenende verdienen. Jeder Tag mußte richtig genutzt werden. Zwei Stunden mit Isabel, eine halbe Stunde am Weiher, dann arbeiten. Und Freitag kam Steffi.

Ich stieß einen Juchzer aus. Herrgott, war das Leben schön. Was hatte die Mali gesagt? »So alt bist ja aa no net.« Alt? Ich fühlte mich wie zwanzig. Ich fühlte mich, als ob ich Bäume ausreißen und die Welt aus den Angeln heben könnte. Und die Sterne vom Himmel holen. Nach lauter solchen Dingen stand mir der Sinn.

Ich legte die Schenkel an, und Isabel begann einen schönen, gestreckten Galopp. Dazu sang ich lauthals: »Ein Jäger aus Kurpfalz, der reitet durch den grünen Wald . . .«

Nicht nur für diese Woche, gleich für den ganzen Sommer machte ich meine Pläne. Immer so weiter, jeden Tag. Morgens Isabel und der Weiher, dann die Arbeit und ein ungestörtes Wochenende mit Steffi. Vielleicht hatte sie auch mal Urlaub, dann konnte sie ganz zu mir herauskommen. Sie würde hoffentlich nicht den Wunsch haben, nach Italien zu fahren. Aber sie hatte gesagt, es gefiele ihr im Waldhaus. Was konnte ihr woanders geboten werden, was sie hier nicht viel schöner bekam. Frische Luft, grüne Wiesen, Wald und Wasser und ein Mann, der den besten Willen hatte, sie glücklich zu machen.

Hatte ich eine Ahnung, wie turbulent dieser Sommer werden würde? Ich hatte keine. Befürchtete ich, daß meine so schön geplante Zweisamkeit mit Steffi gestört werden könnte? Nicht im geringsten. Dienstag am späten Vormittag, ich hatte mich gerade am Schreibtisch etabliert, mir eine Zigarette angezündet und las mit wachsendem Wohlgefallen, was ich am Tage zuvor gedichtet hatte, wurde ich durch Dorians Bellen und gleich darauf von einem langgezogenen Hupensignal aufgestört.

Ich hob den Kopf, und da sah ich durchs Fenster auch schon Generaldirektors Mercedes vor die Tür rollen. Nanu? Doch nicht schon wieder Rosalind?

Sie war es. Strahlend kletterte sie aus dem Wagen, in einem knappen Chanel-Kostümchen mit mehreren Reihen bunter Perlen behängt. Wer sollte es für möglich halten? Monatelang war sie überhaupt nicht zu mir herausgekommen.

»Da bin ich«, rief sie mir zu. Sie kam heran und gab mir einen liebevollen Kuß. »Freust du dich?«

»Natürlich«, erwiderte ich. Was sollte ich auch sonst schon sagen? Sie drehte sich vor mir, damit ich sie von allen Seiten bewundern konnte.

»Schick, nicht? Hab' ich aus Paris mitgebracht.«

»Hm. Man sieht's«, sagte ich, um ihr einen Gefallen zu tun.

«Du bist doch allein?«

»Ja.«

»Na, Gott sei Dank. Ich dachte schon, diese . . .«, sie verschluckte den Rest des Satzes, aber ich wußte auch so, was sie hatte sagen wollen.

»Und was verschafft mir die Ehre deines neuerlichen Besuches?«

Sie hob erstaunt die Brauen. »Aber Dodo! Ich muß mich doch um dich kümmern. Man kann dich schließlich nicht immer allein hier draußen lassen.«

»So«, sagte ich und grinste. Es hatte ihr also keine Ruhe gelassen. Sie mußte wissen, was hier gespielt wurde.

Sie öffnete den hinteren Wagenschlag und kramte mehrere Päckchen hervor.

»Hier, nimm mal. Ich hab' dir was zu essen mitgebracht. Sicher ißt du nicht ordentlich. Ich werde dir was kochen.«

Ich schwieg verblüfft und stapelte die Päckchen in meinem Arm. Eindreiviertel Jahr lang hatte es sie nicht im geringsten interessiert, was ich zu essen hatte.

»Trag's rein«, rief sie mir über die Schulter zu. »Es kommt noch mehr.«

Ich brachte die erste Ladung ins Haus und holte die zweite, die vornehmlich aus Flaschen bestand. Wie sich beim Auspakken herausstellte, alles erstklassige Marken: schottischer Whisky, französischer Kognak, ein paar Flaschen eines guten Moseljahrgangs und obendrauf zwei Flaschen alter Bordeaux.

»Hör mal«, sagte ich, »das paßt mir aber gar nicht, daß du den Weinkeller deines Zukünftigen zu meinen Gunsten plünderst.«

»Warum denn nicht? Er hat genug davon. Und du brauchst doch mal zum Arbeiten einen guten Schluck. Oder nicht?«

Ich gab keine Antwort. Konnte ja sein, daß Mr. Killinger einen vollen Keller hatte. Aber ich legte trotzdem keinen Wert darauf, auf dem Umweg über meine verflossene Gattin daran teilzuhaben. So arm war ich ja nun wieder auch nicht, daß ich mir nicht eine Flasche Wein kaufen konnte, wenn ich Appetit darauf hatte.

Aber restlos perplex war ich, als Rosalind nacheinander die verschiedenen Päckchen auspackte. Da gab es feinste Delikatessen: Gänseleberpastete, Hummersalat, ein ganzer Aal, ein gebratenes Hühnchen, eine riesige Salami, eine Büchse Kaffee, eine andere mit Tee und ein Paket einer bestimmten Sorte Kekse, die ich besonders gern aß. Das reinste Schlaraffenland.

»Na?« fragte Rosalind und blickte mich erwartungsvoll an. »Alles Sachen, die du magst. Ich war extra noch bei Dallmayr, ehe ich herausgekommen bin.«

»Was soll das alles?« fragte ich leicht gereizt.

Sie wickelte noch ein letztes Päckchen auf. »Und hier habe ich zwei Schnitzel mitgebracht, die essen wir heute mittag. Hast du Kartoffeln da? Salat habe ich, der muß noch im Wagen sein. Ja, ja, natürlich, für dich habe ich auch etwas mitgebracht. Da schau mal«, erklärte sie Dorian, der aufgeregt die Nase zum Tisch hinaufreckte. »Wunderbare Leber und Kalbsknochen.«

Ich ließ mich auf einen Stuhl sinken. »Kannst du mir erklären, was das bedeuten soll?«

Sie blickte mich erstaunt an. »Wieso? Was ist denn daran groß zu erklären? Hast du gedacht, ich lasse dich hier draußen verhungern und verkommen? In Zukunft werde ich jede Woche mindestens einmal herauskommen, für dich kochen und dir mitbringen, was du brauchst. Ich habe ja Zeit. Die Kinder sind bei Frau Boll bestens aufgehoben. Schließlich kann sie auch etwas tun für ihr Geld. Mindestens ein Tag in der Woche gehört dir. Mindestens.«

»Du hast also die Absicht, mich vom Haushaltsgeld deines künftigen Mannes mit zu verpflegen?«

»Dodo, sei nicht kindisch. Hast du eine Ahnung, was dieser Haushalt kostet? Die Villa«, sie zählte an den Fingern auf, »Frau Boll, die beiden Wagen, das Hausmädchen, der Gärtner, der Chauffeur, die vielen Gäste, und was weiß ich sonst noch alles. Man kann mühelos eine fünfköpfige Familie mit davon verpflegen, was da so nebenbei über die Latten geht. Schließlich habe ich es ja in den vergangenen Jahren gelernt, mit wenig auszukommen.«

Ich stand auf, holte tief Luft und erklärte ziemlich lautstark: »Ich bin aber kein Almosenempfänger. Und ich denke nicht daran, mich von Herrn Generaldirektor Killinger ernähren zu lassen. Von mir aus kann sein Chauffeur im Whisky ersaufen und sein Hausmädchen am Kaviar ersticken und die liebe gute Frau Boll in Sekt baden. Was mich betrifft, so bin ich bisher nicht verhungert, und ich sehe keinen Anlaß, warum es in Zukunft geschehen soll.«

»Richtig, zwei Flaschen Sekt habe ich auch noch. Sie liegen im Kofferraum. Ich habe sie extra eingewickelt, damit sie nicht so geschüttelt werden. Ich möchte nämlich jetzt ein Glas mit dir trinken. Sei so lieb, Dodo, hol sie mal. Die Schlüssel stecken noch in der Zündung. Der mit der Kerbe sperrt den Kofferraum.«

Ich blickte sie erbost an und rührte mich nicht von der Stelle.

»Hast du gehört, was ich gesagt habe?« fragte ich.

»Natürlich. Ich bin ja nicht taub. Aber das stört mich gar nicht. Du bist mein Mann, und es ist meine Pflicht, für dich zu sorgen.«

»Ich bin nicht dein Mann, zum Donnerwetter«, schrie ich. Ja, ich schrie. Ich hatte Rosalind nicht oft angeschrien. Eigentlich nie. Aber jetzt tat ich es. Sie zuckte nur die Achseln, holte ein Brett und ein Messer und begann die Leber für Dorian in Stücke zu schneiden.

»Hörst du?« Am liebsten hätte ich sie genommen und geschüttelt.

»Ich habe dir schon einmal gesagt, daß ich nicht taub bin. Du kannst dir das Theater ersparen. Du wärst der erste Mensch, der mich daran hindern kann, zu tun, was ich für richtig halte.« Sie wandte sich zu mir, das blutige Messer erhoben in der Hand und blickte mir sehr lieb in die Augen. »Dodo! Hast du im Ernst gedacht, ich lasse dich im Stich? Hast du auch nur eine Sekunde geglaubt, ich verschwinde von heute auf morgen aus deinem Leben? Du weißt genau, was du für mich bedeutest.«

»Du bist schon aus meinem Leben verschwunden«, wendete ich ein. Ich schrie nicht mehr. Es hatte ja doch keinen Zweck. »Du hast dich scheiden lassen.«

»Na und? Ein bißchen mußte ich auch an mich denken. Das ist mein gutes Recht, du hast es selbst gesagt. Aber ich kann beides.«

»Was kannst du beides?« Jetzt murmelte ich bloß noch.

»So leben, wie ich es mir immer gewünscht habe, und außerdem für dich dasein.«

»Das kannst du nicht.«

»O doch. Das wirst du sehen. Hast du geglaubt, ich überlasse dich einfach deinem Schicksal? Nie.« Das war ein Kampfruf, heftig und entschieden, das blutige Messer rückte mir dabei bedrohlich vor die Nase. »Nie tue ich das. Du bist mein Mann. Du bist der Vater meiner Tochter. Du bist ein weltfremder Sonderling, meinetwegen ein Dichter, und man muß nach dir schauen. Und ich werde es tun.«

»Ich bin kein Sonderling«, widersprach ich. »Und durchaus nicht weltfremd. Und ein Dichter schon gar nicht.«

Aber Rosalind war jetzt in Fahrt. »Egal, was du bist. Jedenfalls gehörst du in mein Leben. Ich trage die Verantwortung für dich. Die kann mir keiner nehmen, auch du nicht. Du schon gar nicht. Kein Mann kann allein mit sich fertig werden, das gibt immer eine Katastrophe.«

»Aber ich bin nicht allein«, murmelte ich.

Das hätte ich nicht sagen sollen. Das war das Stichwort, auf das sie gewartet hatte.

»Ha!« rief sie, und ihre dunklen Augen blitzten. »Meinst du diese Person . . . eh, dieses Mädchen, das da am Sonntag bei dir war? Mein lieber Dodo, du hast noch nie viel Menschenkenntnis besessen. Und von Frauen verstehst du gar nichts. Ich weiß schließlich, wie diese Frauen sind. Sie hat gedacht, sie kann sich bei dir hier einnisten, du bist allein, geschiedener Mann, kein Mensch, der sich um ihn kümmert, das wird eine leichte Beute. Merk dir, die Frauen sind alle aufs Heiraten aus. Auf eine Versorgung. Und mit dir hat sie sich wahrscheinlich gedacht, leichtes Spiel zu haben.«

Es war so komisch, daß ich lachen mußte. »Mein liebes Kind, so lange kenn ich Steffi noch nicht, daß vom Heiraten die Rede sein könnte. Und eine Frau, die bei mir eine Versorgung sucht, muß recht bescheiden sein. Das hast du schließlich am eigenen Leibe erlebt.«

»Das ist etwas ganz anderes. Mit mir kannst du sie schließlich nicht vergleichen. Oder?« Das klang ziemlich kriegerisch.

»Nein«, sagte ich darauf und ließ mich auf nähere Erklärungen nicht ein.

»Siehst du. Außerdem ist sie viel zu jung für dich. Und überhaupt – wie lange kennst du sie denn?«

Das interessierte sie, ich hatte es mir doch gleich gedacht.

»Ein paar Wochen«, erwiderte ich vage.

»Nicht sehr lange, ich habe es mir gleich gedacht«, meinte sie befriedigt. »Sehr vertraut wirkt ihr gerade nicht. Was mich nicht wundert. Das ist keine Frau für dich. Und schließlich bist du ja durch mich verwöhnt.«

»Habe ich denn gesagt, daß ich heiraten will?«

»Du vielleicht nicht.«

»Sie schon gar nicht.«

»Na, jedenfalls habe ich auch noch ein Wort mitzureden.«

»Du?«

»Ja, sicher, ich. Schließlich bist du der Vater von Lix. Denkst du, ich würde zugeben, daß du die Nächstbeste heiratest?«

Ich mußte mich beherrschen, um meine süße Rosalind nicht

mitsamt ihrem Delikatessenladen vor die Tür zu setzen. Das wäre zweifellos der kürzeste und beste Weg, ein für allemal die Lage zu klären. Denn mit ihr zu argumentieren oder gar zu streiten, hatte gar keinen Sinn. Sie besaß ihre eigene Logik und war eigensinnig wie ein Maulesel. Das wußte ich gut genug.

Ich wandte mich zum Schreibtisch und zündete mir eine Zigarette an, mich gewaltsam zur Ruhe zwingend. Schlimmstenfalls, so dachte ich, mußte ich mal ein ernstes Wort mit Konrad, dem Bräutigam, sprechen. Vielleicht gelang es ihm, Rosalind jede weitere Einmischung in mein bescheidenes Leben zu verbieten. Vielleicht. So recht glaubte ich nicht daran. Konrad war schließlich auch nur ein Mann.

Dorian hatte die Leber verputzt und himmelte Rosalind verliebt an. Sie spülte ihre blutigen Finger ab und fragte dabei: »Holst du endlich den Sekt?«

»Ich denke nicht daran.«

Ohne sich weiter um meine Bockigkeit zu kümmern, verschwand sie nach draußen und kam gleich darauf mit den beiden Flaschen wieder.

»Machst du eine auf?« fragte sie. »Ich werde mich inzwischen um das Mittagessen kümmern.«

»Ich will kein Mittagessen. Und den Sekt kannst du jetzt nicht trinken. Der ist erstens warm und zweitens vom Fahren durchgeschüttelt.«

»Dann trinken wir ihn eben warm, und mit dem Schütteln wird es schon nicht so schlimm sein.«

Eigensinnig begann sie den Draht aufzudrehen und brach ihn natürlich ab.

»Gib her«, sagte ich unwirsch und nahm ihr die Flasche aus der Hand. Tranken wir eben warmen Sekt. Vielleicht wirkte er nervenberuhigend auf mich.

Wie nicht anders zu erwarten, zischte der Kork mit lautem Knall heraus, und ein Drittel des Flascheninhalts sprudelte durch die Gegend. Dorian floh entsetzt unters Sofa.

Rosalind hielt mir mit freundlichster Miene die Gläser hin. »Macht nichts. In Zukunft werden wir immer den trinken, der sich hier ausgeruht hat. Übrigens – aber schrei mich nicht gleich wieder an! –, ich habe einen Kühlschrank für dich gekauft.«

»Was hast du?«

»Prost, Liebling.« Sie lächelte mir zu und trank, verzog das

Gesicht. »Wirklich warm. Na ja, das letztemal heute. Wenn du den Kühlschrank hast, wird es besser.«

»Du hast einen Kühlschrank gekauft?«

»Ja. Du weißt, daß ich immer einen wollte. Er wird in den nächsten Tagen geliefert. Hoffentlich finden die Leute hierher. Ich habe den Weg genau beschrieben. Und vorsichtshalber habe ich noch die Adresse vom Andres angegeben. Das finden sie bestimmt.«

»Ich werde dich und deinen verdammten Kühlschrank in den Weiher schmeißen«, sagte ich erbost.

»Das wirst du nicht. Und jetzt mach ein anderes Gesicht. Oder von mir aus, spiele ruhig weiter verrückt. Das stört mich nicht im geringsten.«

Sie machte mit dem Hummersalat appetitliche kleine Brötchen zurecht, schob sie neben mein Glas, steckte auch sich ein paar Bissen in den Mund, dann wusch sie die Kartoffeln, stellte sie auf den Herd, begann den Salat zu putzen und die Schnitzel zu klopfen. Ganz wie eine tüchtige Hausfrau, die ihrem lieben Mann das Mittagsmahl bereitet.

Das war nun also die zweite Frau, die in dieser Woche für mich kochte. Rosalinds Ankündigungen nach würde es wohl so bleiben. Am Wochenende Steffi, einmal mindestens in der Woche Rosalind, dazu einen wohlgefüllten Kühlschrank, mit eines fremden Herrn Geld gekauft und bestückt.

Irgendwie mußte ich es fertigbringen, so brutal zu Rosalind zu sein, daß ich sie für immer vertrieb. Vielleicht fiel mir gelegentlich etwas ein. War nicht leicht für mich. Überhaupt, wenn ich Rosalind ansah, wie sie da herumwerkte. Mit rosigen Wangen, die wohlfrisierten Haare nach und nach etwas zerstrubbelt, umsichtig und graziös, ein reizendes Bild. Sie plauderte mit Dorian, schimpfte, daß kein Paprika im Haus war, stellte fest, daß ich das falsche Öl gekauft hatte, sie nehme immer ein anderes zum Salat, vermißte das Ketchup, und ich konnte mir leicht ausmalen, was sie alles beim nächstenmal heranschleppen würde. Einkaufen war schon immer ihre Leidenschaft gewesen. Und wie sich jetzt zeigte, blieb es nicht nur bei Kleidern, Schuhen und Hüten, sondern erstreckte sich auch auf die Luxusfressalien des gehobenen Lebensstandards.

Bis das Essen fertig war, hatte ich den warmen Sekt restlos ausgetrunken und war davon leicht benebelt. Eigentlich hatte ich jede Nahrungsaufnahme verweigern wollen, aber da ich die Hummerbrötchen sowieso schon gegessen hatte, kam es auf die Schnitzel auch nicht mehr an. Ich trank auch den vorzüglichen Kaffee, den sie anschließend kochte. Das einzige, was ich an Protest aufbrachte: ich blieb schweigsam. Sagte gar nichts oder gab einsilbige, knurrige Antworten. Rosalind trug es mit einer sanften Duldermiene.

Ehe sie abfuhr, nachdem sie ordentlich abgewaschen und aufgeräumt hatte, legte sie beide Arme um meinen Hals, rieb ihre Wange an meiner und sagte zärtlich: »Ich hab' dich sehr, sehr lieb, Dodo. Vergiß das nie.« Und ihre großen dunklen Augen waren wirklich voller Liebe, ihr Mund ganz weich. Und dann küßte sie mich auch noch. Ich rührte mich nicht. Ich sagte kein Wort.

Unter der Tür stehend, blickte ich dem Wagen nach. Nicht der wortgewaltigste Dichter hätte schildern können, wie mir zumute war. Halb zum Heulen und halb hätte ich mir selbst eine reinhauen mögen. Ziemlich dämlich kam ich mir vor.

Denn etwas hatte Rosalind auf jeden Fall fertiggebracht. Sie hatte alle meine jungfräulich verliebten Gefühle, dazu jeden Gedanken an Steffi restlos vertrieben. Ich beschäftigte mich jetzt ausschließlich mit ihr.

Ich seufzte tief auf, traf Dorians Blick, der neben mir stand und zu mir aufblickte.

»Ich bin der größte Idiot des Jahrhunderts«, teilte ich ihm mit. »Ein ausgemachter Narr, falls es jemals einen gegeben hat.«

Dann ging ich ins Haus und betrachtete die Flaschen, die säuberlich nebeneinander aufgereiht auf meinem Schreibtisch standen, um zu einem Entschluß zu kommen, womit ich mich am besten betrinken konnte. Denn betrinken würde ich mich heute, soviel stand fest.

Bis zum Freitag war ich damit beschäftigt, mein gestörtes Seelenleben wieder einigermaßen ins Gleichgewicht zu bringen und mich auf Steffi einzustellen. Ich war zu dem Entschluß gekommen, ihr von Rosalinds Besuch nichts zu erzählen. Ich mußte allein damit fertig werden. Ich hatte mir genau zurechtgelegt, was ich Rosalind sagen würde, falls sie wirklich wiederkommen sollte. Ganz ernst und vernünftig würde ich mit ihr reden. Ohne Krach, aber in aller Entschiedenheit.

»Ich will keine Feindschaft mit dir«, würde ich ihr sagen, »es ist mir recht und lieb, wenn wir Freunde bleiben, aber bitte per distance. Wir können uns gelegentlich sehen, schon wegen Lix. Aber ich lebe mein Leben, wie ich will, und verbitte mir jede Einmischung von deiner Seite. Und deine Fürsorge verbitte ich mir auch, du hast jetzt für einen anderen Mann zu sorgen. Und ich für eine andere Frau. Und dabei bleibt es.«

So ungefähr.

Ich führte lange und ausführliche Gespräche mit ihr, denn ihre Antworten lieferte meine Fantasie natürlich gleich mit. Jeden Tag aufs neue. Man kann sich denken, daß meine Arbeit dabei nicht sonderlich gedieh. Und überhaupt, stellte ich Freitag morgen fest, hatte ich mich in den vergangenen Tagen viel zuviel mit Rosalind beschäftigt. An Steffi hatte ich kaum gedacht.

Doch im Laufe des Freitags änderte sich das. Ich legte Rosalind gewissermaßen zu den Akten und dachte an Steffi. Ich freute mich auf sie.

Aber Steffi kam nicht. Wir hatten ausgemacht, daß sie Freitagabend mit dem letzten Zug herauskommen würde. Der Zug kam, ein paar Leute stiegen aus, Steffi war nicht darunter.

Dorian, der genauso erwartungsvoll wie ich die Aussteigenden beobachtet hatte, blickte zu mir auf.

»Sie ist nicht gekommen, Freund«, sagte ich. »Vielleicht hat sie den Zug verpaßt und kommt morgen.«

Wir wanderten also den Weg zurück, und das Waldhaus kam mir in dieser Nacht sehr einsam vor. Am nächsten Morgen war ich wieder in Tanning, und als Steffi mit dem Vormittagszug auch nicht kam, blieb ich in Tanning, aß dort zu Mittag und wartete auch die beiden nächsten Züge ab. Keine Steffi. Hm. So war das also. Möglicherweise tat es ihr leid, was letzten

Sonntag geschehen war, und sie gab mir so zu verstehen, daß sie keine Fortsetzung wünschte. Natürlich bestand auch die Möglichkeit, daß sie sich mit Eberhard ausgesöhnt hatte und meine Rolle ausgespielt war. Am Spätnachmittag wanderte ich zum Gstattner-Hof hinauf zum Kartenspielen. Ich gewann am laufenden Band. Das bestätigte meine Vermutung. Glück im Spiel – Pech in der Liebe, das war ja altbekannt.

»Du hast ja heut ein unverschämtes Schwein beieinand«, sagte der Andres. »Und dabei machst du ein Gesicht, als hätten dir die Mäus' das letzte Brot gefressen. Hat s' dich versetzt?«

»Sie hat«, antwortete ich kurz. »Wer gibt?«

»Immer der, wo dumm fragt.« Und wir spielten weiter.

Am Sonntag regnete es in Strömen. Und kalt war es. Der verdammte Kühlschrank, der inzwischen gekommen war, erwies sich als vollkommen überflüssig. Es war zwar mittlerweile Juni geworden, aber man sah den Hauch vor dem Mund. An Schwimmen war nicht zu denken. Und von meinem Morgenritt kam ich pitschnaß nach Hause.

Ich tat es den feinen Leuten nach und trank Whisky. Zum Arbeiten hatte ich keinen Auftrieb, mir war viel zu trübsinnig zumute. Ich hatte eben kein Glück mit Frauen, damit mußte ich mich abfinden. Da hatte ich mir nun eingebildet, dies sei der Anfang einer Liebe, aber für Steffi war es offenbar nicht mehr gewesen als ein flüchtiges Abenteuer, und nun fuhr sie wieder in Eberhards Lokomotive spazieren.

Auch gut. Ich würde nicht mehr daran denken.

Aber ich dachte immerzu daran. Bis dieser endlose Sonntag vorüber war, an dem natürlich überhaupt niemand kam, befand ich mich in tiefschwarzer Mollstimmung. Vorübergehend hatte ich daran gedacht, am nächsten Tag in die Stadt hineinzufahren und Steffi anzurufen. Aber ich brauchte mich ja obendrauf nicht noch lächerlich zu machen. Sie gab mir deutlich zu verstehen, was sie wollte, beziehungsweise, was sie nicht wollte, und damit mußte ich mich zufriedengeben.

Jedoch am Montagvormittag kam Alois, der Postbote, zu mir herausgestrampelt auf seinem Fahrrad und brachte mir eine Karte von Steffi. Es täte ihr sehr leid, aber sie könne ja nicht bei mir anrufen. Tante Josefa sei es am Freitag sehr schlecht gegangen, und in der Nacht zum Sonntag sei sie gestorben. Es wäre alles sehr traurig, und sie sei noch ganz durcheinander. Freitag käme sie dann.

Es war gemein von mir. Tante Josefa war tot, und ich freute mich. Ich rief mich selbst zur Ordnung und fragte den Alois, ob er ein Stamperl Schnaps wolle.

Er wollte. »Warum net?« sagte er und fügte dann höflich hinzu: »A Beileid tät' ich dann auch wünschen.«

»Danke«, erwiderte ich seriös. Daß der Alois die Karten las, die er austrug, war bekannt.

Während wir den Schnaps tranken, philosophierte er: »Mei, dös geht manchmal schnell mit 'm Sterben. Denkst dir nix Schlimms, und auf oamal bist tot.«

»Ja«, sagte ich, »genauso geht es.«

Er schien zu merken, daß ich nicht sonderlich trauerte, und betrachtete mich mißbilligend. Doch dann kam ihm eine Erleuchtung.

»Erbst am End' was?«

Ich schüttelte den Kopf. »Nein. Die Dame war nicht mit mir verwandt. Es ist die Tante einer Bekannten von mir.«

»Ah so! Nachher! Dann is es ja für dich net so schlimm«, meinte er erleichtert.

»Nein«, sagte ich. »Für mich nicht.«

Getröstet radelte der Alois wieder von dannen.

Bis Freitag zu warten war mir unmöglich. Also startete ich noch am Nachmittag Richtung München, sehr zum Mißvergnügen Dorians. Vielleicht tat es Steffi gut, wenn ich bei ihr war. Ich wußte, daß sie ihre Tante Josefa sehr gern gehabt hatte.

Als ich im Zug saß, dachte ich noch: Wenn Rosalind wirklich kommt in den nächsten Tagen, werde ich nicht dasein. Das war gut. Hoffentlich denkt sie, daß ich ihr absichtlich aus dem Wege gehe. Vielleicht wird ihr das eine Lehre sein und erspart mir weitere Auseinandersetzungen.

So dachte ich, naiv, wie ich nun einmal war.

Steffi wird entführt

Da ich Steffi abends im Büro nicht anrufen konnte, ging ich zu Ihrer Wohnung. Ich fand das Haus nach einigem Hin- und Herstudieren wieder, wurde von einer mürrisch blickenden Wirtin eingelassen und fand eine betrübte, verweinte Steffi.

Sie ließ sich bereitwillig von mir in den Arm nehmen und schien sich zu freuen, daß ich gekommen war.

»Das ist lieb von dir. Ich komme mir so verlassen vor. Tante Josefa war der einzige Mensch, der mir wirklich nahestand. Der einzige Mensch, dem ich sagen konnte, wie mir ums Herz war.«

»Ich kann das gut verstehen. Irgendeinen Menschen braucht man, mit dem man sprechen kann. Nun, weine nicht mehr. Erzähle mir von Tante Josefa. Und du bist nicht verlassen. Ich bin ja da.«

Steffi sah mich eine Weile stumm an. »Wirklich?« fragte sie. »Ist das so?«

Ich nickte ein wenig beklommen. »Doch. Das ist so.«

Wir tranken Tee, und sie erzählte von Tante Josefa. Wie sie gelebt hatte, wie sie gestorben war. Und was sie, Steffi, mit ihr erlebt hatte.

Steffis Vater war im Krieg gefallen. Er war übrigens Tante Josefas Bruder gewesen. Steffis Mutter bekam ein schweres Nervenleiden und war lange krank. Damals hatte Steffi, die noch ein kleines Mädchen war, bei Tante Josefa gewohnt. Sie waren zusammen ausgebombt worden, wurden zusammen aufs Land geschickt, lebten hier bis zum Kriegsende und noch einige Jahre danach. Steffis Mutter stieß dann wieder zu ihnen, sie war wieder gesund, blieb aber bis an ihr Lebensende eine schwermütige, lebensunlustige Frau. Wäre Tante Josefa nicht gewesen, hätte Steffis Jugend noch trübsinniger ausgesehen.

»Sie war sehr klug, weißt du. Sie wußte viel von den Menschen. Ihr konnte keiner etwas vormachen. Sie hat auch ein schweres Leben gehabt. Sie hat ihren Mann früh verloren und mußte für sich selber sorgen. Aber sie war immer ein lebensbejahender Mensch. Skeptisch, das schon. Sehr kritisch. Aber von einer bewundernswerten Überlegenheit. Man konnte ihr alles sagen. Als ich meine erste große Liebe erlebte und dann so bitter enttäuscht wurde, und meine Mutter starb damals auch gerade, da war es Tante Josefa, die mich wieder zurechtrückte. Sie hat auch dafür gesorgt, daß ich Sprachen lernte, daß ich nach Frankreich ging und in die Schweiz. Überhaupt für alles hat sie gesorgt.«

»Warum wurdest du enttäuscht von deiner ersten Liebe?«

»Wie das halt so geht. Ganz alltäglich. Ich war jung und unerfahren. Und ich hatte nichts. Er heiratete dann ein Mädchen aus reicher Familie. Er wollte es sich leichtmachen. Heute ist er übrigens schon wieder geschieden.«

»Aha.«

»Ja. Gar nichts Besonderes. Das sagte mir auch Tante Josefa. Sie sagte: ›Jeder muß einmal leiden an der Liebe. Und Glück ist kein Dauerzustand. Und außerdem kann man mit neunzehn Jahren noch gar nicht von Liebe reden. Die kommt erst später‹.«

»Und Eberhard mochte sie auch nicht?«

»Nein, gar nicht.«

Ich schwieg eine Weile und überlegte: »Schade, daß sie mich nicht mehr kennengelernt hat. Ich hätte gern gewußt, was sie zu mir gesagt hätte.«

»Ich glaube, du hättest ihr gefallen.«

»Warum denkst du das?«

»Ich weiß auch nicht, aber ich glaube es.«

»Ich kann einer Frau nicht sehr viel bieten.«

»Darauf kommt es nicht an«, sagte Steffi sehr herzlich. »Tante Josefa war der Meinung, daß andere Dinge wichtiger sind. Und du bist ein Mensch, der ihr gefallen hätte.«

Vielleicht. Mir schien, als hätte auch Tante Josefa mir gefallen, nach allem, was ich von ihr gehört hatte. Als ich noch ein Bild von ihr gesehen hatte, das Steffi mir zeigte, wußte ich es genau. Sie mußte einmal eine schöne Frau gewesen sein. Ein großflächiges, gutgeschnittenes Gesicht, sehr schöne Augen, eine hohe Stirn und ein kleines, ein wenig amüsiertes Lächeln um den Mund, das zu sagen schien: Ich habe es gelernt, wie man das Leben meistert. Du wirst es auch noch lernen, mein Lieber.

Dies alles veranlaßte mich wohl, Steffi anzubieten, daß ich sie zur Beerdigung begleiten wolle. Vielleicht war es leichter für sie, wenn ein Mann an ihrer Seite war. Vielleicht fühlte sie sich dann nicht so verlassen.

»Du brauchst nicht«, sagte sie.

»Ich tue es gern für dich«, erwiderte ich. »Für dich und Tante Josefa.«

»Danke«, sagte Steffi und küßte mich.

Muni dagegen begriff nicht, warum ich zu der Beerdigung einer wildfremden Person mitgehen wollte.

»Ich finde das ja reichlich komisch«, sagte sie.

»Komisch, liebe Mutter«, sagte ich, »ist es nie, wenn ein Mensch gestorben ist.«

»Du weißt schon, was ich meine«, antwortete Muni leicht gereizt, während sie meinen dunklen Anzug ausbürstete. »Aber du kennst das Mädchen kaum und diese tote Tante gar nicht – ich frage mich, was du eigentlich dabei verloren hast. Das ist doch vollkommen überflüssig, daß du da mitlatschen mußt. Wer geht denn freiwillig auf den Friedhof?« Im Gegensatz zu vielen anderen älteren Frauen scheute Muni Friedhofbesuche. Sie ging nur, wenn es sich durchaus nicht vermeiden ließ.

»Überflüssig, Muni, sind viele Dinge, die man tut. Und man geht an manchen Ort, an dem man nichts verloren hat. Auf dem Friedhof haben wir schließlich alle früher oder später etwas verloren. Man kann ruhig gelegentlich einmal daran denken.«

Muni zog unmutig die Stirn in Falten. Wenn ich diesen salbungsvollen Ton anschlug, reizte ich sie immer.

»Du brauchst mir mein Alter gar nicht vorzuwerfen«, sagte sie ärgerlich, »ich weiß, daß ich bald sterben werde.«

Ich nahm sie in die Arme und gab ihr einen Kuß. »Du bist vierundsechzig Jahre alt, teure Mutter. Das ist beim Stand der heutigen Lebenserwartung, überhaupt bei Frauen, geradezu ein Backfischalter. Du kannst dich gut und gerne noch zwanzig Jahre mit mir herumärgern, vielleicht noch dreißig, und unter Umständen überlebst du mich in strahlender Frische.«

Muni bekreuzigte sich erschrocken. »Davor schütze mich Gott«, sagte sie leise und ernst.

Übrigens waren gar nicht so wenig Leute bei Tante Josefas Begräbnis. Ich hatte gedacht, ich würde mit Steffi ganz allein sein. Aber es schien, als habe diese kluge und liebenswerte Dame noch manchen Leuten mit Rat und guten Worten zur Seite gestanden. Es seien Freunde und Nachbarn und Bekannte, sagte mir Steffi. Alle hätten sie gern gehabt.

Auch der Himmel, wie es schien. Die Sonne kam seit Tagen zum erstenmal wieder zum Vorschein, als wir auf dem Waldfriedhof zwischen den Gräberreihen hinter dem Sarg herschritten.

Es war alles grün, es blühte und leuchtete ringsumher. Die Vögel sangen unbekümmert, und einmal lief sogar ein Eichkätzchen über den Weg. Nein, so schrecklich fand ich es hier gar nicht. Nicht, daß ich demnächst hier schon landen wollte. Aber wenn es denn einmal sein mußte – es war kein gar so übler Ort.

Ich warf einen Blick auf Steffi, die zu meiner rechten Seite ging. Fremd sah sie aus, blaß und schmal und sehr hübsch, in einem knappen schwarzen Kostüm und mit einer kleinen schwarzen Kappe. Elegant sah sie aus. Es war vielleicht nicht der richtige Ort, um so etwas festzustellen. Aber ich konnte nicht umhin. Eine kühle, rassige Dame war meine kleine Steffi auf einmal, die ich verheult am Waldrand gefunden hatte.

Nachdem alles vorbei war und wir uns von den anderen Leuten verabschiedet hatten, machten wir noch einen kleinen Umweg, um beim Grab meines Vaters vorbeizugehen. Es war gar nicht so weit entfernt. Und es sah reichlich verwildert aus. Ich schämte mich ein bißchen vor Steffi. Muni brauchte ihre Abneigung vor Friedhöfen nicht so weit zu treiben, um nicht gelegentlich einmal Vaters Grab zu besuchen. Aber gleich darauf rief ich mich zur Ordnung. Wieso Muni? Mich ging es schließlich genausoviel an. Ich nahm mir vor, demnächst einmal herauszufahren und ein paar Blumen zu pflanzen. Mali gab mir sicher ein paar Pflanzen aus ihrem Garten.

»Was machen wir jetzt?« fragte ich, als wir zum Ausgang gingen. »Mußt du ins Büro?«

»Nein. Ich habe heute frei.«

»Wie wär's, wenn wir bei mir zu Hause Kaffee trinken«, schlug ich vor. »Bei meiner Mutter, meine ich.«

Steffi gab mir von der Seite einen scheuen Blick. »Ach, ich weiß nicht . . .«

»Du brauchst dich nicht vor ihr zu fürchten.«

»Ich tu's aber. Mütter sind immer dagegen, daß ihre Söhne Frauen kennen.«

Da war was dran. Ob man zwanzig war oder dreißig oder vierzig, Mütter waren dagegen.

»Sie wird sich schon an dich gewöhnen«, sagte ich. »Ich wüßte auch nicht, was sie gegen dich haben könnte.«

Steffi lächelte ein wenig und schwieg.

Als wir aus dem Tor des Friedhofs traten, stand davor ein riesenlanges Auto in hellstem Beige, und ein hochgewachsener, breitschultriger junger Mann in einem gutgeschnittenen Anzug, ebenfalls aus hellem Beige, kam lässig auf uns zu.

»Oh!« hauchte Steffi und blieb stehen. Eine Blutwelle war ihr ins Gesicht gestiegen, und in ihren Augen lag eine Mischung von Angst, Schreck und Abwehr. Und noch etwas anderes, das ich nicht gleich definieren konnte.

»Eberhard«, flüsterte sie.

Also der. Da war er schon heran, lächelte Steffi an, sehr nett und charmant, mich beachtete er gar nicht.

»Ich dachte, ich hole dich ab«, sagte er.

»Oh . . . aber warum?« stammelte Steffi und blickte ihn verwirrt an.

Er sah *wirklich* gut aus. Das mußte der Neid ihm lassen. So ein bißchen amerikanischer Filmhelden-Typ. Ein kantiges Gesicht mit einer attraktiven Kerbe im Kinn, volles dunkles Haar, braungebrannt und dazu die imponierende Figur. Und obendrauf das dreimal imponierende Automobil im Hintergrund.

»Ja, es ist nämlich so«, begann Eberhard, wischte einen kurzen Blick über mich hin, nickte ein wenig mit dem Kopf und fuhr fort: »Du weißt doch, dieser Baron Munck, da in Tutzing, der . . .«

»Darf ich bekannt machen?« unterbrach ihn Steffi. »Herr Klug – Herr Schmitt.«

Wir tauschten einen kurzen Blick, Eberhard und ich, und machten beide eine knappe Bewegung mit dem Kopf. Von da an ignorierte er mich völlig. Vermutlich nahm er an, ich sei ein Verwandter oder Bekannter der verblichenen Tante. »Das Haus da bei Feldafing«, fuhr Eberhard fort, »du hast die Sache doch im Kopf?« Steffi nickte, und er redete weiter. »Ich sollte Freitag zu ihm hinauskommen und es ansehen. Jetzt hat er gerade vorhin angerufen, daß er morgen nach Rom fliegen muß und vierzehn Tage nicht dasein wird. Und es eilt ihm mit dem Verkauf. Ich hätte das Objekt ganz gern an der Hand, falls es ein gutes Objekt ist. Heute hätte er gerade Zeit. Ich dachte, wir fahren mal hinaus und schauen es uns an.«

»Wir?«

»Ja. Ich hätte gern, daß du mitkommst. Es ist schließlich ein Fünfhunderttausend-Mark-Objekt, man muß es sich gut anschauen. Und du hast doch immer einen sehr unbestechlichen Blick. Mir liegt viel an deinem Urteil.«

Jetzt lächelte er sie an, sehr gekonnt, sehr schmeichelnd, und Steffi errötete dabei ein wenig.

»Aber ich . . .«, begann sie unsicher.

»Ja, ich weiß, du bist heute nicht in der Verfassung. Aber schau, Kind, sie ist nun mal tot, nicht? Ich versteh's ja, daß du traurig bist. Die Fahrt wird dich ablenken. Und wie gesagt, es geht nur heute. Tu mir den Gefallen und komm mit. Du kannst ja morgen freinehmen, wenn du partout willst.«

Steffi sah ihn an, dann streifte sie mich mit einem raschen Seitenblick, dann landete ihr Blick auf dem Straßenpflaster. Sie war sehr verlegen. Und wußte durchaus nicht, was sie tun sollte.

Aber Eberhard war nicht der Mann, einer Frau die Entscheidung zu überlassen. Er wollte mit ihr da hinausfahren, und er würde mit ihr hinausfahren. Vermutlich war das Ganze nur ein Vorwand, er hatte sich ausgedacht, sie hier vor dem Friedhof abzufangen, dann mit ihr über Land zu fahren, in der weichen, deprimierten Stimmung, in der sie sich befand, und alles andere war dann seine Sache.

»Na, komm schon«, sagte er und griff nach ihrem Arm. »Ich habe uns für vier Uhr angemeldet.«

Steffi sah mich wieder an, hilfeflehend, wie es schien, immer noch unschlüssig, was sie sagen und tun sollte.

»Dann darf ich mich wohl verabschieden?« sagte ich steif.

»Ja, bitte sehr«, rief Eberhard strahlend und schüttelte mir kräftig die Hand, »hat mich gefreut.« Und damit war ich für ihn nicht mehr vorhanden.

Ich machte vor Steffi eine kleine Verbeugung, und weil ich dumm war und weil ich es ihr leichtmachen wollte, sagte ich: »Auf Wiedersehen, Fräulein Bergmann.«

Nachher ärgerte ich mich, daß ich das gesagt hatte. Steffis verletzter, erschrockener Blick blieb mir im Gedächtnis, auch als Eberhard sie schon, wie eine sichere Beute, am Arm zu seinem Wagen geführt und darin verstaut hatte.

Wußte ich denn, ob sie mit ihm fahren wollte? Wußte ich denn, ob sie nicht viel lieber mit mir gekommen wäre? Warum war ich denn bloß immer so empfindlich, so leicht bereit, aufzugeben und zurückzutreten?

Würde ich es denn nie, in meinem ganzen Leben nicht, lernen, meinen Platz zu behaupten und meine Rechte geltend zu machen?

Nein, ich würde es wohl nicht lernen. Wo hatte ich nur diese verdammte Mimosenseele her? Welcher dreimal verfluchte Ahnherr hatte sie mir vererbt?

Uneins mit mir selbst und verärgert über Steffi fuhr ich mit der Trambahn in die Stadt zurück. Und während der Fahrt malte ich mir genau aus, was sich zwischen Steffi und dem attraktiven Eberhard abspielen würde. Er würde mit ihr reden, verständnisvoll und vernünftig, so wie er sich heute eingestellt hatte, irgendwann würde er an den Straßenrand fahren, sie anschauen, den Arm um sie legen. Und Steffi, mein kühles Fräulein Bergmann noch im Ohr, würde sich widerstandslos von ihm küssen lassen. Vielleicht geschah das auch erst auf dem Rückweg. Erst besichtigten sie vielleicht wirklich die 500000-Mark-Villa am Starnberger See. Die Sonne schien, draußen würde es herrlich sein. Und dann war da noch ein Baron im Spiel, zu dem würde Eberhard nonchalant sagen: Fräulein Bergmann, meine Verlobte, und der Baron würde Steffi die Hand küssen, sie sah ja heute ganz bezaubernd aus, sehr damenhaft in dem schwarzen Kostüm, möglicherweise trank man noch ein Glas Wein, um das Geschäftliche zu besprechen, und dann im sinkenden Abend fuhren Steffi und Eberhard zurück in die Stadt, und nun würde er bestimmt anhalten, wenn er es auf dem Hinweg noch nicht getan hatte, und ein kleiner Hund war an diesem Tag auch nirgendwo aufgetaucht. Der war ja auch nicht so wichtig.

Eberhard würde sagen: Schau, Kind, du mußt das nicht so ernst nehmen. Ich war nervös an dem Tag. Vergiß es endlich. Wenn du willst, besuchen wir den kleinen Hund nächstens, nehmen ihm eine große Wurst mit, und ich entschuldige mich bei ihm. Oder wir fahren ins Tierasyl, du suchst dir dort einen kleinen Hund aus, ich werde ihn jeden Tag füttern und Gassi führen, zur Buße und damit du siehst, daß ich es nicht so gemeint habe. Ja, Steffi, Liebling? Sieh mich an. Es ist alles wieder gut, nicht wahr?

Große Umarmung, langer Kuß. Heute nacht schlief Steffi bei Eberhard. Aus. Happy-End. Nächsten Monat war Hochzeit.

Überschätzte ich Eberhard? Ich glaube, ja. So zu reden war nicht seine Sache. Aber er würde seine Sprache sprechen. Wie auch immer, ich hatte jedenfalls eine Geschichte daraus gemacht. Wie das bei einem Schreiber eben üblich ist. Handlung, Dialog, Höhepunkt. So ist das bei mir.

Bis ich am Sendlinger-Tor-Platz aus der Sechs stieg, war Steffi bereits mit Eberhard vermählt und auf der Hochzeitsreise in Venedig. Oder vielleicht auch an der Costa Brava.

Kein Mensch soll mir sagen, eine blühende Fantasie sei eine Gabe Gottes. Sie kann auch ein Geschenk vom Teufel persönlich sein.

Jeder, der das liest, muß zugeben, daß es mit mir nicht so weitergehen konnte. Ich war immer ein ausgeglichener Mensch gewesen. Kein Bulle an Kraft und Lebensfreude, nicht dumm genug, um das Dasein als Kinderspielplatz zu betrachten, aber doch im Grunde zufrieden, heiteren Gemütes und voll freundlicher Gedanken. Und jetzt, an der Schwelle des fünften Jahrzehnts, benahm ich mich wie ein weltschmerzlicher Jüngling. Mal oben, mal unten, mal übermütig, mal voll schwärzester Verzweiflung. Voll unnützer Gedanken und törichter Gefühle. Mit einem Wort: Ich benahm mich wie ein Narr.

Ohne Zweifel, irgendwie war ich aus dem Gleichgewicht geraten. Und wenn ich versuchte, meinen Zustand zu analysieren, so mußte ich zu der Erkenntnis kommen, daß die Trennung von Rosalind eben doch nicht spurlos an mir vorübergegangen war. Ich hatte dabei einen Knacks davongetragen, der mein Seelenleben grundlegend durcheinandergebracht hatte. Und so kam es, daß ich mir selbst von Herzen zuwider war, als ich an diesem etwas windigen, aber sonst ganz schönen Nachmittag Anfang Juni durch mein geliebtes München schlenderte. Gleich zu Muni nach Hause zu gehen, dazu fühlte ich mich nicht imstande. Sie würde mir ja sofort wieder ansehen, wie mir zumute war. Also beschaute ich zunächst einmal Schaufenster, auch die, in denen Damenhüte und Miederwaren ausgestellt waren, stand eine Weile gedankenverloren am verkehrsumtosten Marienplatz, trank im Opernespresso Kaffee und kam schließlich auf die Idee, ins Theater zu gehen. Warum nicht? Den dunklen Anzug hatte ich sowieso an, und für einen kulturbeflissenen Menschen gehörte es sich, gelegentlich einen Sessel in einer mittleren Parkettreihe zu drücken.

Ich erstand eine Karte in den Kammerspielen, und da es noch Zeit hatte, bis die Vorstellung begann, setzte ich meinen Rundgang durch die Stadt fort. Ich zögerte vor der Tür zu Camillas Buchladen, ging aber nicht hinein. Ich zögerte vor einer Telefonzelle, ob ich Lix anrufen sollte, ließ es aber dann doch bleiben.

Zum Dämmerschoppen fand ich mich im Bratwurstglöckl ein, verspeiste sechs Schweinswürstl und, weil sie so gut waren, noch vier obendrauf. Pünktlich war ich im Theater. Es gab ein modernes Stück, und ich war nur mäßig begeistert davon. Als es zu Ende war, mochte ich noch immer nicht nach Hause gehen. Ich wandte mich in Richtung Schwabing, ging zu Fuß und landete schließlich in der ›Seerose‹.

Da war der Toni. Er musterte mich in meinem Staat und sagte: »Wie schaugst du denn aus? Gehst am End' zu einer Beerdigung?«

Ich dachte nicht daran, ihm mitzuteilen, wie nahe er der Wahrheit kam, sondern erklärte: »Ich war im Theater.«

»Sauber«, meinte der Toni, »du bist halt ein gebildeter Mensch. Besonders gut unterhalten hast dich anscheinend nicht, deiner Lätschen nach zu schließen.«

»Es ging«, erwiderte ich und bestellte mir ein Bier.

»Warst etwa allein im Theater?« wollte der Toni wissen.

Ich nickte.

»Nachher muß dir schon extra mies gewesen sein. Hast an Katzenjammer?«

»Warum muß man denn einen Katzenjammer haben, wenn man ins Theater geht?« fragte ich gereizt zurück.

»Wenn einer so ein Gesicht macht wie du und rennt allein in der Nacht umeinand, kommt man halt auf die Idee.«

»Du sitzt ja hier auch allein umeinand.«

»Ja, ich. Bei mir ist das was anderes. Ich kann nicht nach Hause gehen.«

»Kannst deine Miete nicht zahlen?«

»Die hab' ich eh' schon lang nimmer zahlt. Aber das wär' nicht das Schlimmste.«

Eine Weile blickten wir schweigend in unsere Gläser.

»Was ist denn dann das Schlimmste?« fragte ich schließlich, nur um das Gespräch weiterzuführen.

»Mei!« sagte der Toni und weiter nichts.

Wieder eine längere Pause.

»Warum gehst net mit deiner Frau ins Theater?« kam der Toni zum Thema zurück.

»Ich hab' keine Frau.«

»Ah naa? Und die hübsche Schwarze, die . . . wie heißt's gleich? Die Rosalind? Ist das nicht deine Frau?«

»Nicht mehr.«

Der Toni war maßlos verwundert. »Nicht mehr? Ist's am End' gestorben?«

»Schmarrn. Wir sind geschieden.«

»Ja so was aa. Du bist mir a Haderlump. Läßt sich scheiden. Hast denn a andere? Am End' die Blonde, die wo d' neulich dabeigehabt hast?«

»Ich hab' keine andere. Rosalind hat einen anderen.«

»Ah, so is das.«

Wieder ein langes Schweigen. Auf einen Wink Tonis wurden unsere leeren Gläser gegen volle ausgewechselt.

»Ja, die Weiber«, meinte der Toni schließlich versonnen. »Is' scho wirkli a Kreuz mit denen. Spinnert san's, alle miteinand.« Ich nickte.

»Und die Blonde? War doch a nett's Madl.«

»Die hat auch einen anderen.«

»Darum bist so müd' beieinand. Mach dir nix draus. Ohne Weiber lebt sich's leichter. Kannst mir's glauben. Manchmal denkt man, ma braucht's. Besonders, wenn ma keine hat. Aber wenn ma eine hat, merkt ma erst, daß ma ohne viel besser zurechtkommt. Kannst mir's glauben, i woaß, was i sag'.« Darauf gab der Toni ein sehr geschliffenes Essay über die Frauen von sich, das kein weibliches Wesen hätte hören dürfen. Er ließ kein gutes Haar am anderen Geschlecht.

Ich nickte beifällig zu seinen Ausführungen und war ganz seiner Meinung. Recht hatte er. Frauen waren unmögliche Geschöpfe, mit ihnen war nicht auszukommen, und besser lebte man ohne sie. Auf jeden Fall friedlicher.

Darauf einigten wir uns in der Stunde nach Mitternacht. Wir waren mittlerweile zum Wein übergegangen und taten den heiligen Schwur, unser zukünftiges Leben nie wieder mit einer Frau zu belasten, möge sie so schön und verführerisch sein wie auch immer.

»Nie wieder«, sagte der Toni und rülpste. »Nie wieder ein Frauenzimmer. Das schwör' ich dir.«

»Nie wieder«, echote ich. »Schluß is damit.«

»Sie san net wert, daß a vernünftiger Mann auch nur einen Gedanken an sie verschwendet.«

»Nicht einen«, bekräftigte ich.

Als das Lokal geschlossen wurde, schwankten wir Arm in Arm die Seestraße entlang.

»Wo gehn wir jetzt hin?« fragte der Toni. »Hast no a Geld?«

»Keins mehr.«

»Nachher müssen wir heimgehen.«

»Müssen wir.«

»Grad dös wollt ich net.«

»Warum nicht?«

»Grad deswegen halt.«

Mehr erfuhr ich an diesem Abend nicht. Erst einige Zeit später. Wir verabschiedeten uns langwierig, umarmten uns, klopften uns auf die Schulter und erinnerten uns noch einmal gegenseitig an den heiligen Eid, den wir geschworen hatten. Schluß mit den Frauen! Ein paarmal drehte ich mich noch um und sah den Toni immer noch unschlüssig unter der Laterne stehen. Er hatte offenbar wirklich nicht die geringste Lust, nach Hause zu gehen.

Die Luft tat mir gut, also machte ich mich zu Fuß auf den Heimweg. Flüchtig kam mir die Idee, am Hohenzollernplatz vorbeizugehen, bei Steffi zu klingeln, ihre greusliche Wirtin aus dem Bett zu scheuchen und nachzuschauen, ob Steffi zu Hause war.

Aber ich ermannte mich. Schluß mit den Frauen! Ich hatte geschworen. Und vermutlich war sie sowieso nicht zu Hause. Aber es kümmerte mich nicht. Mochte sie mit Eberhard schlafen. Es interessierte mich nicht im geringsten. Morgen würde ich nach Hause fahren. Zu Dorian und Isabel. Isabel war die einzige Frau, mit der ich in Zukunft noch reden würde. Sie war ein Pferd. Und Pferde sind nun mal bessere Menschen.

Begegnung am Weiher

Wirklich fuhr ich am nächsten Vormittag heim. Am Ostbahnhof stand ich eine Weile vor einer Telefonzelle und überlegte, ob ich Steffi anrufen sollte. Ich tat es nicht. Sie hatte geschrieben, daß sie am kommenden Freitag zu mir herauskommen würde. Das konnte sie ja tun, und das zeigte dann, was nun eigentlich mit uns beiden los war. Ganz wohl war mir jedoch nicht in meiner Haut. Mein Benehmen am Nachmittag zuvor war auch nicht richtig gewesen, soviel stand fest.

Ich radelte nach Hause, zog mich um, stieg hinauf zum Gstattner-Hof, begrüßte Dorian und sattelte Isabel. Über Nacht war es föhnig geworden, es war viel wärmer als gestern. Und Isabel war launisch und ungezogen, wie immer bei Föhn. Sie bockte ein paarmal, scheute bei jeder Kleinigkeit, verweigerte den Sprung über ein winziges Gatter und nahm mir doch wirklich einmal die Hand. Das war lange nicht mehr vorgekommen. Ich ließ sie eine Weile lospreschen, parierte sie dann sehr energisch durch, setzte die Sporen an und hielt sie gleichzeitig fest. Eine Zeitlang ging sie in gereiztem Ballerinaschritt. Das verstand sie großartig. Sie machte sich steif, ihr Hals wurde wie aus Holz, der Rücken wie aus Eisen, sie schäumte ärgerlich im Gebiß und schlug unartig mit dem Kopf. Jetzt hatte ich also auch noch Ärger mit dieser einen letzten Frau, die mir geblieben war.

»Warte du«, murmelte ich grimmig, »das fehlt noch, daß auch du mit mir umspringst, wie es dir paßt. Wenn ich schon mit allen anderen nicht fertig werde, mit dir nehme ich es auf alle Fälle noch auf.«

Beide kamen wir naß und verschwitzt zum Gstattner-Hof zurück, beide waren wir aufeinander böse. Dorian merkte es und stand bekümmert bei uns, während ich Isabel trockenrieb. Er trat dicht vor sie hin, reckte sich, Isabel senkte den Kopf, und er schleckte ihr rasch mit der Zunge über die Nüstern. Wollte er sie trösten? Anscheinend war er der Meinung, der Unausstehliche in der Familie sei heute ich. Konnte auch sein. Die Tiere merkten es ja immer gleich, wenn man sich in schlechter Verfassung befand.

Erst als ich wieder zu Hause war, sah ich, daß Rosalind dagewesen war. Unter meiner Maschine eingeklemmt lag ein Zettel mit ihrer fahrigen steilen Kinderschrift: »Liebling, ich habe Dich vermißt. Warst Du in der Stadt? Warum rufst Du mich dann nicht an? In dem großen Topf ist Suppe für Dich, alles andere habe ich in den Kühlschrank gepackt. Bis nächste Woche. Viele liebe Küsse, Deine Rosalind.«

Sie war also dagewesen und hatte mich nicht angetroffen. Wenigstens etwas. Auf dem Herd fand ich eine erstklassige Rindfleischbrühe mit Grießnockerl drin und einem großen Stück Ochsenfleisch. Und der Kühlschrank war neu mit Lebensmitteln gefüllt.

Ich starrte eine Weile versunken auf meinen ansehnlichen Vorrat und knallte dann die Kühlschranktür zu. Wenn das so weiterging, brauchte ich überhaupt nichts mehr zu tun. Das Haus kostete mich keine Miete, die schenkte mir der Andres. Lebensunterhalt brauchte ich ebenfalls nicht, den spendete der Generaldirektor auf dem Umweg über meine verflossene Gattin. Holz zum Heizen fand ich im Wald. Ich konnte hier bis ans Ende meiner Tage selig und in Freuden leben, genauso wie die Lilien auf dem Feld. Nichts säend, aber ausreichend erntend.

»Was sagst du dazu, Dorian?«

Er hatte nichts dagegen, fraß seine Ration, denn Rosalind hatte ihn auch diesmal nicht vergessen, und sah mich nur vorwurfsvoll an, weil ich immer noch mißgestimmt schien, obwohl so schöne Sachen zu essen da waren.

»Wir können nur noch auswandern, Freund«, sagte ich. »Vielleicht in den Kongo. Oder nach Australien. Dort werden Leute gebraucht, soviel ich weiß.«

Vermutlich keine Schriftsteller. Nun, zur Not konnte ich auch etwas anderes tun. Wenn ich nicht mehr schrieb, hatte die Welt auch nicht viel verloren.

Man kann sich leicht vorstellen, daß ich bei solchen Ansichten nicht gerade in Arbeitsstimmung kam. Ich schrieb verbissen ein paar Seiten, doch als ich sie durchlas, landeten sie im Papierkorb.

»Gehn wir baden. Vielleicht ersaufe ich, wäre noch nicht der übelste Ausweg.«

Das Ersaufen würde einem gar nicht einmal schwerfallen. Das Wasser war saukalt. Der Regen und die Kälte der letzten Woche hatten das erste bißchen Sommerwärme aus dem See vertrieben. Leicht konnte einen da der Schlag treffen.

Aber ich schwamm eisern hinüber und herüber. Genauso verbissen wie ich heute geschrieben hatte und geritten war. Nun gerade.

Doch wie ich leicht blau gefärbt aus dem Wasser kletterte, sah ich vor mir eine überraschende Erscheinung.

Am Waldrand stand ein Bild von einem Pferd. Ein Vollblut, hoch und schmal gebaut, mit ganz feinen Fesseln, einem kleinen edlen Kopf, die Ohren aufmerksam zu mir gespitzt. Und eine Farbe hatte dieses Tier! Ein dunkles Kupfer, schimmernd wie Metall war das Fell. Der Schweif reichte fast bis auf die Erde, die Mähne war lang und dicht. Jetzt schüttelte es mit dem Kopf, tänzelte ein bißchen und kam näher.

Auf der Fuchsstute saß ein Junge. Ein schmaler hellblonder Junge in grauen Hosen und einem weißen Hemd. Und so schön wie das Pferd war, so schön war dieser Knabe.

Ein feingeschnittenes Gesicht, ganz ebenmäßig, große

150

braune Augen, die mich ansahen, ein schöngeschwungener Mund, der mich zulächelte.

Wer waren diese beiden? Ich hatte weder Pferd noch Kind jemals gesehen.

Jetzt waren sie bei mir. Das Pferd scheute ein wenig vor Dorian, der sein nasses Fell schüttelte.

»Hallo«, sagte der Reiter. »Sie müssen der Schriftsteller sein. Ich wollte Sie gestern schon besuchen, aber Sie waren nicht da. Baden sie immer hier? Darf ich auch mal? Sieht 'n bißchen dreckig aus.«

»Hallo«, erwiderte ich und versuchte, meine Verblüffung nicht merken zu lassen. Denn der Junge war ein Mädchen. Ich hörte es an der Stimme, und jetzt in der Nähe sah ich es an der Bluse. »Das ist kein Dreck. Es ist nur ein bißchen moorig hier im Wald.«

»Ach so. Bring' ich mir morgen meinen Badeanzug mit. Sie sind doch der Schriftsteller, nicht?«

»Ja, schon. Falls Sie mich meinen. Mein Name ist Schmitt.«

»So? Weiß ich gar nicht. Einen Namen hat niemand genannt. Na ja, irgendwie müssen Sie ja heißen. Schmitt paßt immer.« Sie lachte ziemlich frech auf mich herunter, machte dann eine elegante Flanke über den Pferdehals und stand neben mir im Gras.

»Tag.« Sie streckte mir die Hand hin und schüttelte meine kräftig, die ich ihr erstaunt reichte. »Freut mich, daß ich Sie heute treffe, Herr Schmitt. Gestern waren Sie nicht da. Ich nehme doch an, daß das Ihr Haus ist da vorn«, sie wies mit dem Finger den Pfad entlang, der durch den Wald führte, »gleich dort vorn auf der Lichtung.«

»Ja, sicher, aber . . .«

»Man hat es mir beschrieben, und ich hab's auch gefunden. Grad als ich kam, fuhr ein Mercedes fort. Da sind Sie wahrscheinlich gerade weggefahren, nicht?«

»Das war ich nicht. Ich hab' keinen Wagen.«

»Nein? Ist auch besser, hier im Wald nicht mit dem Wagen herumzusausen. Mit dem Pferd ist es hübscher. Ist das Ihr Hund? Netter Kerl.« Sie beugte sich zu Dorian und streichelte ihn. »Gutgebauter Setter. Erstklassige Zucht.«

»Ihr Pferd aber auch«, sagte ich. »Das ist ja eine Pracht von Tier.«

»Ja, nicht? Ist eine süße Puppe. Aber unverschämt. Mein

Lieber, was glauben Sie, was die mich schon runtergefegt hat. Sie ist erst fünf. Ich reite sich noch nicht lange. Aber die wird mal mein Olympiapferd, passen Sie auf.«

»Na, mit einem Vollblüter«, meinte ich kopfschüttelnd, »und noch dazu so jung, werden Sie kaum auf der Olympiade antreten können.«

»Ich schon. Ich krieg' sie hin. Wir passen nämlich zusammen. Mein Vater sagt auch, ich bin verrückt. Aber ich hab' nun mal gern Vollblüter. Ein bißchen irisches Blut hat sie auch. Was denken Sie, wie die springen wird in ein paar Jahren. Die springt Häuser, sie ist heute schon wie eine Katze. Bloß ruhiger muß sie noch werden. Bis jetzt stürmt sie wie eine Wilde auf jedes Hindernis los, und nachher kriegt man sie schwer zum Halten.«

»Mit einem so jungen Pferd sollten Sie überhaupt noch nicht springen«, sagte ich tadelnd.

»Na ja, vielleicht. Aber mir macht's Spaß. Und ihr auch. Vor einem Vierteljahr habe ich mir mit ihr das Schlüsselbein gebrochen. Hier, sehen Sie mal.« Sie streifte ungeniert ihre Bluse beiseite und hielt mir ihre gebräunte Schulter hin. »Fühlen Sie mal, ist nicht ganz gerade zusammengewachsen.« Sie legte ihre Wange an den Pferdekopf und sagte zärtlich: »Das habe ich dir zu verdanken, Jessy. Nun auch noch äußere Fehler zu meiner schwarzen Seele dazu.« Sie lachte mich an, dieses bildschöne, blutjunge Kind, und fügte hinzu: »Das sagt mein Vater.«

»Er muß es ja wissen.«

Sie legte den Kopf ein wenig schief, lächelte mich an, rückte lässig ihre Bluse wieder gerade und sagte: »Nun machen Sie schon. Ziehen Sie sich an. Ich möchte sie gern heute noch sehen.«

»Wen?« fragte ich verwirrt.

»Na, Isabel. Was dachten Sie denn, warum ich hergekommen bin? Doch nicht Ihretwegen.«

»Ach so. Ja, entschuldigen Sie, davon haben Sie bis jetzt kein Wort gesagt. Ich weiß ja gar nicht, wer . . .«

»Sie soll gut geworden sein. Früher war sie ja auch reichlich frech, nicht?«

»Woher kennen Sie Isabel?«

»Na, Mensch!« Die braunen Augen betrachteten mich voll Verachtung. So viel Dämlichkeit schien ihr noch nicht vorgekommen zu sein. »Schließlich ist sie ja bei uns gezogen. Ich war dabei, als sie auf die Welt kam.«

»Das kann ich doch nicht wissen. Ich habe schließlich keine Ahnung, wer Sie sind.«

»Nein?« Sie blickte mich maßlos verwundert an. »Na, so was. Ich dachte, das wüßten Sie.«

»Woher soll ich das wissen? Bin ich ein Hellseher?«

Sie lachte vergnügt. »Anscheinend nicht. Ja, eigentlich wahr. Woher sollen Sie das wissen. Onkel Franz hat nur gesagt: Isabel ist bei dem Schriftsteller, der hinter Unter-Bolching mitten im Wald lebt. So'n kleines Haus auf einer Lichtung. Du wirst es schon finden, hat er gesagt. Und ich hab's ja auch gefunden.«

»Ist Onkel Franz vielleicht Graf Tanning?«

»Natürlich.«

»Jetzt kommen wir der Sache schon näher. Und Sie sind demnach von dem Gestüt im Rheinland, wo Isabel herkommt.«

»Genau. Gott, sind Sie intelligent. Müssen ja großartige Bücher sein, die Sie schreiben.«

»Ich hoffe es. Und ich würde zu aller Intelligenz nun gern auch noch das Wissen dazugewinnen, wer Sie wirklich sind.«

»Ein schöner Satz«, lobte sie mich. »So was fiele mir bestimmt nie ein. Na ja, gehört bei Ihnen eben zum Beruf. Ich bin Gwen.«

»Aha«, sagte ich. »Gwen also. Und offenbar eine Nichte des Grafen Tanning.«

»Nicht direkt eine Nichte. Wir sind so ein bißchen zickzack verwandt. Seine Schwester ist die Frau von Vatis Cousin, wissen Sie. Oder so ähnlich. Genau weiß man das nie, wir haben so schrecklich viel Familie. Ich bin jedenfalls Gwendolyn K. Soviel steht fest.«

So war das also. Eine junge Dame aus allerblauestem, alleredelstem Geblüt stand hier vor mir. Jetzt wußte ich, wer sie war und wo sie herkam. Die Tochter des Fürsten K., Herr über die Güter Thronburg und Wasern und das dazugehörige Gestüt.

Ich erinnerte mich, daß der Graf von der Familie gesprochen hatte, im Zusammenhang mit Isabel war die Rede davon gewesen. Eine Verwandtschaft hatte er nicht erwähnt.

Ich machte unwillkürlich eine kleine Verbeugung und sagte:

»Ich freue mich, daß wir der Sache nun auf den Grund ge-kommen sind, Durchlaucht.«

»Nennen Sie mich Gwen«, sagte sie ungeduldig, »und nun kommen Sie endlich, ziehen Sie sich an.«

»Herzlich gern.« Denn mir war langsam kalt geworden, ich stand schließlich immer noch in der Badehose vor der kleinen Fürstin. »Dazu muß ich aber ins Haus zurück.«

»Na los, ich reite schon vor.« Mit einem Schwung war sie im Sattel, machte eine flotte Hinterhandwendung und stürmte aus dem Stand im Galopp los, den schmalen Waldweg entlang. Kein Wunder, daß sie sich das Schlüsselbein brach. Bei dieser Methode würde sie das wilde Pferd kaum bändigen. Das konnte ja nicht ruhig werden bei einer so wilden Reiterin.

Dorian und ich setzten uns auch in Trab. Als wir beim Wald-haus ankamen, graste der Rotfuchs ganz friedlich im Gras, und Gwen saß auf der Schwelle und rief mir entgegen: »Haben Sie eine Zigarette?«

»Auch das«, sagte ich. »Einen Schnaps vielleicht auch?«

»Klar. Und dann machen Sie schnell.«

»Zu Befehl.«

Sie kam mit ins Haus, nahm sich eine Zigarette aus der Dose, die ich ihr hinstellte, ließ sich Feuer geben, kippte den Schnaps und wanderte dann ungeniert durchs Zimmer und sah sich um.

»Mann, haben Sie eine Menge Bücher. Haben Sie die alle ge-lesen?«

»Größtenteils.«

»Finde ich doll.«

»Wenn Sie mich einen Moment entschuldigen, ich ziehe mich schnell an.«

»Ja, los. Und Reitdreß bitte. Ich möchte Isabel mal gehen sehen.«

Na schön. Die Fürstin äußerte ihre Wünsche, und ich mußte gehorchen. Hoffentlich war Isabel nicht so ungezogen wie heute mittag. Aber sie war zwei Stunden unterwegs gewesen, sie würde noch müde sein. Einige Minuten später war ich zur Stelle. Die kleine Fürstin musterte mich von Kopf bis Fuß und sagte: »Gut. Sie sehen ganz passabel aus. Sie haben die richtige Figur zum Reiten. Hab' ich in der Badehose schon gesehen.«

Ich konnte es nicht verhindern, ein wenig zu erröten, was Gwen sehr amüsierte.

»Wohnen Sie ganz allein hier?«

»Ja.«

»Haben Sie keine Frau?«

»Nein.«

»Auch keine Freundin?«

»Nein.«

»Ist ja toll. Ich habe Männer gern, die keine Frau haben. Ehemänner sind so spießig. Nie kann man richtig mit ihnen flirten. Erstens haben sie immer Schiß vor ihrer Frau, und zweitens ist die dann auch noch sauer.«

Na, nun mußte ich auch mal ein bißchen frech werden. »Darf ich mich dann der Hoffnung hingeben, daß Sie mit mir flirten werden?«

Sie kicherte begeistert. »Geben Sie sich hin. Geben Sie sich auf alle Fälle mal hin.«

Der Fürst hatte sich da ein ganz schönes Früchtchen herangezogen. Mit der würde er noch sein blaues Wunder erleben.

Diesmal ritt sie im Schritt, was sowohl ihr wie dem Pferd schwerfiel. Der Rotfuchs tänzelte unruhig, und sie hatte beide Hände voll zu tun, ihn festzuhalten.

Dorian und ich gingen nebenher.

»Gegen die ist meine Isabel jetzt geradezu ein Lamm«, sagte ich.

»Früher muß sie aber auch ganz schön gehaust haben. Maria hat mir erzählt, was sie alles angerichtet hat.« Maria war die Gräfin Tanning.

»Sie war ein süßes Fohlen. Erst ganz dunkel natürlich. Und sehr zutraulich. Aber ich kann mich noch gut erinnern, wie sie zugeritten wurde. Da gab's Kleinholz.«

Sie beugte sich vor und zupfte ihr Pferd zärtlich am Ohr. »Ist Jessica nicht hübsch?«

»Bildhübsch.«

»Was glauben Sie, wann ich mit ihr auf Turniere gehen kann?«

»Zwei Jahre wird's mindestens noch dauern. Besser wären drei.«

»Ja, das sagt Vater auch.«

Ich erinnerte mich, ihren Namen schon einige Male in Turnierberichten gelesen zu haben. Sie galt als tollkühne Reiterin, sehr schnell und reichlich leichtsinnig. Deswegen waren ihr wohl auch große Erfolge bisher versagt geblieben.

»Haben Sie dieses Jahr schon Turniere geritten, Gwen?«

»Nur zwei kleine. Ich wollte mich gern für Aachen melden. Aber Vater erlaubt es nicht. Und dann war ja auch das Schlüsselbein, nicht?«

»Eben.«

»Wir haben einen sehr guten Hannoveraner Wallach, der ist bombensicher. Springt zwei Meter im Schlaf. Den wollte ich nehmen.« Sie seufzte bekümmert. »Jetzt reitet ihn ein Cousin von mir. Vater sagt, ich blamiere bloß die Familie, wenn ich auf Turniere gehe. Ich müßte erst noch was lernen.«

»Sicher hat er recht.«

»Hm. Vielleicht. Aber hauptsächlich hat er Angst um mich. Das Schlüsselbein war nicht der erste Bruch. Vor drei Jahren war ich sechs Tage lang bewußtlos nach einem Sturz. Seitdem ist ihm nicht ganz wohl, wenn ich zu hoch springe.«

»Nachdem Sie Jessica mitgebracht haben, wollen Sie vermutlich länger hierbleiben.«

»Weiß noch nicht. Paar Wochen vielleicht.« Sie blickte seitwärts auf mich herab und zog eine Grimasse. »Ich bin strafversetzt, wissen Sie.«

»Warum denn das?«

»Ich war in einem Pensionat in der Schweiz. Da habe ich übrigens auch ein Turnier mitgemacht. Und dann habe ich mich verliebt. Aber Vater ist dagegen.«

»Aha.«

»So ein netter Kerl. Aber er ist verheiratet. Ich bin ein paarmal abends ausgekniffen. Und einmal die ganze Nacht weggeblieben. Da haben sie es Vater geschrieben. Na, der hat vielleicht ein Theater gemacht.«

Armer Vater! Er hatte es nicht leicht. Ob mir das auch mal bevorstand mit Lix? Ich war zwar kein Fürst, aber ich würde es auch nicht gern sehen, wenn meine Tochter mit einem verheirateten Mann die ganze Nacht unterwegs wäre.

»Da hatte Ihr Vater schließlich allen Grund dazu. Schämen Sie sich denn nicht?«

Sie zog unmutig die Brauen hoch und sagte sehr hoheitsvoll: »Sagen Sie mal, wie kommen Sie mir denn vor? Ich habe doch auch ein Recht zu leben. Oder nicht? Ich will auch mal schick ausgehen und nicht jeden Abend um zehn im Bett liegen. Ich bin schließlich erwachsen. Außerdem wollte Heino sich scheiden lassen. Wirklich, hat er gesagt.«

»Aber nicht getan.«

»So lange kannte ich ihn ja noch gar nicht. Vielleicht hätte er. Aber dann mußte ich weg. Vater hat mich gleich mitgenommen. Und kaum war ich zu Hause, tauchte Heino auf. Ist das vielleicht keine Liebe?«

»Und dann?«

»Vater hat ihn hinausgeschmissen. Und mich hat er hierher gebracht. Franz und Maria haben den strikten Auftrag, gut auf mich aufzupassen. Vielleicht soll ich mich auch an friedlichem Familienleben ergötzen. Das haben sie ja in Tanning. Maria kriegt schon wieder ein Kind, das dritte. Ist das nicht gräßlich?«

»Warum denn? Wenn sie Freude an Kindern haben?«

»Na ja, schon. Aber sie muß sie doch kriegen. Reiten kann sie überhaupt nicht mehr. Das ist doch kein Leben. Oder finden Sie?«

»Ich habe noch kein Kind gekriegt. Aber wenn ich eine Frau wäre, würde ich vielleicht anders darüber denken.«

»Na, ich bin eine Frau und denke so darüber.«

Eine Frau! Dieser Fratz. Wie alt mochte sie sein? Siebzehn oder achtzehn.

»Sie sind noch sehr jung«, sagte ich, »höchstens zwanzig Jahre alt, da können Sie darüber noch nicht urteilen.«

»Zwanzig!« rief sie empört. »Ich bin achtzehn. Machen Sie mich gefälligst nicht älter, als ich bin.«

»Nun also. Da haben Sie ja noch Zeit, Ihre Meinung zu ändern.«

»Nie. Natürlich werde ich auch mal Kinder kriegen müssen. Aber erst wenn ich alt bin. So mit dreißig etwa. Das langt.«

»Das langt«, bestätigte ich ernsthaft. »Da haben Sie noch zwölf Jahre Zeit, Turniere zu reiten und mit verheirateten Männern zu flirten.«

Sie gab mir einen schiefen Blick von oben. »Sie sind auch schon ziemlich alt, nicht?«

»Finden Sie?«

»So weise, wie Sie reden.«

»Was ist denn nun mit Heino? Weiß er, daß Sie hier sind?«

»Nö. Hierher käme er sowieso nicht. Der braucht Betrieb. Bars und Hotels und so was alles. Im Sommer fährt er immer nach Saint-Tropez. Ohne seine Frau natürlich. Er wollte mich mitnehmen.«

»Und? Tut's Ihnen leid, daß Sie statt dessen hier sind?«

157

»Eigentlich nicht. Dort könnte ich nicht reiten. Und hätte Jessy nicht dabei. Die ist mir wichtiger als er. Ich bin fertig damit, wissen Sie. Tempi passati.«

Sicher war es nicht leicht, den Rotfuchs Jessica zu bändigen. Aber der Mann, der einmal diesen Fratz bändigen mußte, war auch nicht zu beneiden.

Isabel befand sich auf der Koppel. Gwen betrachtete sie sachkundig. »Gut sieht sie aus. Ob sie mich noch kennt?«

Das schien nicht der Fall zu sein. Isabel beachtete die fremde Reiterin nicht. Aber sie legte die Ohren an, als ich sie herausführte und sie in Jessicas Nähe kam. Jessica tat es ihr nach.

»Wie bei den Menschen, nicht?« meinte Gwen. »Da mögen sich Frauen auch nie leiden.«

Andres kam in den Hof, als ich Isabel sattelte.

»Willst am End' no amal reiten heit?«

»Nur kurz. Ich hab' Besuch bekommen.«

»Aha«, sagte der Andres zufrieden. »Is doch wieder kemma?«

Anscheinend glaubte er, Gwen sei meine Besucherin, von der Wastl erzählt hatte.

Ich machte die beiden formvollendet miteinander bekannt. Andres schwang sich zu einem beachtlichen Diener auf, als ich Gwens sämtliche Titel nannte. Gwen nickte nur kurz und hochmütig mit dem Kopf. Dann kam der Wastl dazu. In seiner bilderreichen Sprache bewunderte er den Rotfuchs, den das offenbar nervös machte, denn er begann wieder zu tänzeln und stieg sogar, als Wastl ihm zu nahe kam. Wastl erwischte ihn am Zügel und zog ihn energisch auf die Erde zurück. »Da gehst her, du varruckta Heiter, du varruckta. Passen's auf, Freilein, daß Eahna mit dem nicht den Hals brechen.«

»Lassen Sie sie los«, sagte Gwen ärgerlich. Aber Jessica stand schon unbeweglich und ließ sich von Wastl den Hals klopfen. Ich wußte, daß der derbe Wastl eine glückliche Hand mit Pferden hatte. Sie mochten ihn alle. Und er mochte sie.

Ich saß auf. »Los geht's«, sagte ich.

Und los ging's. Zum Hof hinaus, den Weg über den Hügel, drüben hinab und wieder hinauf. Erst im Trab, dann im Galopp über eine Koppel, auf der gerade kein Vieh stand. Gwen legte ein tolles Tempo vor, und Isabel mußte sich gewaltig strecken. Ganz schaffte sie es nicht. Der Vollblüter blieb ihr immer um einige Längen voraus.

Dann setzte Jessica mit einem weiten Sprung über das Gatter. Isabel ihr nach. Dahinter kam ein steiniger, enger Feldweg. Gwen galoppierte im gleichen Tempo weiter, und es kostete mich einige Mühe, Isabel durchzuparieren.

»Halt!« rief ich hinter den beiden her und sah mich nach Dorian um, der weit zurücklag.

Es dauerte eine Weile, bis Gwen ihr Pferd zum Stehen brachte. Im Trab kam sie zurück.

»Was ist denn?«

»Das ist kein Weg zum Galoppieren. Wenn Sie so große Pläne mit Jessica haben, sollten Sie ihr die Beine nicht kaputtmachen.«

»Das schadet ihr nichts.«

»O doch. Außerdem macht das Rasen nicht allein den guten Reiter aus.«

Es sah aus, als wollte sie eine schnippische Antwort geben. Aber dann sagte sie: »Das sagt Vater auch.«

Das befriedigte mich. Der Fürst und ich waren immerhin in einem Punkt einer Meinung.

»Da hinüber«, ich wies in die entgegengesetzte Richtung, »ich habe da einen kleinen Parcours aufgebaut.«

Es war eine kleine saure Wiese, die Andres mir für Sprungübungen zur Verfügung gestellt hatte. Ich hatte dort ein paar ganz nette Hindernisse aufgebaut.

Abwechselnd machten wir ein paar Runden, und ich konnte befriedigt feststellen, daß Isabel eleganter und weitaus ruhiger sprang als die ungestüme Jessica, die öfter die Stangen riß.

»Lassen sie mich Isabel mal reiten«, sagte Gwen atemlos, als sie neben mir hielt. »Sie springt großartig.«

Ich zögerte. Auf Isabel hatte seit Jahren kein anderer mehr gesessen. Lix mal für ein paar harmlose Trabrunden. Aber beim Springen war sie nur an mich gewöhnt.

»Nun machen Sie nicht so ein Gesicht. Ich verspreche Ihnen, ich gehe ganz vorsichtig mit ihr um.«

Ich hielt Jessica am Zügel und sah den beiden zu. Gwen ritt ruhig, und Isabel nahm jeden Sprung gut taxiert und mit Sicherheit.

»Ein gutes Pferd«, sagte Gwen, als sie wieder bei mir war. »Man merkt kaum, daß man springt. Und wie weich sie aufsetzt. Aus der könnten Sie ein tolles Turnierpferd machen. Die springt gut und gerne noch höher, als sie es hier tut.«

»Das braucht sie nicht«, sagte ich entschieden. »Und auf Turniere will ich nicht gehen. Ich reite zu meinem Vergnügen.«

»Schade. Darf ich noch mal?«

»Nein. Es langt. Isabel ist heute schon zwei Stunden gegangen. Wir reiten jetzt ganz friedlich im Schritt zurück. Und Sie müssen schließlich auch wieder mal nach Hause.«

Sie blickte auf ihre Armbanduhr. »Ach du lieber Himmel! Schon fünf. Ich habe gesagt, ich bin zum Tee wieder da. Wie lange brauche ich nach Tanning?«

»Das kommt aufs Tempo an. Aber ich würde raten, Sie kommen lieber zu spät zum Tee, als daß Sie Ihr Pferd so abjagen.«

»Sie sind ein sehr vernünftiger Mensch, nicht?« fragte sie und glitt aus dem Sattel.

»Ich hoffe es. Vernunft ist eine feine Sache.«

»So?« Wieder der schräge Blick von der Seite.

»Bestimmt. Es lebt sich leichter, angenehmer und schöner damit.«

Sie schwieg. Das überraschte mich. Der Fürst konnte mit mir zufrieden sein. Ich hatte seine Tochter zum Nachdenken gebracht.

»Reiten wir morgen zusammen?« fragte sie, als wir uns dem Gstattner-Hof näherten.

»Gern«, sagte ich. »Ich komme Ihnen entgegen. Ehe Sie nach Ober-Bolching kommen, ist eine kleine Brücke. Dort werde ich Sie erwarten. Um neun?«

»Gut.«

»Bestellen Sie bitte Grüße an den Grafen und seine Frau.«

»Mach' ich. Also, tschüs.«

Sie hob grüßend die Gerte an die Schläfe und zack, weg war sie, im gestreckten Galopp.

»Wie findet ihr das?« fragte ich meine beiden Tiere. »Habt ihr schon einmal so eine Verrückte gesehen?«

Isabel schnaubte verächtlich, und Dorian blickte beleidigt vor sich hin. Er hatte es noch nicht verwunden, daß wir ihm vorhin davongaloppiert waren.

Am nächsten Morgen fand ich Gwen schon wartend an der Brücke hinter Ober-Bolching. Pünktlich war sie also. Und das blieb sie auch in Zukunft. Sie wurde meine tägliche Begleiterin. Ich wußte nicht, wie ich zu dieser Ehre kam, aber offensichtlich hatte ich Gnade vor ihren Augen gefunden. Wir machten schöne, weite Ritte zusammen, trainierten gelegentlich auf dem Parcours, und mit der Zeit bürgerte es sich ein, daß Gwen mich nach Hause begleitete. Sie sattelte Jessica ab, ließ sie grasen und trieb sich bei mir herum. Da das Wetter wieder besser geworden war, gingen wir meist zum Baden. Bekleidet nur mit dem winzigsten Bikini, den ich je gesehen hatte, stürzte sie sich todesmutig in das kalte Wasser. Sie stieß zwar jedesmal einen Schrei aus, aber sie schwamm quer mit mir durch den Weiher, auch wenn ihr nachher die Zähne klapperten.

Am dritten Tag hatte sich Graf Tanning auf seinem braunen Wallach eingefunden und begleitete uns. Er wollte wohl sehen, ob alles stimmte, was sein junger Gast, der ihm schließlich anvertraut war, berichtete. Ob wirklich ich es war, mit dem sie sich traf. Offensichtlich hatte der Graf keine Bedenken, mir die junge Dame anzuvertrauen. Im Gegenteil, es schien, er erhoffte sich einen guten Einfluß von meiner Seite. Denn er sagte, als er neben mir hielt, während Gwen mit Jessica eine Runde sprang:

»Ihre Ermahnungen scheinen auf fruchtbaren Boden gefallen zu sein. Sie reguliert ihr Tempo schon besser, sehen Sie. Vernunft ist eine feine Sache, hat der Schriftsteller gesagt.« Er lachte. »Das hat sie Maria und mir erzählt. Sie schien nicht ganz überzeugt davon zu sein, aber irgendwie hat es Eindruck auf sie gemacht.«

»Das freut mich.«

»Der Fürst war sehr böse auf die Kleine. Die jungen Mädchen sind heutzutage reichlich vorurteilslos. Obwohl man nicht alles ernst nehmen muß, was sie erzählt. Sie gibt gern ein bißchen an. Na, das steht mir auch noch alles bevor. Hoffentlich wird unser nächstes wieder ein Junge. Eine Tochter genügt mir.«

Ich lachte auch. »Ich habe selbst eine, ich weiß, daß es nicht so einfach ist. Sie haben ja noch ein bißchen Zeit. Aber Lix ist zwölf. Und man muß sich wundern, was sie manchmal schon für Ansichten hat.« Ich zögerte. Ich wußte nicht, ob der Graf über die Veränderung in meinem Leben orientiert war. Aber einmal mußte er es schließlich erfahren. Auch im Hinblick auf Gwen. Er mußte wissen, daß Rosalind nicht mehr bei mir lebte. »Sie ist jetzt bei ihrer Mutter. Ich bin geschieden.«

»Ich hörte davon«, sagte der Graf, ohne mich anzusehen. Weiter nichts. Es bestand von meiner Seite aus kein Anlaß, ihm nähere Erklärungen zu geben.

Gwen kam auf uns zu. »Na?« rief sie. »Was sagst du, Onkel Franz? Ist sie nicht ein Puppe? Glaubst du mir nun, daß ich mit ihr auf die Olympiade gehen kann?«

»Das wird man sehen«, sagte der Graf. »Du hast noch ein paar Jahre Zeit. Und vorher wirst du dich erst einmal bei inländischen Turnieren bewähren müssen.«

»Nächstes Jahr. Vielleicht erst mal mit Wotan. Der ist brav wie ein Schaf. Nächstes Jahr werde ich groß mit ihm einsteigen.«

Jessica war wirklich ruhiger geworden. Sie war jeden Tag lange unterwegs, hatte sich an das Gelände und die veränderte Umgebung gewöhnt. Und auf unseren gemeinsamen Ritten sorgte ich dafür, daß es nicht zu wild herging. Wir ritten lange Strecken im Trab, auch mal im Schritt, ich zeigte Gwen meine Lieblingsplätze, machte sie auf die Landschaft aufmerksam und hoffte so, zu erreichen, daß sie die Ritte nicht nur als wilde Jagd ansah.

Aber Steffi? Was war mit ihr? Am Freitagabend war ich hoffnungsvoll zum Bahnhof nach Tanning gepilgert. Keine Steffi.

Darauf hatte ich mir vorgenommen, Samstag keine Notiz von eintreffenden Zügen zu nehmen. Aber dann schlug ich Gwen doch vor, in anderer Richtung zu reiten.

»Hinüber nach Tanning. Ich möchte vorbeikommen, wenn der Vormittagszug ankommt. Kann sein, ich kriege Besuch.«

Nachgerade war es mir schon peinlich, auf der Station herumzustehen. Huber, der Bahnhofsvorstand, sah mich schon immer ganz merkwürdig an.

Wir hielten mit den Pferden vor dem Bahnhof. Der Zug kam, ein paar Leute kleckerten durch die Gegend.

»Na?« fragte Gwen.

Ich schüttelte den Kopf. »Nicht für mich.«

Als wir Tanning hinter uns hatten, sagte sie: »War eine große Enttäuschung für Sie, daß sie nicht gekommen ist, nicht?«

»Wieso?«

»Es kam mir so vor.«

»Wieso sie?«

»Es kann sich nur um eine Frau handeln, wenn ein Mann so ein dummes Gesicht macht. Sie haben also doch eine Freundin?«

»Eine Bekannte, die manchmal zum Wochenende herauskommt.«

»Viel scheint ihr nicht daran zu liegen«, sagte Gwen, und es klang ausgesprochen boshaft. »Ich sehe auch nicht ein, warum sie kommen soll. Sie haben doch jetzt mich.«

»Allerdings.«

Ich hatte sie. Täglich und ausdauernd. Sie las meine Bücher, trank meinen Schnaps und ließ sich von mir Brote zurechtmachen oder Rühreier zubereiten.

»Ich finde es *wahnsinnig* gemütlich in Ihrem Waldhaus. So richtig romantisch. Im Winter muß es toll sein. Sind Sie dann eingeschneit?«

»Manchmal.«

»Und dann sitzen Sie hier und schreiben Romane, rauchen Pfeife, und es ist warm und schnuckelig, und man ist ganz für sich. Muß doch herrlich sein.«

»Hm.« Das sollte sie mal Rosalind erzählen. Und auch sie würde sich wundern, wenn sie hier ein paar Wochen im Winter verbringen müßte.

Übrigens mit der Pfeife, das stimmte. Ich hatte mir schon früher eine Pfeife angeschafft, aber Rosalind mochte es nicht. Ich röche danach, und das ganze Haus auch, und ich sollte lieber Zigaretten rauchen. Neuerdings war ich wieder zum Pfeiferauchen übergegangen. Gwen stellte fest: »Also die Pfeife kleidet sie einfach toll. Zum Verlieben sehen Sie aus.« Ich ging darauf nicht näher ein. Besser nicht. Denn, um ehrlich zu sein, ein bißchen beunruhigend war die häufige Gegenwart des jungen Mädchens doch. Sie war zu hübsch und so zutraulich. Manchmal fiel es mir schwer, den väterlich-kameradschaftlichen Ton beizubehalten.

Daß sie eine gute Figur hatte, war mir vorher schon klargewesen. Nachdem ich sie in dem winzigen Bikini gesehen hatte, wußte ich es ganz genau. Eine Taille, die man wirklich, wie es immer in Romanen heißt, mit den Händen umspannen konnte, einen süßen kleinen Busen, lange rassige Beine. Und dazu das schmale, edle Gesichtchen mit den großen braunen Augen und dem schöngeschwungenen, noch kindlichen Mund. Das hellblonde Haar hatte sie ganz kurz geschnitten, es bestand eigentlich nur aus einer großen Tolle, die sie ungeduldig zurückstrich, wenn sie ihr in die Stirn fiel.

Ich vermied es, sie zu oft und zu genau anzusehen.

»Wie kommen Sie eigentlich zu dem englischen Vornamen?« fragte ich sie einmal.

»Meine Mutter war Engländerin. Ich habe sie kaum gekannt. Sie starb, als ich noch ganz klein war.«

»Das ist schlimm«, sagte ich.

»Ja. Mein Vater hat sie sehr geliebt. Er hat erst vor vier Jahren wieder geheiratet. Und stellen Sie sich vor, ich habe noch einen kleinen Bruder gekriegt. Ist das nicht albern?«

»Nun . . .« Ich war in Verlegenheit, was ich sagen sollte. »Das ist doch ganz natürlich.«

»Ja? Finden Sie? Ich kümmere mich nicht darum. Die Frau kann ich sowieso nicht leiden. Und sie reitet miserabel. Die müßten Sie mal auf dem Pferd hängen sehen. Ich kann nicht verstehen, wie mein Vater so was heiraten konnte.«

»Reiten ist ja schließlich nicht das einzige Kriterium, nach dem man einen Menschen beurteilen kann.«

»O doch«, sagte sie sehr entschieden. »Für mich schon. Ich würde nie einen Mann heiraten, der kein guter Reiter ist. Nie.«

Ich mußte lachen. »Gott, Kind, du wirst noch manches tun, was du nicht vorhast. Man soll nie nie sagen.« Dann erst fiel mir auf, daß ich sie geduzt hatte, es war mir so herausgerutscht. »Entschuldigen Sie«, fügte ich hinzu.

»O bitte. Sie können ruhig du zu mir sagen. *Sie* können ja reiten.«

Ich schwieg dazu. So ganz wohl war mir nicht, wenn ich an den Grafen und an den fürstlichen Vater dachte. Schließlich – ich war noch kein Greis. Ständig so ein bezauberndes junges Wesen um sich zu haben, erweckte manchmal komische Wünsche und Gedanken. Mir selbst gegenüber konnte ich das ruhig zugeben.

»Jetzt reitet sie überhaupt nicht mehr, seit sie das Kind hat«, sagte Gwen nach einer Weile.

»Wer?«

»Na, die Frau von meinem Vater. Sie geht nicht mal in die

Ställe. Nee, kann ich nie verstehen, warum er die geheiratet hat. So schön ist sie auch nicht.«

»Ihr Vater wird wohl gewußt haben, was er tat. Schließlich hat er es sich ja lang genug überlegt.«

»*Meine* Mutter muß eine großartige Reiterin gewesen sein. Sie hat in England viele Turniere gewonnen. Jetzt haben Sie wieder Sie gesagt«, das klang vorwurfsvoll.

»Ich wußte nicht, daß das Angebot ernst gemeint war«, erwiderte ich lahm.

»Natürlich. Wissen Sie was? Wir reiten jetzt zum Waldhaus. Ich habe gesehen, daß Sie noch eine Flasche Sekt im Kühlschrank haben. Da trinken wir Brüderschaft, ja?«

Was sollte ich machen? Vielleicht wäre es besser gewesen, sie energisch nach Hause zu schicken. Aber wir ritten zum Waldhaus. Wir sattelten die Pferde ab, ließen sie grasen, und Gwen holte zielbewußt den Sekt. Auch die Gläser. Soweit kannte sie sich schon bei mir aus.

»Am hellen Vormittag«, protestierte ich noch schwach.

»Sekt am Vormittag ist schick«, wurde ich belehrt.

»Also«, sagte Gwen, als die Gläser gefüllt waren, und näherte sich mir. Wir stießen an, tranken, und ich wollte es dabei bewenden lassen. Aber sie hielt mir unmißverständlich ihre Lippen hin, und ich drückte also einen flüchtigen Kuß darauf. Anschließend lächelte sie reichlich süffisant. »Hast du Angst vor mir?«

»Mein liebes Kind«, begann ich salbungsvoll und um Haltung bemüht, aber sie unterbrach mich.

»Liebes Kind finde ich gräßlich. Du mußt dir einen anderen Namen für mich ausdenken. Wie heißt du eigentlich?«

Ich räusperte mich und sagte rasch: »Adolf.«

Für Gwen waren mit dem unglückseligen Vornamen keinerlei Reminiszenzen verbunden. Sie krauste nur die Stirn und meinte: »Klingt sehr feierlich. Kann ich Dolfi sagen?«

»Nur wenn es unbedingt sein muß.«

»Vielleicht fällt mir noch was Besseres ein. Prost!«

Ich bemühte mich, den größeren Anteil von dem Sekt zu trinken, und machte auf alle Fälle ein paar Brote zurecht, damit meine neue Duzfreundin nicht angeheitert nach Gut Tanning zurückkam. In bester Laune schwang sie sich schließlich in den Sattel.

»Schade, daß ich nicht noch bleiben kann. Aber Maria schimpft, wenn ich so spät komme. Wiedersehen, Dolfi.« Und plötzlich beugte sie sich aus dem Sattel zu mir herab, legte den Arm um meinen Hals und küßte mich. Nicht ganz so flüchtig, wie ich es getan hatte. Dann preschte sie los. Ich stand und blickte ihr nach.

»Da haben wir uns was Schönes eingebrockt«, sagte ich nach einer Weile zu Dorian. »Ich glaube, wir müssen doch noch auswandern. Ich bin schließlich auch nur ein Mensch, nicht?«

Jetzt hatte ich mir Gwens ewiges ›Nicht?‹ auch schon angewöhnt. Außerdem war ich zornig auf Steffi. Wenn sie hier wäre, würde ich mich nicht in so großer Gefahr befinden. Am Mittwochnachmittag schließlich raffte ich mich auf, bei ihr im Büro anzurufen. Sie war zweifellos böse mit mir und nicht ganz ohne Grund. Aber es war lächerlich, wenn wir alle beide nun bockig waren. Sollte sie sich wirklich mit Eberhard versöhnt haben, konnte sie mir das ruhig sagen. Ich wanderte also nach Unter-Bolching, trank im Gasthaus ein Bier und telefonierte.

Eine fremde Frauenstimme meldete sich und erklärte mir: »Fräulein Bergmann ist in Urlaub.«

»Oh! Danke sehr. – Für länger?«

»N-ja.«

»Vielen Dank.«

Nun konnte ich eigentlich keinen Zweifel mehr haben. Sie war in Urlaub, und sie war sicher mit Eberhard zusammen. Sonst wäre sie herausgekommen.

Es war alles so gekommen, wie ich es mir an jenem Nachmittag ausgemalt hatte. Nun, auch gut. Ich würde nicht mehr daran denken. Ein nasses Mächen am Waldrand, ein paar Gespräche, eine Frau bei mir im Waldhaus, ein paar zärtliche Stunden. Alles in allem ein hübsches Erlebnis. Mein erstes Erlebnis als freier Mann. Und das nächste? fragte gleich darauf der Versucher in mir. Aber ich verbot ihm jedes weitere Wort. Ich war Manns genug, mich zu beherrschen. Der Zufall hatte es gewollt, daß sich jetzt wieder ein Mädchen häufig bei mir aufhielt. Früher, als ich noch mit Rosalind verheiratet war, hatte sich nie jemand hier eingefunden. Und jetzt – es war schon seltsam. Aber Gwen war zehn Jahre jünger als Steffi und die Tochter eines Fürsten. So etwas stand überhaupt nicht zur Debatte.

Das Wetter war im Laufe der Woche immer besser geworden, und nun auf einmal war der Sommer da. Es war richtig warm geworden, die Heuernte in vollem Gange, und Gwen und ich suchten uns die gemähten Wiesen für lange Galoppaden aus. Danach freuten wir uns auf ein Bad. Es war zur Gewohnheit geworden, daß Gwen nach dem Reiten mit mir im Weiher schwamm. Ihr kleiner Bikini hing als ständiger Gast auf meiner Leine.

An diesem Tag schwammen wir um die Wette, und im Wasser war ich schneller. Das ärgerte Gwen. Sie versuchte, mich zu tauchen, aber das bekam ihr schlecht. Ihre kurze Mähne war pudelnaß, als wir an Land stiegen.

»Das ist eine Gemeinheit«, japste sie. »Beinahe wäre ich ersoffen.«

»So schnell ersäuft man nicht«, erklärte ich gefühllos.

»Und in dem dreckigen Wasser.«

»Es ist nicht dreckig.«

»Ja, ich weiß, moorig. Aber ich habe trotzdem viel davon geschluckt. Ich werde mich demnächst furchtbar rächen.«

Sie hatte schon kurz darauf Gelegenheit dazu. Denn als wir zum Waldhaus zurückkamen, erwartete mich eine Überraschung. Der Mercedes stand da, und Rosalind war gerade beim Ausladen.

Ihr Gesicht, als sie Gwen und mich kommen sah, hätte eigentlich fotografiert werden müssen. Zweifellos boten wir beiden auch ein sehenswertes Bild. Das heißt, weniger ich als Gwen mit den zwei putzigen Läppchen, die sie Badeanzug nannte. Lachend, uns auch jetzt verfolgend, kamen wir auf die Lichtung gelaufen, und Gwen erwischte mich, gerade als wir aus dem Wald kamen.

»Scheusal!« rief sie laut und sprang mit einem Satz auf meinen Rücken. Dazu sprang auch noch Dorian bellend an uns hoch, ich verlor das Gleichgewicht, wir purzelten ins Gras, die Pferde schnaubten erschrocken, und Gwen setzte sich rittlings auf mich und bearbeitete mich mit den Fäusten, fast nackt, wie sie war. Dorian stieß einen langgezogenen Heulton aus und sprang mir auch noch auf den Bauch. Ich konnte vor Lachen kaum piepsen und hatte alle Mühe, mich Ihrer Durchlaucht zu erwehren. Rosalind hatte ich aber auch schon gesehen.

Als ich schließlich wieder auf den Beinen stand, wozu ich allerhand Kraft hatte aufwenden müssen, und Rosalinds fassungslose Miene sah, mußte ich noch mehr lachen. Ich lachte albern wie ein Schulbub, und je länger ich Rosalind ansah, um so schlimmer wurde es.

Gwen hatte inzwischen die Besucherin auch gesehen.

»Deine Freundin ist gekommen!« rief sie juchzend. »Halleluja! Gleich wird sie mir die Augen auskratzen.«

»Sei still!« fuhr ich sie an und tat mein Bestes, um meine Gesichtszüge wieder einigermaßen in ihre vertrauten Bahnen zu lenken.

Rosalind starrte mich immer noch entgeistert an.

»Hallo!« sagte ich schwach.

Gwen, ein mokantes Lächeln im Gesicht, schob langsam hinter mir her, den Blick nicht von Rosalind lassend.

»Nett, daß du wieder mal kommst«, sagte ich nonchalant. »Kann ich dir was abnehmen?«

»Haben Sie was zu essen mitgebracht?« fragte Gwen girrend, ihren schlanken, nackten Körper dicht an meinen schiebend. »Ich sterbe vor Hunger. Dolfilein, du auch?«

Ich konnte mir nicht helfen, das alberne Gelächter stieg mir unwiderstehlich noch einmal in die Kehle. Gwen lachte mit. Rosalind hingegen schien die Situation gar nicht komisch zu finden. Einen Moment lang glaubte ich, sie würde mir ihre Päckchen und Flaschen, die sie in der Hand hielt, kurzerhand an den Kopf werden. Zuzutrauen war ihr so etwas.

Ich rettete mich in Formalitäten. »Das ist Gwen«, sagte ich. »Meine Frau.«

»Deine Frau?« rief Gwen erstaunt. »Ich denke, du hast keine.«

»Meine geschiedene Frau.«

»Ah so!« Gwen lächelte freundlich. »Wie reizend, gnädige Frau, daß Sie uns besuchen. Dolfilein hat mir schon so viel von Ihnen erzählt.«

Nicht ein einziges Mal hatte ich mit dem Fratz über Rosalind gesprochen.

»Dolfilein!« wiederholte Rosalind im Ton höchsten Abscheus. »Hat man so was schon gehört!«

Ich nahm ihr auf alle Fälle die Flaschen aus der Hand. Was ich sagen sollte, wußte ich auch nicht. Schließlich konnte ich in aller Eile keine Erklärung geben, wer und was Gwen war und wieso sie hier war. Der äußere Anschein, das Bild, das wir boten, war zweifellos dazu angetan, Rosalind zu entsetzen.

Sie ignorierte Gwen, sah mich mit blitzenden Augen an und sagte: »Dodo! Schämst du dich nicht?«

»Dodo!« jauchzte Gwen. »Hat man so was schon gehört!« Das waren eben Rosalinds Worte gewesen. »Ist das auch noch ein Name für einen Mann?«

Ich hielt es für das beste, erst mal ins Haus zu marschieren, lud die Flaschen ab, holte mir dann meinen Bademantel und hüllte mich hinein. Nach mir die Sintflut! Vielleicht fuhr Rosalind gleich wieder ab, und anschließend würde ich Gwen energisch an die Luft befördern. Fürstin hin und Fürstin her, das ging zu weit. Aber sie folgten mir alle beide ganz friedlich ins Haus, Gwen trug eine Sektflasche, reckte sie mir triumphierend entgegen und rief: »Sieh mal! Wieder ein Bügeltrunk für uns.«

Rosalind sah sich indigniert im Zimmer um, wo Gwens Reithose mitten auf dem Boden lag, das weiße Blüschen auf dem Sofa und der Büstenhalter und ein kleines Höschen über einer Sessellehne. Ohne Zweifel, ein seltsamer Anblick. Flüchtig schoß mir der Gedanke durch den Kopf, was wohl der fürstliche Vater sagen würde, falls er eben jetzt diesen Raum betreten hätte.

»Willst du dich nicht anziehen?« fragte ich Gwen.

»Nö. Warum denn? Es ist doch warm.« Sie lümmelte sich in ihrem paradiesischen Zustand in einen Sessel und sagte: »Gib mir was zu trinken.«

»Hol dir selber was«, brummte ich. »Und zieh dir gefälligst was an.«

»Geniert es Sie, gnädige Frau, wenn ich im Badeanzug bleibe?« fragte Gwen sehr liebenswürdig zu Rosalind gewandt.

Die gab ihr keine Antwort. Sie sah mich nur an. Fast tat sie mir leid. Sie war ganz blaß geworden, und ihre Nasenflügel bebten. Gleich mußte etwas Furchtbares geschehen.

»Eine gute Idee«, rief ich mit forcierter Heiterkeit. »Trinken wir etwas. Was möchtest du, Rosalind? Einen Campari? Oder lieber Wermut Soda?« Alles war da. Und Nachschub war auch gekommen. Allerdings, wie ich annahm, zum letztenmal.

»Es schreit zum Himmel!« sagte Rosalind mit zitternder Stimme. »Beinahe hätte ich Lix mitgebracht. Wenn sie dich in diesem Zustand gesehen hätte!«

Unwillkürlich blickte ich an mir hinunter. Ich war von Kopf

bis Fuß in meinen Bademantel gehüllt. Aber das meinte sie ja nicht.

»Lix?« fragte ich dämlich. »Hat sie denn keine Schule?«

Rosalind gab keine Antwort. Sie stand und blickte mich an. Ich glaube, ich hatte sie nie im Leben so fassungslos gesehen.

Besser, ich holte wirklich etwas zu trinken. Ich holte also die Flaschen aus dem Kühlschrank und etwas Eis und mixte drei Campari. Rosalind war mir nachgekommen.

»Kannst du mir erklären, was das bedeuten soll?«

»Wieso?«

»Sag nicht wieso!« fuhr sie mich böse an. »Wer ist dieses halbwüchsige Kind?«

»Ein junges Mädchen, das hier in der Nähe seine Ferien verbringt. Wir reiten zusammen.«

»So! Ihr reitet zusammen. Das schreit ja zum Himmel!«

»Warum denn? Sie ist eine sehr gute Reiterin.«

»Dodo!« Sie hatte wirklich Tränen in den Augen. »Mein Gott, Dodo! Ich hätte dich nie verlassen dürfen. Ich wußte ja, daß es ein schlimmes Ende mit dir nimmt, wenn ich nicht mehr bei dir bin. Ich wußte es. O Gott, ich kann dich nicht allein lassen.«

Was für Töne! So dramatisch hatte ich Rosalind nie erlebt. »Aber ich bitte dich, worüber regst du dich eigentlich auf? Das ist alles ganz harmlos. Da ist überhaupt nichts dabei, ich schwöre dir, ich . . .«

»Dolfilein«, zwitscherte Gwen hinter mir, »ich verdurste. Soll ich dir helfen, Schätzchen?«

»Halt die Klappe«, sagte ich grob. »Und zieh dich endlich an.«

Lächelnd nahm Gwen das Glas aus meiner Hand. »Ich hab' es gern, wenn du so energisch bist. Was soll ich denn anziehen? Das blaue oder das grüne?«

Nicht ein einziges Kleid von ihr befand sich bei mir. Ich hatte sie bisher überhaupt nur in Reithosen oder in ihrem lächerlichen Badekostüm gesehen.

Ich kehrte zurück ins Zimmer, ohne sie eines weiteren Blickes zu würdigen, setzte mich in einen Sessel und zündete mir eine Zigarette an. Gwen kam mir nachgeschlendert, Rosalind blieb auf der Schwelle der Küchentür stehen. Sehr graziös setzte sich Gwen zu mir auf die Sessellehne. »Gibst du mir auch eine Zigarette?«

»Hast du nicht Angst, daß ich dich eines Tages verprügle?«

»Das würdest du tun? Wirklich? Ich fände es herrlich.« Und mit einem Blick in mein finsteres Gesicht: »Nun lach doch mal. Ich denke, du bist von ihr geschieden. Was kann sie denn dagegen haben, wenn ich hier bin?«

Pause.

Und in dieses Schweigen hinein sagte eine erstaunte Stimme von der Tür her: »Oh! Störe ich?«

Kein Mensch wird mir glauben, daß so etwas möglich ist. Aber ich schwöre, es ist die lautere Wahrheit, was ich hier berichte. Unter der Tür stand Steffi.

Steffi, nett, blond, reizend anzuschauen, in einem blauweißen Sommerkleid, ein weißes Hütchen auf dem Kopf.

Ein tiefes, tiefes Schweigen breitete sich für eine Weile im Waldhaus aus. Ich bildete mir ein, das Summen einer Fliege zu hören. Dann rief Gwen entzückt: »Dolfilein! Noch ein Besuch. Wie viele Damen kennst du eigentlich?«

Ulkigerweise mußte ich an Toni denken. Was hatten wir uns geschworen bei unserem letzten Zusammentreffen? Keine Frauen mehr in unserem Leben. Wie recht er gehabt hatte! Wäre ich dem Schwur doch treu geblieben.

Doch dann merkte ich auf einmal, daß mein Herz vor Freude klopfte. Ich schob Gwen von der Sessellehne, stand auf und ging auf Steffi zu.

»Steffi! Wo kommst du denn her?«

»Geradewegs aus München.«

»Ich denke, du bist in Urlaub?«

»In Urlaub?«

»Ja. Bei dir im Büro sagten sie das.«

»Hast du angerufen?«

»Natürlich.«

Wir blickten uns schweigend in die Augen. Ein leises Rot stieg in ihre Wangen. Ihr Blick irrte ab und landete bei Rosalind. Dann wanderte er zu Gwen.

Vielleicht gibt es einen Mann unter Gottes Sonne, der schlagfertig genug gewesen wäre, die richtigen Worte zu finden. Also ich war es nicht. Ich wünschte mich – ja, wohin? Vielleicht in den Weiher zurück. Da, wo er am moorigsten ist, in der Ecke unter den Buchen.

Jessica rettete mich. Vielleicht hatte sie gespannt, daß es hier ganz interessant zuging. Oder es war ihr langweilig geworden.

Jedenfalls war sie aus dem kleinen umzäunten Platz, wo wir immer die Pferde ließen, ausgebrochen und erschien hinter Steffi an der Tür.

»Gwen!« sagte ich. »Dein Pferd hat sich selbständig gemacht.«

Ich ging an Steffi vorbei und erwischte Jessica an der Mähne. Sie stand ganz ruhig, und hinter ihr kam auch schon Isabel, ebenfalls von Neugier getrieben.

»Weg hier mit euch! Wenn ihr nicht hinter dem Zaun bleibt, werdet ihr angebunden.«

Ich brachte sie zu ihrem Platz zurück, und dabei bemerkte ich das Auto. Ein Stück hinter dem Mercedes stand ein Rekord. Demnach war also Steffi ebenfalls mit einem Wagen gekommen. Es saß niemand drin. Sie war allein gekommen.

Nun verstand ich überhaupt nichts mehr.

Ich schimpfte noch ein bißchen mit den Pferden und hoffte, drin im Haus würde ein Wunder geschehen. Vielleicht, daß keiner mehr dort war, wenn ich zurückkam.

Gwen war mir nachgekommen. »Finde ich ja toll«, sagte sie. »Ist das nun deine Freundin?«

»Eine Bekannte.«

»Du hast dich aber gefreut, daß sie gekommen ist.«

»Möchtest du dir nicht endlich etwas anziehen?«

Sie zog eine Schnute und sah mich vorwurfsvoll an. »Mich hast du gar nicht ein bißchen gern.«

»Gwen, sei nicht kindisch. Du bist so gut wie nackt. Was macht denn das für einen Eindruck?«

»Findest du mich so häßlich?«

Ich seufzte nur.

»Du bist ganz schön in der Klemme, nicht?« fragte sie genüßlich. »Drei Frauen auf einmal.«

»Du bist überhaupt keine Frau.«

»Was bin ich denn?«

»Ein ungezogener Fratz. Wenn ich dein Vater wäre . . .«

»Bist du aber nicht, ätsch! Möchte ich auch gar nicht.« Und plötzlich schmiegte sie ihre Wange an meine Schulter und bat ganz kindlich: »Schick die beiden fort. Es ist viel netter, wenn wir allein sind.«

»Mußt du nicht nach Hause zum Mittagessen?«

»Du schickst *mich* fort?« rief sie enttäuscht.

Wie unschuldig die braunen Augen blickten! Sie waren feucht und klar wie die Augen eines jungen Tieres.

»Ich schicke dich nicht fort. Ich frage mich nur, was der Graf sagt, wenn du stundenlang nicht nach Hause kommst.«

»Er weiß, daß ich bei dir bin. Und er hat auch nichts dagegen.«

Ich seufzte wieder. »Wenn du noch hierbleiben willst, dann zieh dich jetzt an.«

»Ja«, sagte sie gehorsam.

»Du mußt doch einsehen, daß du aufreizend wirkst in diesem Aufzug.«

»Auf dich?«

»Auf meine Gäste.«

»Das macht doch nichts. Die ärgern sich bloß. Du, deine Frau, die liebt dich immer noch. Das kann man deutlich merken.«

Ich sah ihr nach, wie sie langsam zum Haus ging. Barfuß, mit langen Schritten. Der Mann, der sie einmal bekam, war zu beneiden. Immerhin, soviel stand fest, dieser Mann war nicht ich. Und ich tat besser daran, diese neue Freundschaft wieder etwas abzubauen.

Nur noch eine

Eine halbe Stunde später saßen wir alle vier friedlich um den Tisch und verspeisten die Steaks, die Rosalind mitgebracht hatte. Sie waren etwas klein ausgefallen, denn aus zweien mußten vier gemacht werden. Gwen unterhielt uns dabei mit Geschichten aus ihrer Pensionatszeit. Sie sah jetzt wieder einigermaßen manierlich aus in Hosen und Bluse. Ich hatte mich auch angezogen, während Rosalind und Steffi gemeinsam das Mittagessen bereitet hatten.

Rosalind war entgegen ihrer sonstigen Gewohnheit ziemlich schweigsam. Einige Male traf ich auf ihren nachdenklichen Blick. Ich lächelte ihr dann möglichst harmlos zu. Aber sie lächelte nicht zurück. Sie sah ganz so aus, als hätte sie wichtige Probleme zu bedenken.

Steffi sagte auch nicht viel. Immerhin war es mir gelungen, während Gwen sich anzog, ihr ein paar Worte allein zu sagen.

»Ich freue mich, daß du da bist. Bitte, bleib hier. Die Kleine reitet dann gleich nach Hause. Und Rosalind fährt auch bald. Ich denke, wir hätten einiges miteinander zu reden.«

»Und wer ist«, sehr betont, »die Kleine?«

»Eine Nichte vom Grafen Tanning. Ein Kind noch, du siehst es ja. Wir reiten manchmal zusammen.«

»Ein Kind, so so! Ein ziemlich munteres Kind würde ich sagen.«

Steffi blieb wirklich. Gwen sattelte nach dem Essen ziemlich unlustig ihre Jessica. Sie fand es offenbar bei mir heute sehr unterhaltend.

Aber ich sagte: »Du wirst so lange machen, bis dich Onkel Franz postwendend deinem Vater zurückschickt. Was ich ihm nicht verdenken würde. Ein wenig solltest du dich nach der Hausordnung in Tanning richten.«

»Du willst mich ja bloß los sein«, grollte sie. »Das verzeihe ich dir nie.« Aber als sie fortritt, fragte sie: »Morgen um neun wieder bei der Brücke?«

Ich nickte. Was sollte ich tun? Und der lächerliche Bikini hing auch wieder auf meiner Leine.

Wir tranken Kaffee, wobei die beiden übriggebliebenen Damen eine sehr gepflegte Konversation machten. Beide fühlten sich etwas unsicher. Zu meiner Überraschung machte ich die Entdeckung, daß ich auf einmal Oberwasser hatte. Ich hatte Rosalind noch nie so kleinlaut gesehen. Ich wußte, daß sie mich für ihr Leben gern allein gesprochen hätte, aber das war glücklicherweise nicht möglich.

»Vielen Dank für alles«, sagte ich, als ich sie zum Wagen brachte. »Kommst du nächste Woche wieder?«

»Das bezweifle ich«, sagte sie spitz. »Ich habe das Gefühl, ich störe hier nur.« Aber dann änderte sich ihr Tonfall, fast beschwörend sagte sie: »Dodo, ich mache mir Sorgen um dich. Ernste Sorgen.«

»Aber warum denn, um Himmels willen?«

»Du verkommst.«

Ich mußte lachen. »Davon habe ich noch nichts gemerkt.«

»Ich muß dich allein sprechen. Hier ist es ja offensichtlich nicht mehr möglich. Kannst du in die Stadt kommen? Bitte. Wir treffen uns in einem Lokal. Oder ich komme zu Muni.« Sie zog die Brauen zusammen und fragte streng: »Weiß Muni eigentlich, was du hier treibst?«

»Was treibe ich denn? Du denkst doch nicht etwa, daß ich mit dem kleinen Fratz . . .«

Steffi, die sich schon von Rosalind verabschiedet hatte, erschien unter der Tür. Es lag ihr wohl daran, unseren Abschied abzukürzen.

»Bitte, komm nächste Woche hinein. Ich *muß* dich sprechen.«

Rosalind lächelte ein wenig verzerrt zu Steffi hinüber, schob sich hinter ihr Steuerrad und fuhr ab.

Gott sei Dank. Jetzt war nur noch eine da.

Ich wandte mich mit einem tiefen Aufatmen Steffi zu und breitete meine Arme aus, um sie an mich zu ziehen.

Aber Steffi wich betont zurück. »Ich bin nur geblieben, weil du mich darum gebeten hast. Ich fahre dann auch gleich.«

»Schön«, sagte ich friedlich, »ich werde mir geduldig alles anhören, was du zu sagen hast. Mag sein, das wirkt hier alles ein bißchen komisch auf dich. Aber glaub mir, es ist nichts geschehen, was dich ärgern könnte.«

»So?« fragte sie kurz.

Ich schwieg und blickte sie an.

»Du mußt zugeben, eine etwas merkwürdige Situation, in der ich dich angetroffen habe.«

»Finde ich gar nicht. Nicht für dich. Für Rosalind vielleicht. Als sie kam, war ich mit der Kleinen allein, und die war reichlich keß. Als du kamst, waren es bereits zwei Damen. Darf ich noch schnell etwas sagen? Ich freue mich schrecklich, daß du da bist. Und ich wünschte, du würdest bleiben. Und ich mag dich. Dich allein.«

Ihr Blick wurde weich. »So?« fragte sie wieder, aber es klang etwas freundlicher.

»Wenn ich dir alles erklären dürfte?«

»Ich bitte darum.«

»Also mit Rosalind war das so. Eines Vormittags . . .«

Ich erzählte, wie Rosalind überraschend aufgetaucht war und sich um mich und meinen Haushalt gekümmert hatte.

»Du hast mir nichts davon erzählt, als wir uns in der Stadt getroffen haben.«

»Ich hätte es dir erzählt, wenn du mir nicht mit Eberhard davongefahren wärst.«

»Das ist auch so etwas«, rief sie. »Ich wollte gar nicht mit Eberhard fahren. Ich wollte mit dir bei deiner Mutter Kaffee trinken. Aber du hast mich ja geradezu weggeschickt. Als wenn du froh wärst, mich los zu sein.«

»Ich hätte diesen verfluchten Eberhard in der Luft zerreißen können. Aber ich wollte es dir leichtmachen. Falls du eben doch ganz gern mit ihm gefahren wärst.«

»Das wollte ich nicht. Du bist schuld, daß ich mit ihm fuhr. Du hast mich im Stich gelassen.«

»Gut. Ich bin ein Depp. Ich habe mir das an jenem Nachmittag auch gesagt.«

Sie nickte zustimmend. »Das bist du.«

»Und was ist nun mit Eberhard? Hast du dich mit ihm versöhnt?«

»Erst du. Rosalind weiß ich nun. Und wer ist dieses kleine Biest?«

»Dieses kleine Biest ist die Fürstin K. Mit Vornamen Gwendolyn. Zu Besuch bei ihrem Onkel, dem Grafen Tanning. Sie kam zu mir, um Isabel zu sehen, weil Isabel aus dem Gestüt ihres Vaters stammt. Seitdem reiten wir zusammen.«

»Und?«

»Du hast sie ja gesehen. Sie ist ein recht hoffnungsvoller Nachwuchs eines alten Geschlechts. Und da sie sich auf dem Lande langweilt, beehrt sie mich mit ihrer Gesellschaft. Das ist manchmal reichlich lästig, aber ich kann sie schlecht hinauswerfen.«

»Lästig, so? Kann ich mir kaum vorstellen. Sie läuft hier so gut wie nackt herum, und sie ist sehr hübsch.«

»Das ist sie. Aber, wie gesagt, sie ist die Tochter eines Fürsten und achtzehn Jahre alt. Du wirst kaum annehmen, daß ich sie verführen will.«

Steffi hob die Schultern. »Es gibt die tollsten Dinge auf der Welt. Hast du?«

»Was?«

»Sie verführt?«

Ich lachte. »Gott behüte, nein. Ich fühlte mich nicht im geringsten dazu versucht.« Das stimmte zwar nicht ganz, aber ich brachte es dennoch im Brustton der tiefsten Überzeugung heraus. »Ich habe dich verführt, wenn ich mich recht erinnere. Und ich habe die Absicht, es wieder zu tun.«

»Das machst du dir auf jeden Fall sehr leicht. Du wartest einfach, bis ich mich zu diesem Zweck wieder bei dir einfinde, wie?«

Ich grinste. »Genau.«

Sicher war das etwas unverschämt. Aber ich wußte, daß ich Steffi wieder küssen würde. Sehr bald sogar. Ich hatte großes Verlangen nach ihr. Einen richtigen, gewaltigen Männerhunger, und trotz Rosalinds Fürsorge und Gwens Bikini hatte ich ihn nach dieser Steffi, die so appetitlich und frisch in ihrem braven Kleidchen vor mir stand und sich bemühte, eine finstere Miene aufzusetzen.

»Ich will dir etwas zeigen«, sagte ich, nahm sie bei der Hand und zog sie ins Haus und ins Schlafzimmer.

»Hier, siehst du, da habe ich dein Bett neben meinem zurechtgemacht. Es wartet die ganze Zeit auf dich. Dorian darf nicht mehr darauf schlafen. Du hast mich lange warten lassen.«

Sie öffnete den Mund, um etwas zu sagen, aber ich ließ ihr keine Zeit dazu, nahm sie in die Arme und küßte sie. Küßte sie lange und ausführlich, und immer, wenn sie nach Luft schnappte und zu Wort kommen wollte, fing ich von neuem an. Schließlich lag sie auf dem Bett und ich neben ihr, der Lippenstift war ab, das Haar zerstrubbelt, das Kleid verrutscht, und ich war ganz toll nach Steffi, erst recht, als ich spürte, wie sie immer weicher und nachgiebiger in meinem Arm wurde.

Schließlich lag sie ganz still und regungslos mit geschlossenen Augen.

»Was ist mit Eberhard?« fragte ich.

Sie blickte zu mir auf, mit ganz verwirrten, betäubten Augen. »Mit Eberhard?«

»Ja. Das muß ich wissen. Vorher.«

»Was soll mit ihm sein? Es hat sich nichts geändert. Was denkst du eigentlich von mir? Denkst du, daß ich alle Tage meine Meinung ändere? Warum willst du das jetzt wissen?«

»Ich will es wissen. Was war an jenem Nachmittag, als ihr zusammen fortgefahren seid?«

»Wir haben das Haus angesehen.«

»Und?«

»Und natürlich auf der Fahrt hin und zurück lange Debatten gehabt. Und dann habe ich ihm gesagt, daß ich bei einem anderen Mann gewesen bin. Ich konnte ja nicht sagen, daß du es bist, nachdem du dich vor dem Friedhof so töricht benommen hast. Er hätte mir nie geglaubt, daß ich . . . daß wir . . .«

Das stimmte wohl. Ich brauchte gar nicht so große Töne zu spucken, nachdem ich mich so ungeschickt angestellt hatte.

»Und?«

»Hör endlich auf mit dem ewigen ›Und?‹. Nichts und. Es ist aus zwischen ihm und mir. Das habe ich ihm klar und deutlich gesagt. Und seitdem habe ich ihn nicht mehr gesehen.«

»Seitdem hast du ihn nicht mehr gesehen?«

»Nein. Er hat schließlich auch seinen Stolz. Kein Mann läßt sich gern von einer Frau wegschicken. Ich habe gekündigt und meinen Urlaub genommen, der mir noch zustand. In die Firma kehre ich nicht zurück.«

»Gut.« Ich küßte sie wieder. Und dann begann ich endgültig ihr Kleid aufzuknöpfen.

»Was machst du denn? Ich will jetzt heimfahren.«

»Du willst fahren?« fragte ich und lächelte wie ein Don Juan auf sie herab. »Jetzt? Wirklich?«

Steffi sah mich an. Dann schloß sie die Augen wieder. »Nein«, sagte sie. »Ich glaube, ich will doch nicht.«

Wann beginnt eigentlich Liebe?

Es war schon Abend, als ich die arme Isabel endlich in ihren Stall brachte. Steffi und Dorian begleiteten mich. Ich fühlte mich herrlich und großartig. Und ich war glücklich. Richtig rundherum glücklich. Ich führte Isabel am Zügel, Steffi ging neben mir, ich hatte den Arm um ihre Schulter gelegt, und Dorian trabte vorneweg. Wir waren eine glückliche kleine Familie.

Eine Frau zu haben ist etwas Wunderbares. Eine Frau zu lieben eine ganz großartige Sache. Der Toni sollte mir noch einmal kommen mit seinem dummen Geschwätz.

Ich brachte Isabel in ihre Box, schüttete ihr Hafer ein, und sie begann heißhungrig mit ihrer Abendmahlzeit. Sehr ergiebig schien das Gras auf dem kleinen Platz hinter dem Waldhaus nicht gewesen zu sein.

Dann machte ich Steffi mit Andres und Mali bekannt. Und mit dem Wastl natürlich auch.

»Des is«, sagte der Wastl befriedigt.

»So, des is also nachher«, sagte die Mali und musterte Steffi nicht ohne Wohlwollen. Sie schien mit meiner Wahl einverstanden.

Wir mußten ins Haus kommen und ein Stamperl Schnaps

trinken. Eine Einladung zum Abendbrot lehnten wir ab. Die Mali nickte verständnisvoll. »Wollt's lieber allein bleiben, ihr zwei.«

Wir gingen heim und aßen mit großem Appetit zu Abend. Dank Rosalind hatten wir eine große Auswahl. Endlich erfuhr ich nun, wo das Auto herkam, mit dem Steffi heute hier aufgekreuzt war.

Es gehörte ihr. Sie hatte es gekauft.

»Gekauft?« fragte ich ungläubig.

»Ja. Ich dachte mir, hier draußen ist es doch ganz praktisch, einen Wagen zu haben. Damit man nicht immer auf die Bahn angewiesen ist. Er ist aus zweiter Hand, aber prima erhalten. Der Juniorpartner von Tante Josefas Rechtsanwalt hat sich einen neuen gekauft, und ich hab' seinen alten bekommen. War eine günstige Gelegenheit, wirklich.«

Und das Geld? Das Geld hatte Steffi geerbt. Tante Josefa hatte zu ihren Gunsten eine Lebensversicherung über zehntausend Mark abgeschlossen. Und außerdem gehörte ihr nun auch Tante Josefas Wohnung mit allem, was darin stand. Und das sei größtenteils ziemlich hübsch.

»Ich habe eine richtige Wohnung«, sagte sie glückstrahlend. »Immer habe ich mir das gewünscht.«

»Eine Wohnung«, zählte ich auf, »einen Wagen, Bargeld. Steffi, du bist eine gute Partie.«

»Bin ich. Und einen Freund mit einem Landhaus, wo ich das Wochenende verbringen kann, habe ich auch.« Sie küßte mich auf die Nasenspitze. »Und einen Mann darin.«

»Gehen wir ins Bett«, schlug ich vor.

»Aber wir sind doch erst aufgestanden.«

»Das macht doch nichts. Wir nehmen eine Flasche Wein mit und stellen das Radio an, und wir können noch reden, soviel du willst. Vorher, nachher und dazwischen. Vor allem muß ich dich im Arm haben. Ich bin ganz verrückt nach dir. Kannst du mir sagen, warum?«

»Nein, ich verstehe es auch nicht. Du warst mit einer so entzückenden Frau verheiratet und hast neuerdings eine bildhübsche junge Spielgefährtin. Ich kann mir nicht vorstellen, daß ich mit den beiden konkurrieren kann.«

»Ich werde dir sagen, wieso und warum.« Ich blickte eine Weile in ihre glücklichen blauen Augen, die voller Zärtlichkeit und Wärme waren, so schön, wie nur die Augen einer Frau sein können, die liebt und geliebt wird, die man kurz zuvor umarmt hat und die weiß, daß sie bald wieder umarmt werden wird. »Weil du eine Frau bist. Eine richtig erwachsene, leidenschaftliche Frau, die man wunderbar liebhaben kann. Genau die Frau, die zu mir paßt.«

»Und Rosalind?« fragte sie leise.

»Rosalind?« Ich blickte eine Weile nachdenklich ins Zimmer hinein. So lange hatte Rosalind hier gelebt. Und noch vor kurzem war ihr Bild hier gewesen, weit wirklicher, als sie es selbst bei ihren kurzen Besuchen sein konnte. Aber nun war es verschwunden. Dies war Steffis Haus und Steffis Zimmer, und nebenan war Steffis Bett. Ich war nun wirklich von Rosalind geschieden. Ohne Steffi wäre es nicht möglich gewesen. Jedenfalls noch lange nicht. Daß es jetzt so schnell gegangen war, erstaunte mich selbst.

Wann hatte ich begonnen, Steffi zu lieben? Als sie am Waldrand saß? Als sie am ersten Abend hier bei mir war und weinte? Als sie die erste Nacht bei mir schlief? Als sie mit Eberhard fortfuhr? Oder als sie heute auf der Schwelle stand? Ich mußte einmal ernsthaft darüber nachdenken, wann es wirklich begonnen hatte. Überhaupt, woran man merkt, daß eine Liebe beginnt, und was alles geschehen muß, damit man es für Liebe hält.

»Komm«, sagte ich. Ich stand auf, hob sie auf vom Sofa und trug sie ins Schlafzimmer.

Als ich sie niederlegte, sagte sie leise: »Das ist Rosalinds Bett.«

»Nicht mehr. Es ist dein Bett. Und außerdem ist es ganz unwichtig. Ich kann dich auch hinaustragen auf die Wiese und kann dich dort lieben. Wir haben Mond, und die Sterne sind da, und der Wald rauscht. Willst du?«

Sie verzog den Mund. »Ich weiß nicht. Vielleicht ist es ein bißchen kühl und feucht. Ich glaube, ich bleibe lieber hier.« Sie hob die Arme und legte sie um meinen Hals. »In meinem Bett.«

In jedem anständigen Roman gibt es ein Happy-End. Im wirklichen Leben nie so richtig, weil ja immer ein neuer Morgen kommt und das Leben weitergeht. Ich zum Beispiel, als ich am nächsten Morgen aufwachte, nachdem ich herrlich geschlafen hatte, sah mich sogleich der Fortsetzung meines Lebenslaufes gegenüber, der mir einiges Kopfzerbrechen bereitete. Ich hätte so schön mit Steffi frühstücken können und dann den Tag so hinblödeln lassen, so eine Art Flitterwochen machen, aber da war Gwen, die um neun an der Brücke auf mich wartete. Und wenn ich nicht kam, würde sie zweifellos hier aufkreuzen, und dann wäre es mir nicht angenehm gewesen, wenn sie mich mit Steffi im Bett überrascht hätte. Schließlich war sie ein sehr junges Mädchen. »Worüber denkst du nach?« fragte Steffi plötzlich.

»Eh, ich . . .? Wie kommst du darauf, daß ich nachdenke? Guten Morgen übrigens.« Ich gab ihr einen Kuß und rieb meine Nase an ihrer schlafwarmen Wange.

»Das seh' ich dir an.«

»Wenn ich denke?«

»Wenn du nachdenkst. Also was beschäftigt dich?«

»Nun, ich habe überlegt, ob ich vielleicht Frühstück machen soll.«

»Hm.« Steffi blinzelte mich von der Seite an. »Man sollte den neuen Tag nicht gleich mit einer Lüge beginnen. Dir hat ganz etwas anderes im Kopf rumort.«

Ich angelte nach meiner Armbanduhr. »Es ist kurz vor acht. Ich werde mal nach dem Wetter schauen.«

Ich rollte mich aus dem Bett, ging zum Fenster und stieß die Läden auf.

»Nichts zu machen«, verkündete ich, »es ist schönes Wetter. Ich dachte, es regnet vielleicht.«

Steffi lachte leise. »Der Himmel ist also nicht mit dir im Bunde. Und was dir Kopfschmerzen bereitet, ist die Frage, wie du mir beibringen sollst, daß du mit deiner fürstlichen Freundin ein Rendezvous hast.«

Ich warf mich quer über das Bett und schloß sie in die Arme.

»Es ist wunderbar, eine so gescheite Frau zu haben.«

»Das kann ich mir denken. Du weißt bloß nicht, ob sie gescheit genug ist, dir deswegen keine Szene zu machen.«

»Genauso ist es. Woher weißt du eigentlich, daß ich mit Gwen verabredet bin?«

»Du hast mir gestern erzählt, daß ihr jeden Morgen zusammen ausreitet.«

»Ach ja, richtig. Was bin ich für ein aufrichtiger Mensch!«

Sie strich mir mit zärtlichen Fingern über die Stirn und sagte: »Ich denke auch, daß du das bist. Und ich habe dir geglaubt, daß du mit der Kleinen keine Dummheiten gemacht hast. Und warum du es jetzt noch tun solltest, wüßte ich eigentlich nicht.«

»Eben«, rief ich sehr erleichtert. »Dazu besteht nicht der geringste Anlaß.«

»Also werde ich nun aufstehen, ich werde Frühstück machen, und dann wird der Herr sich zu seinem Rendezvous begeben.«

»Ich würde viel lieber im Bett mit dir frühstücken . . .«

»Im Bett frühstücken ist reine Lotterie. Das können wir tun, wenn es regnet. Nicht gerade, wenn die Sonne scheint. Übrigens, bilde dir nicht ein, ich sei die Großmut in Person. Ich knüpfe eine Bedingung daran, daß ich dich so ungeschoren mit fremden Damen spazierenreiten lasse.«

»Und die wäre?«

»Ich möchte auch reiten.«

»Aber das ist ja wunderbar. Nichts lieber als das. Ich bin immer allein geritten. Und Gwen ist ja sowieso nur vorübergehend da.«

»Ich bin noch Anfänger. Als junges Mädchen bin ich eine Zeitlang geritten. Später hatte ich keine Zeit dazu. Aber ich hatte furchtbar viel Freude daran. Und wenn ich die wohlhabende, nichtstuende Gemahlin von Eberhard geworden wäre, hätte ich sicher wieder damit angefangen. Das hatte ich mir schon vorgenommen.«

»Du wirst bei mir zwar keine wohlhabende, nichtstuende Gemahlin werden, aber ein Pferd sollst du bekommen.«

Sie richtete sich auf.

»Ein Pferd für mich allein?«

»Wenn du genug kannst, um damit etwas anzufangen, dann sollst du eins bekommen. Vielleicht hat der Graf mal eins, das er abgeben kann. Und ich kenne noch einen Bauern, nicht zu weit von hier, der hat gelegentlich auch mal eins, das brauchbar ist. Es muß ja kein Turnierpferd sein. Oder?«

»Ach du!« Sie umarmte mich stürmisch. »Es ist zu schön, um wahr zu sein. Ich habe ja auch noch Geld von Tante Josefa. Was wird's denn kosten?«

»Langsam, langsam. Eins nach dem anderen. Zunächst werden wir uns den Flux vom Grafen leihen. Der ist nicht mehr der jüngste und sehr brav. Auf dem wirst du lernen. Und dann werden wir weitersehen. Das Geld von Tante Josefa muß ja nicht bis zum letzten Pfennig ausgegeben werden.«

»Warum nicht? Wenn ich es nicht bekommen hätte, wäre es auch nicht da.«

Das war so typische Frauenlogik. Das kannte ich.

»Jeder Mensch«, meinte ich weise, »sollte ein paar Spargroschen haben.«

»Habe ich bisher auch nicht gehabt«, sagte Steffi leichtsinnig. »Sieh mal, ich habe doch nun alles. Eine Wohnung, einen Wagen, und wenn ich eine neue Stellung habe, verdiene ich wieder. Ich bekomme eine blendende Stellung, da brauchst du keine Bange zu haben. Ich kann perfekt Englisch und Französisch und ein bißchen Italienisch auch, ich kann selbständig verhandeln und Briefe schreiben, nach so einer Kraft, wie ich es bin, lecken sie sich heutzutage alle zehn Finger.«

»Kann ja sein. Und ich?«

»Was und du?«

»Wie denkst du dir das? Du hast in München eine Stellung, ich sitze hier auf dem Lande und bin einsam. Denkst du, ich will weiter nichts als eine Wochenendbraut?«

»Zunächst bleibe ich ja da. Das heißt, wenn du willst. Ich mache einen schönen, großen, dicken Urlaub. Den ganzen Sommer lang. Und eine Wochenendbraut ist etwas Feines. Ich dachte, so etwas wünschen sich alle Männer.«

»Ich nicht.«

»Du auch. Aber es ist nett, daß du es nicht zugibst. Schließlich mußt du ja auch was arbeiten.«

»Das müßte ich wohl.«

»Na, siehst du. Es ist viel besser, wenn ich nicht immerzu da bin.«

Ich lächelte ein wenig, als ich ihre erwartungsvollen Augen sah. Man würde sehen. Es war noch zu früh, um große Pläne zu machen. Aber man würde sehen. »Angenommen, ich würde sehr fleißig arbeiten und sehr viel schreiben, dann könntest du auch meine Sekretärin sein.«

»Ich bin ziemlich teuer, weißt du.«

»Hm. Auch nicht, wenn du gratis Reitunterricht bekommst und jeden Morgen mit deinem Chef ausreiten kannst?«

»Das ist ein Angebot. Ich werde es mir überlegen. Und jetzt stehe ich auf, sonst müssen fürstliche Gnaden zu lange auf dich warten.«

Ehe ich fortging, sagte ich: »Wie fange ich es bloß an, sie nachher nach Hause zu schicken? Wenn du schon so gescheit bist, dann sage mir auch das.«

»Ist sie sonst jeden Tag mit hierhergekommen?«

»Jeden Tag. Wir haben meist im Weiher gebadet.«

»Na, da badet ihr heute eben auch.«

»Aber du kommst mit?«

»Wenn ich darf.«

Gwen begrüßte mich strahlend wie jeden Morgen. Und wir waren kaum aus Ober-Bolching hinaus, fragte sie mich: »Na, wie war es gestern noch? Ist dein Besuch lange geblieben?«

Am besten, ich sagte es ihr gleich. »Ein Teil fuhr bald wieder ab, der andere ist noch da.«

»Oh!« machte Gwen. Dann schwieg sie. Sie schwieg lange und ausdauernd, und ich störte sie nicht dabei. Schließlich richtete ich es so ein, daß wir in der Nähe des Waldhauses landeten.

»Kommst du mit zum Baden?« fragte ich.

Sie zog eine hochmütige kleine Schnute, sah mich kurz von der Seite an und meinte kühl: »Ich denke nicht. Ich kann mir nicht vorstellen, daß das erwünscht ist.«

»Aber warum denn nicht?« fragte ich harmlos. »Hat dir Steffi nicht gefallen? Es wäre noch nett, wenn ihr euch ein bißchen anfreundet.«

»Anfreunden?«

»Warum denn nicht?«

»Ich freunde mich nicht mit Frauen an.«

Ich mußte lachen. »Sei nicht kindisch, Gwen.«

Diesmal war ihre Miene voll fürstlicher Ungnade. Sie gab keine Antwort.

»Sie mal . . .«, begann ich, aber weiter kam ich nicht.

»Schon gut«, sagte sie sehr kühl und hoheitsvoll. »Mich interessiert es weiter nicht, was du für Freundinnen hast und was sie bei dir treiben. Ich wünsche viel Spaß. Jetzt reite ich lieber heim. Tschüs.«

Schon gab sie Jessica die Sporen.

»Halt«, rief ich, »warte doch. Und was ist morgen? Um neun wieder, bei der Brücke?«

»Nein«, rief sie über die Schulter zurück. »Morgen habe ich keine Zeit.« Und weg war sie.

Ich lachte, aber es klang gezwungen. War die Kleine am Ende wirklich ein wenig verliebt gewesen? Mangels anderer Gelegenheit natürlich, darüber war ich mir klar.

Aber was sollte ich tun? Ich konnte ihretwegen nicht Steffi nach Hause schicken. Und wenn Ihre fürstliche Durchlaucht also beliebte zu bocken, dann konnte ich ihr nicht helfen. Aber irgendwie betrübte es mich ein wenig. Gwen war ein sehr reizender Spielgefährte gewesen.

»Allein?« fragte Steffi, als ich kam.

»Ja. Sie ist mir böse, daß ich nicht mehr allein bin.«

»Aha. Also doch. Hast du ihr denn gesagt, daß ich noch hier bin?«

»Warum denn nicht? Soll ich mich vielleicht vor diesem halbwüchsigen Fratzen fürchten?«

Ich gab ziemlich wortgetreu den kurzen Dialog wieder, der zwischen Gwen und mir stattgefunden hatte.

Steffi war bemerkenswert verständnisvoll. »Fürstin her oder hin, in dem Alter ist man so. Man verliebt sich immerzu und bildet sich ein, jeder Mann könne keine andere Frau mehr anschauen. Das ist nun mal so. Willst du nun mit mir baden gehen, oder trauerst du um dein entschwundenes Prinzeßlein? Soll ich vielleicht heimfahren?«

»Schmarrn«, sagte ich grob. »Fang bloß nicht an zu spinnen, dafür ist unsere Ehe noch zu jung. Wir gehen jetzt schwimmen, und dann machen wir uns einen herrlichen faulen Tag.«

»Keineswegs«, widersprach Steffi. »Wir gehen zwar schwimmen. Aber dann wirst du dich an deine Schreibmaschine setzen, und ich werde mal saubermachen. Das scheint mir dringend notwendig zu sein.«

»Das sind alles keine Beschäftigungen für ein junges Liebespaar.«

»O ja, gerade. Du wirst sehen, was für ein nützliches Leben man trotz aller Liebe führen kann.«

Nun, allzu nützlich wurde es an diesem Tag nicht. Nach dem Baden half ich Steffi ein bißchen beim Aufräumen, und als sie Mittagessen kochte, sah ich ihr zu. Sie gefiel mir immer besser.

Mit welchem Eifer sie herumwirtschaftete. Und wie bereitwillig sie jedesmal Besen oder Kochlöffel beiseite legte, wenn ich sie küssen wollte. Wir lachten viel, wir waren sehr vergnügt und glücklich, und erst am Nachmittag, als wir Kaffee tranken, dachte ich wieder an Gwen, als ich die zwei putzigen Bikinifetzchen auf der Leine hängen sah. Ob sie gar nicht mehr kommen würde?

Am nächsten Morgen wartete ich vergeblich an der Brücke auf sie. Da konnte man nichts machen. Ich ritt allein, und ich gestehe ehrlich, mir fehlte etwas.

Nun ja, alles konnte der Mensch nicht haben. Jetzt hatte ich Steffi, und das bedeutete mir mehr.

Im Laufe des Tages trübte es sich ein, und am nächsten Morgen regnete es. Steffi machte den Vorschlag, wir sollten in die Stadt fahren, und ich sollte die neue Wohnung ansehen. Das taten wir. Ich hatte Gelegenheit, festzustellen, daß Steffi eine sehr gute Autofahrerin war. Es schien, ich hatte da eine vielseitig begabte patente junge Frau erwischt. Was man manchmal doch für Glück im Leben hatte!

Ich sagte es, und Steffi lachte. »Wenn du es nur einsiehst.«

»Es ist mir direkt peinlich, aber ich kann überhaupt nicht Auto fahren. Ich nehme an, das ist für einen Mann eine Schande. Ich werde es lernen.«

»Bloß nicht. Du bist ein Dichter und brauchst solche Dinge nicht zu tun. Das mache ich. Du reitest auf deiner Isabel durch den Wald, das paßt viel besser zu dir.«

Die Wohnung von Tante Josefa war wirklich hübsch. Zwei Zimmer, davon das Wohnzimmer mit teilweise sehr wertvollen alten Möbeln eingerichtet. Sehr gemütlich war es hier. Und im Schlafzimmer stand ein breites französisches Bett.

»Tante Josefa war wirklich erstaunlich«, meinte ich. »Sie hat an alles gedacht.«

»Mit einem schönen großen Bett fängt die Kultur überhaupt erst an, sagte sie immer. Und ich glaube, sie hat dabei nicht nur ans Schlafen gedacht.«

»Zu schade, daß ich sie nicht mehr kennengelernt habe. Sie wird mir immer sympathischer.«

»Ja. Wirklich schade.«

Am nächsten Tag besuchten wir Muni. Steffi war ein wenig befangen, aber sehr liebenswürdig. Muni außerordentlich mißtrauisch und zurückhaltend. Sie mußte sich halt erst an den

Gedanken gewöhnen, daß es wieder eine Frau in meinem Leben gab. Das brauchte Zeit, und glücklicherweise schien Steffi das einzusehen.

Abends bummelten wir ein wenig in Schwabing herum. Ich dachte, wir würden vielleicht Toni treffen, aber er war nirgends zu sehen. Ich hätte ihm gern gestanden, daß ich den Schwur gebrochen hatte.

Wir gingen in den ›Käfig‹ zum Tanzen, und ich konnte feststellen, daß Steffi zu allen übrigen Talenten eine ausgezeichnete Tänzerin war.

»Vielleicht würde es ein Spießer komisch finden, daß ich tanze«, sagte sie, »nachdem Tante Josefa erst so kurz tot ist. Aber ich weiß, daß sie selbst es richtig finden würde. ›Ich hasse dumme und ich hasse sentimentale Menschen‹, sagte sie einmal. ›Sei niemals verlogen, Stephanie. Und lebe das Leben in jeder Stunde richtig. Lache, wenn du glücklich bist. Und weine, wenn du traurig bist. Aber nur, wenn dein Gefühl es von dir verlangt und nicht eine dumme Konvention.‹ Wie findest du das?«

»Durchaus richtig.«

»Sie sagte immer Stephanie zu mir.«

»Mir gefällt Steffi. Aber Stephanie ist auch hübsch.«

Wir tanzten, Wange an Wange, einen zärtlichen Slowfox.

»Was hast du noch für Vornamen?« fragte mich Steffi.

»Nichts Besonderes. Josef nach meinem einen Großvater, Florian nach meinem anderen und Adolf, das weißt du ja, nach meinem Taufpaten.«

»Adolf, Josef, Florian«, wiederholte Steffi.

Die Musik schwieg, dudelte einen kleinen Dreiklang zum Zeichen, daß der Tanz zu Ende war.

Als wir wieder am Tisch saßen, sagte Steffi: »Ich werde dich Florian nennen. Gefällt mir gut. Und paßt auch gut zu dir. Viel besser als Adolf. Ist es dir recht?«

»Nenne mich du, wie du willst, daß ich heiße. Den Namen nehm' ich von dir.«

»Walküre, erster Akt. Gehen wir auch mal in die Oper, Florian?«

»Von Herzen gern. Ich bin früher oft gegangen. Aber Rosalind machte sich nicht viel daraus. Und allein – na ja, da hat man meist nicht den Auftrieb.«

»Ich gehe gern in die Oper. Überhaupt gern ins Theater. Und

auch gern zum Tanzen. Und noch eine Menge tue ich gern. Du wirst schon sehen.«

Ich nahm ihre Hand und küßte sie. »Ich sehe. Und ich freue mich. Du weißt gar nicht, Steffi, wie sehr ich mich über dich freue.«

Wir sahen uns eine Weile schweigend in die Augen und waren uns sehr nah und vertraut. Ich war vierzig Jahre alt. Nächsten Monat hatte ich Geburtstag. Aber es war alles ganz neu und ganz wunderbar, und ich geriet immer tiefer in das Neue und Wunderbare hinein. Eine neue Frau, eine neue Liebe, ein neues Leben.

»Gehen wir?« fragte ich und blickte auf Steffis Mund, der weich und sehnsüchtig war. Sie nickte.

Als wir im Auto saßen, küßte ich sie. Ich konnte nicht warten, bis wir zu Hause waren.

Ein Gespräch mit meiner Tochter

Am nächsten Tag traf ich Lix zum Mittagessen. Steffi wollte nicht mitkommen, und vielleicht hatte sie recht. Man mußte den Dingen Zeit lassen, sicher war es besser, meine Tochter allein zu treffen. Lix erschien mir nicht ganz so lebhaft wie sonst. Sie erzählte zwar viel von der Schule und von ihren Freundinnen, aber sie sprach kaum von ihrem neuen Zuhause.

»Na, und deine Freundin Dolly?« fragte ich schließlich.

»Ach die!« machte Lix verächtlich. »Die hat ja 'nen Knall.«

»Wieso denn das?«

»Immer muß sie angeben. Wo sie überall schon war, und was sie alles kann und hat. In der Schule ist sie reichlich blöd, das kannst du mir glauben. Viel dümmer als ich. Bloß weil sie viele Kleider hat und schon in Italien war und in der Schweiz, bildet sie sich sonstwas ein. Und neulich hat sie gesagt: Schriftsteller sei überhaupt kein Beruf. Das sei ein Zeitvertreib für Leute, die nicht arbeiten wollten. Und Geld könne man damit überhaupt nicht verdienen.«

»So«, sagte ich und betrachtete sie aufmerksam.

»Und auf Geld allein käme es im Leben an, hat sie gesagt. Aber ich hab' ihr vielleicht eine geschmiert, und dann haben wir uns furchtbar geprügelt, und seitdem reden wir nicht mehr zusammen.«

Ich war gerührt. Meine Tochter hatte sich für mich geschlagen.

»Eigentlich«, sagte ich, »bist du schon zu groß, um dich zu prügeln. Aber ich verstehe, daß du dich geärgert hast. Mir scheint, diese Dolly ist eine kleine Gans. Nun ja, es gibt vielerlei Meinungen, nicht wahr? Das wissen wir beide. Du solltest dich darüber nicht ärgern. Ich will auch nichts zur Verteidigung meiner Arbeit sagen. Du kennst mich, und wenn du älter wirst, dann wirst du alles besser verstehen und selbst urteilen können. Dann sollst du dir deine eigene Meinung bilden. Über mich, über meine Arbeit, über Leute meinesgleichen. Ich werde dich nie beeinflussen, Lix. Ich vertraue auf deinen Verstand und auf dein Gefühl. Ich könnte zu dir sagen: Geld ist nicht so wichtig. Andere Dinge im Leben sind wichtiger. Aber ich sage es nicht. Geld ist schon in gewisser Weise wichtig. Es ist aber nicht der Maßstab aller Dinge, man muß das richtige Verhältnis dazu gewinnen, und das muß jeder für sich allein tun. Und jeder muß auch wissen, wie er leben will. Man kann niemandem einen Fahrplan für sein Leben aufstellen. Du bist ein intelligentes Mädchen. Und du wirst es schon lernen, Menschen und Dinge zu beurteilen. Mit deinem Maß und nach deinem Geschmack. Darauf vertraue ich. Und darum vertraue ich auch darauf, daß wir beide immer gute Freunde sein werden. Oder vielleicht später, wenn du älter bist, erst richtig werden können.«

Ich hatte ganz ruhig gesprochen, ohne pädagogischen Zeigefinger, ganz gelassen, im Konversationston, wie ich zu einem Erwachsenen sprechen würde.

Lix hörte mir aufmerksam zu. Es freute sie, daß ich so ernsthaft und vernünftig mit ihr sprach. Sie nickte mehrmals mit dem Kopf und sagte: »Ich verstehe dich sehr gut, Paps. Ich weiß, was du meinst. Wir werden immer Freunde sein. Da kann Mami heiraten, wen sie will. Und solche Leute, wie Dolly und ihr Vater – phhh!, die imponieren mir gar nicht. Bloß weil sie Geld haben.«

Ich räusperte mich. »Na ja, du mußt natürlich zu Dolly und auch zu ihrem Vater ein einigermaßen freundschaftliches Verhältnis haben. Schließlich wirst du ja mit ihnen leben. Und Mami wird ihn heiraten. Und . . .« Ja, was noch? So einfach war das alles nicht. Nicht für so ein junges Kind wie meine

Tochter. »Und ich glaube, Herr Killinger ist ein sehr tüchtiger Mann.«

»Kann ja sein«, meinte Lix, aber es klang nicht sehr überzeugt. »Aber weißt du, Paps, eigentlich kann ich nicht verstehen, warum Mami ihn heiraten will. Er ist . . . er ist . . .« Sie runzelte die Stirn und suchte nach Worten. »Er ist nicht so richtig lieb zu ihr. Nicht so, wie du es warst.«

Das Gespräch wurde langsam schwierig. »Das kann ich nicht beurteilen. Und du sicher auch nicht. Ich denke, Mami ist alt genug, um zu wissen, was sie tut.«

»Meinst du?« fragte mich meine Tochter, und ihre Stimme war voller Skepsis. Und wenn ich ehrlich gewesen wäre, hätte ich antworten müssen: »Nein, das meine ich nicht. Ich meine, daß deine Mutter ein unvernünftiges Kind ist, das den Kopf und das Herz voll unvernünftiger Wünsche hat und dabei das Wesentliche übersieht. Sie läßt sich blenden, und sie . . . Ja, was noch? Sie würde hoffentlich finden, was sie suchte. Und das war nicht Liebe und nicht Verstehen und nicht eine zärtliche Gemeinschaft. Das war leider ganz etwas anderes. Aber das konnte ich Lix nicht erklären. Nicht heute und hier. Vielleicht später einmal.

Der verhinderte Hochzeiter

Das Wetter hatte sich noch immer nicht gebessert. Es regnete sacht, aber beständig vor sich hin, und es war ziemlich kühl. So konnte der Münchner Sommer manchmal auch aussehen, und das hielt er unter Umständen eine ganze Weile durch.

Steffi und ich beschlossen dennoch, an diesem Abend ins Waldhaus hinauszufahren. Erstens wegen Dorian, zweitens wegen Isabel und drittens überhaupt.

»Weißt du«, sagte Steffi, als sie auf die Landstraße hinaussteuerte, »ich finde es schick, zwei Wohnsitze zu haben. Macht mir Spaß. Wie bei feinen Leuten.«

»Ich habe sogar drei«, prahlte ich. »Bei Muni auch. Herr Killinger mit seiner Tessiner Villa ist ein alter Hut gegen mich.«

»Das dürfte deine Frau . . . ich meine Rosalind, nicht hören. Ihr wird es großen Spaß machen, den Sommer bei den reichen Leuten im Tessin zu verbringen.«

»Bestimmt. Schön heiß und staubig. Und viele Autos. Habe ich mir jedenfalls erzählen lassen. Ich bin noch nicht dortgewesen. Du?«

»Doch. Voriges Jahr mit Eberhard. In Ascona. Ist sehr hübsch. Aber immer möchte ich nicht dort sein. Mir gefällt es im Waldhaus besser.«

Ich streichelte dankbar ihr Knie und sah ihr zu, wie sie chauffierte. Hübsch machte sie das. Sie saß gerade und konzentriert, ich konnte ihr intelligentes und energisches Profil bewundern und die sanfte Linie zwischen Kinn und Hals.

»Du gefällst mir«, sagte ich. »Du gefällst mir jeden Tag besser. Von Kopf bis Fuß.«

»Das freut mich. Ich habe immer Angst, du vergleichst mich mit Rosalind. Sie ist viel hübscher als ich.«

»Sie ist nicht hübscher. Sie ist anders. Oder du bist anders. Wie man will. Und mir gefällst du besser.«

»Momentan.«

»Sicher. Vor einem Jahr konntest du mir nicht besser gefallen, da kannte ich dich noch nicht. Da hatte Eberhard noch Gelegenheit, dich zu bewundern. In Ascona.«

Sie zog ein wenig die Brauen hoch. »Fang bloß nicht an, auf mein früheres Leben eifersüchtig zu sein.«

»Ich bin es aber. Und wenn ich an Eberhard denke . . .«

»Denke nicht an ihn. Ich tue es auch nicht.«

»Eben hast du von ihm gesprochen.«

»Ich habe bloß gesagt, daß wir in Ascona waren.«

»Eben.«

»Was ist dabei?«

»Ein anständiges Mädchen fährt nicht mit einem Mann in Urlaub.«

»Damals waren wir ganz neu«, sagte sie versonnen, und sie sagte es mit einem gewissen Genuß, wie Frauen immer von vergangenen Liebesabenteuern sprechen. »Und ich bin kein anständiges Mädchen. Ich fahre jetzt auch mit einem Mann in sein einsames Landhaus. Der ist auch neu.«

»Wirklich? Ist der so neu?«

»Ziemlich. Drum ist es auch so aufregend.«

»Das klingt nicht sehr verheißungsvoll. Wenn ich nicht mehr neu bin, werde ich dann nicht mehr aufregend für dich sein?«

Sie lachte und gab mir einen kurzen Seitenblick. »Ich hoffe sehr, du wirst es bleiben.«

»Ich werde mir Mühe geben.«

»Wenn du mich immer so wunderbar küßt und . . .«

»Und?«

»Und so wunderbar liebst, dann bleibt es aufregend.«

»Ist es wunderbar?«

»Sehr. Du bist ein viel besserer Liebhaber als Eberhard.«

Einerseits freute mich das.

Andererseits – welcher Mann hört schon gern von früheren Liebhabern.

»Ich könnte Eberhard erdrosseln«, sagte ich finster.

»Wozu denn? Das ist vorbei. Ich sage dir doch, ich bin viel lieber bei dir.«

Na schön. Damit mußte ich mich zufriedengeben. Man bekam selten eine Frau ganz fabrikneu. Und ich war nicht so sicher, ob ich das auch wirklich wollte.

»Du wirst gleich Dorian holen, Florian. Ist das nicht hübsch? Florian und Dorian. Daß du da nie draufgekommen bist. Und du schaust nach Isabel, ich mache inzwischen Abendessen. Und dann werde ich ein Buch von dir lesen.«

»Das denn doch nicht.«

»Aber ja. Darauf freue ich mich schon. Wir wollen uns einen richtig gemütlichen Abend machen. Und wenn es kühl ist, stecken wir das kleine elektrische Öfchen an. So wie damals, ja?«

Ja. Das hatten wir uns so gedacht. Von wegen gemütlicher Abend.

Als wir über den Waldweg gehoppelt waren und auf die Lichtung einbogen, stand da ein Automobil. Demnächst werde ich Parkgebühren verlangen. Aber was heißt Automobil. Ein winzigkleiner, verdreckter Karren.

»Nanu?« sagte ich. »Wer ist denn das?«

Als wir hielten, kletterten zwei Männer aus dem Wagen. Den einen kannte ich nicht. Den anderen indessen doch. Es war Toni. Mir blieb die Sprache weg. Der Toni hatte Schwabing verlassen und sich aufs Land begeben. So etwas war überhaupt noch nie dagewesen.

»Grüß di nachher«, sagte der Toni. »Ich dachte schon, du kommst überhaupt nicht mehr.«

Dann musterte er Steffi, die auch ausgestiegen war, ohne sonderliche Begeisterung.

»Du hast Besuch?« fragte er gedehnt.

»Wie du siehst. Und wo kommst du mitten in der Nacht her?« Denn es war mittlerweile sieben Uhr geworden.

»Ich denk', du hast keine Frau mehr.«

»Jetzt habe ich wieder eine.«

»Kein Verlaß auf euch junge Burschen«, knurrte er. »Erst schwören und dann a Madl da naus verziehen.«

»Alsdann kann ich fahren«, mischte sich der junge Mann ein, den ich nicht kannte. Er war lang und furchtbar mager und trug einen dunklen Künstlerbart, der von einem Ohr zum anderen reichte. »Servus beieinand'.«

»Wieso?« rief ich und blickte überrascht von einem zum anderen. »Heißt das, du willst hierbleiben?«

Der Toni nickte. »Das will ich. Du hast gesagt, du bist allein heraußen. Da dacht' ich, ich könnt' bei dir bleiben.«

»Bei mir?«

Jetzt bequemte er sich, vor Steffi eine kleine Verbeugung zu machen.

»Wir kennen uns ja eh', meine Gnädigste. Tut mir leid, wenn ich stör'. Er hat gesagt, er is allein.«

Der junge Mann hatte inzwischen einen alten Pappkoffer und mehrere umfangreiche Kartons aus seinem Vehikel gezerrt und auf den feuchten Boden gestellt.

»Also, ich fahr'. Grüß dich, Toni.«

»Grüß di nachher«, sagte Toni. »Und daß d' mir ja die Schnauzen hältst. Hast mi?«

»Klar. Ich weiß doch Bescheid.«

Der Jüngling kletterte in seine Mühle, startete mit viel Lärm und verschwand in einer blaugrauen Benzinwolke.

Es war kaum zu glauben: Ich hatte einen Hausgast.

Ich schloß die Tür auf und sagte: »Da, geh rein. Und dann erzähl, was los ist. Ham's dich rausgeschmissen? Hast deine Miete wieder nicht bezahlt?«

Toni knurrte etwas vor sich hin, belud sich mit dem Koffer, trug ihn hinein, kehrte wieder um, holte einen Karton nach dem anderen und pflanzte sie ebenfalls mitten ins Zimmer. Dann placierte er sich in meinem schönsten Sessel, seufzte steinerweichend und fragte: »Hast an Schnaps?«

Ich hatte. Dank Rosalind war ich bestens ausgestattet.

Ich füllte drei Gläser, Toni nahm das seine zierlich zwischen zwei Finger, erhob sich etwas von seinem Stuhl, verbeugte sich vor Steffi und sagte: »Auf Ihr Wohl, meine Gnädigste«, kippte den Schnaps hinunter und hielt mir das Glas wieder hin. Ich goß nach.

»Ich hoff', es stört Sie nicht, daß ich hier bin.«

Steffi hob die Schultern. »Keineswegs.«

»Na, ich weiß schon. Es stört Sie doch. Aber er hat gesagt, er wär' allein.«

»Ja, das hab' ich schon gehört.« Steffi lächelte amüsiert. »Aber jetzt ist er eben nicht mehr allein. Ich hoffe, es stört *Sie* nicht, daß *ich* da bin.«

Toni trank den zweiten Schnaps und musterte darauf Steffi eine Weile ziemlich unverblümt. »Naa, ich glaub' net. Obwohl ich derzeit auf die Weiber schlecht zu sprechen bin.« Dann stand er auf. »Verzeihung. Auf die Damen wollte ich sagen.«

Steffi lachte. »Ich werde mir Mühe geben, Ihren Unwillen nicht zu erregen. Und wenn ich gar zu unerträglich für Sie werde, kann ich ja wegfahren.«

»Derbleckt's mi?« fragte mich der Toni mißtrauisch.

»Du bist nicht gerade sehr höflich«, sagte ich ein wenig ärgerlich. »Vielleicht rückst du mal damit heraus, was eigentlich los ist.«

»Gib mir erst noch einen Schnaps.«

Und dann erzählte er. Es war sehr komisch. Und Tonis Darstellung war so geartet, daß Steffi und ich Tränen lachten, was ihn sichtlich erboste.

»Ihr lacht's«, grollte er. »Kein Mensch versteht mich. Ich bin nun mal a freier Mensch und will's bleiben. Ist denn des so schwer zu verstehen?«

Um es kurz zu machen, der Toni besaß seit geraumer Zeit eine Freundin. Es sei eine mittelalterliche Witwe, wie er sich ausdrückte, bei der er ein Zimmer gemietet hatte.

»Soweit ist's noch ganz guat beieinand. Nix gegen zu sagen. Ganz a appetitliche Frau. Sonst hätt' ich das gar net erst angefangen.«

An sich hatten ihn die Frauen schon seit langem nicht mehr sonderlich interessiert. Aber die Witwe hatte ihn nach und nach mit Beschlag belegt. Miete brauchte er auch nicht mehr zu bezahlen. Sie wollte einen Mann, den sie besorgen und betun konnte, für den sie kochen, nähen und werkeln durfte, an dessen Leben sie teilnahm, genau wie er an ihrem. Sie kochte sehr gut, das betonte er des öfteren. Ihr Schweinsbraten sei ein Gedicht, und Nockerl könne sie machen, die einem auf der Zunge zergingen. Die Geschichte währte nun schon über ein Jahr. Und seit einiger Zeit hatte sich die Witwe in den Kopf gesetzt, ihn zu heiraten. Erstens wegen der Leute, und zweitens sei es überhaupt besser, wenn der Mensch seine Ordnung im Leben habe. Der Toni meinte, die habe er so auch, und man müse gar nichts an dem bestehenden Zustand ändern.

»Kannst du verstehen, warum eine mich heiraten will? Sag amol ehrlich?« fragte er mich.

»Offen gestanden, nein«, mußte ich antworten.

»Vielleicht ist es – Liebe?« warf Steffi ein.

»Liebe!« winkte der Toni verächtlich ab. »Schmarrn. In unserm Alter.«

Kurz und gut, es gab immer wieder mal Auseinandersetzungen über das Thema, es gab Tränen, und der Toni trieb sich nächtelang in Schwabing herum, und wenn er nach Hause kam, war die Stimmung unerfreulich, doch dann kochte sie ihm wieder sein Leibgericht, und sie versöhnten sich wieder, und alles fing von vorn an.

Und neulich, als es ihm wieder einmal besonders gut geschmeckt hatte und er ein par Glas getrunken hatte, da hatte er schließlich gesagt: »Also meinetwegen, in Gottes Namen, wann's unbedingt sein muß, heiraten wir halt.«

Aber das hatte er am nächsten Tag schon wieder bereut. Und für heute nun hatte die bräutliche Witwe zu einer Art Verlobungsfeier geladen, ein paar gute Freunde; und ihr Sohn, der in Augsburg lebte, wollte extra mit seiner Frau nach München kommen, und alles wurde auf einmal todernst, da war der Toni ausgerissen. Und da er nicht wußte, wohin, Geld hatte er ja wie üblich nicht, war er auf mich verfallen.

»Ich hab' an Zettel dagelassen, ich fahr' in Urlaub. Und bei dir herauß ist ja so eine Art Sommerfrische, net wahr?«

Der junge Mann mit dem Bart, der den kleinen Tabakladen und den Zeitungshandel an der Ecke betrieb und der den Toni immer gratis so viel Zeitungen lesen ließ, wie er wollte, hatte ihn herausgefahren und Stillschweigen gelobt.

Und da war er nun. Der verhinderte Hochzeiter.

»Das ist aber nicht nett von Ihnen«, meinte Steffi, als wir die ganze Geschichte schließlich erfahren hatten. »Sie blamieren die arme Frau doch. Denken Sie mal, wenn nun die Gäste kommen, und Sie sind nicht da.«

»Also ich hab' ja nicht heiraten wollen. Sie hat wollen. Und kein Mensch hat ihr geheißen, Leut' einzuladen, net wahr? Sie kann ja sagen, ich bin krank. Oder gestorben. Wird ihr schon was einfallen. Den Weibern fällt immer was ein. Kein Mensch kann von mir verlangen, daß ich das Theater mitmach'.«

Zugegeben, sehr geschickt war es von der Witwe nicht gewesen, sich Gäste einzuladen und den Toni vorzuführen. Dafür war er nicht das rechte Objekt. Lieber erst heiraten und dann so peu à peu die Familie einführen, das wäre besser gewesen.

»Tut's Ihnen nicht leid?« fragte Steffi eindringlich. »Soll ich Sie hineinfahren? Ich tu's gern.«

»Also bitte schön, meine Gnädigste, drängeln S' mi net. Wann's mi net haben wollts, nachher geh' ich und schlaf' im Wald. Mir ist eh' alles gleich. Nach München fahr' ich nicht eina. Ganz gewiß net.«

Dabei blieb er.

Wir aßen zu Abend, und Toni entwickelte einen beachtlichen Appetit. Wir tranken eine Flasche Wein, und die Witwe blieb Gesprächsthema. Wir erfuhren eine ganze Menge von ihr, was sich gar nicht so übel anhörte. Bei der zweiten Flasche kam der Toni auf sein Lieblingsthema: Schwabing, die Menschen, die dort lebten, die Künstler und besonders die Schreiberlinge. Er kannte sie alle, auch die, mit denen er nicht zusammenkam. Er kannte Gott und die Welt, und wenn er es verstanden hätte, Kapital aus seinen Begegnungen zu schlagen, hätte er ein reicher Mann sein können. Vorausgesetzt, er arbeitete, wozu er selten aufgelegt war.

Jetzt aber doch. Das erfuhren wir bei der dritten Flasche. Toni begann nämlich die Kartons auszupacken, die er mitgebracht hatte. Und was dabei zum Vorschein kam, war ein ganz ansehnliches Archiv.

»Is net so, daß du nur zum Spaß auf der Welt bist«, sagte er zu mir. »Wenn ich schon heraußen bin, wirst was dann arbeiten.«

»Ich?«

»Ja, du. Ich werd' dir schon helfen. Wir schreiben ein Buch. Ich hab' einen festen Auftrag.« Und er nannte den Namen eines sehr bekannten Münchner Verlages und dann noch den Namen einer großen Illustrierten mit einer Riesenauflage. Und was er schreiben wollte: Das große Schwabingbuch. Schwabing von der Zeit, als es noch ein kleines Dorf war, verbunden mit der Residenzstadt München durch König Ludwigs breiten

Prachtboulevard, der seiner Zeit so weit voraus war. Schwabing, wie es wurde, wie es sich entwickelte, die Leute, die dort lebten und wirkten, vor dem ersten Krieg, zwischen den Kriegen, bis zur heutigen Zeit.

»Aber das ist eine großartige Idee«, sagte Steffi begeistert.

»Net wahr? Das sehen Sie ein, meine Gnädigste. Und ob das eine Idee ist. Seit Jahren quält mich der Dings, dieser Verleger, wegen dem Buch. Keiner kennt Schwabing so gut wie ich. Ich habe es studiert von A bis Z. Auch die Zeit, die vor mir war. Und die Illustrierte, die zahlt für den Vorabdruck – na, viel zahlen's, da brauchen wir drei Jahre nichts zu arbeiten. Ihr werdet sehen.«

»Dann möchte ich wissen, warum du es nicht längst geschrieben hast, dieses Buch«, sagte ich.

Er winkte ab. »Du kennst mich doch. Aber ich hab' das Material gesammelt. Und ich kenne alle Geschichten dazu. Schreiben wirst es du.«

»Ich?«

»Du hast einen guten Stil, du hast Herz und Humor und genug Verstand, du wirst es großartig machen. Ich bin eben dann beim Absatz beteiligt. Wir werden uns schon einigen.«

»Aber ich schreibe zur Zeit ein anderes Buch.«

Das interessierte ihn nicht. »Das schreibst du eben später. Nächstes Jahr kommt unser Schwabingbuch heraus. Das wird ein Bestseller, darauf kannst du dich verlassen. Und du kommst auf diese Weise zu einem anständigen, großen Verlag. Ist das nichts?«

Das war schon was. Ich merkte, wie mich die Sache zu interessieren begann.

»Natürlich macht ihr das«, sagte Steffi. »Ich finde, die Sache ist aller Mühe wert. Eine richtige Zeit- und Sittengeschichte wird das. Politik, Kunst, Sozialkritik, einfach alles kann man da hineinbringen.«

Ich hockte mich neben Toni auf den Boden und begann in den Blättern und Büchern zu wühlen, die den Fußboden bedeckten. Alles war da. Alte Zeitungsausschnitte, Programme, Texte, Lieder, Bilder und Zeichnungen und mehrere Hefte voller Namen mit Stichworten.

»Das ist gewaltig, was du hier gesammelt hast«, sagte ich.

»Gell? Gar so faul, wie ihr vielleicht denkt, bin ich auch net. Und ich krieg' noch mehr. Und Leute gibt's heute noch genug in Schwabing, die dir viel erzählen können. Hast noch was zu trinken?«

Die dritte Flasche war leer, und wir machten uns an die vierte.

Es wurde spät, bis wir ins Bett gingen, alle drei beschwingt und angeregt und sehr beschäftigt mit dem neuen Plan.

»Das ist allerhand Arbeit«, sagte ich. »Da wirst du eine ganze Weile hierbleiben müssen.«

»Ich bleib', bis das Buch fertig ist.«

Ich blickte Steffi an. Sie wußte, was ich dachte, und lächelte ein wenig. Eigentlich schade um unsere schöne Zweisamkeit. Andererseits – diese neue Arbeit lockte mich.

Toni war entzückt von der Kammer, Lix' kleinem Zimmer, das ihm als Behausung angewiesen wurde.

»Nett«, sagte er, »sehr nett. Grad, was ich brauch'. Und allein bin ich hier. Ich stör' euch schon nicht. Ihr könnt's machen, was ihr wollt.«

Sehr unternehmungslustig waren wir an diesem Abend nicht mehr. Steffi schlief in meinem Arm ein, den Kopf auf meiner Schulter. Und mir war, als sei das seit Ewigkeiten schon so gewesen. Jetzt war also zu der neuen Frau und dem neuen Leben noch ein neues Buch dazugekommen. Und den Toni mußte man halt in Kauf nehmen. Mal sehen, wie lange er es aushielt auf dem Land.

Ein hübsches Haus in Schwabing

Zunächst schien es ihm zu gefallen. Das erklärte er jedenfalls während der folgenden Tage immer wieder. Meine Waldein-samkeit zeigte sich auch von ihrer besten Seite. Das Wetter war schön, sonnig und himmelblau, ohne unangenehm heiß zu werden. Toni war weder zu größeren Spaziergängen noch zu einem Bad im Weiher zu bewegen, immerhin akzeptierte er den Sessel, den Steffi ihm auf die Wiese neben das Haus stellte. Er bekam einen Tisch davor und kramte dort stundenlang in seinen Papieren. Sichtete, ordnete, heftete zusammen, stellte wieder um und schichtete alles fein säuberlich nach Jahrgän-gen und Gebieten geordnet um sich herum ins Gras. Jeden Abend wurde es schwieriger, alles ins Haus zu transportieren, ohne es durcheinanderzubringen. Schließlich machte ich im Schuppen Platz, schuf mit ein paar Brettern und Holzstücken Abgrenzungen, und dahinhein wurde nun das ganze Material nach einem bestimmten Plan gelagert. Natürlich geriet der Toni immer wieder ins Erzählen, wenn er auf dies oder jenes stieß, und ich begann mir während seiner großen Monologe Stichworte aufzuschreiben und Notizen zu machen. Wer weiß, ob ihm das später wieder einfiel, wenn man an die entsprechende Stelle kam. Und manche seiner Anekdoten und Geschichten waren so gut, daß man sie einfach festhalten mußte.

Die Arbeit an meinem begonnenen Buch hatte ich ganz aufgegeben, sehr weit war ich ja sowieso noch nicht gekommen, und jetzt war an eine Weiterarbeit nicht zu denken. Dafür lebte ich mich immer mehr in das neue Buch ein und geriet schon nach wenigen Tagen in einen rechten Arbeitseifer. Der Toni war noch keine Woche heraußen, da hatte ich das erste Kapital fertig. Und in aller Bescheidenheit vermerkt: es war mir gut gelungen. Eine kurz zusammenfassende Einführung, abgeschlossen von einer echten skurrilen Schwabinger Geschichte und dann mit einem Sprung zurück in die dörfliche Vergangenheit des Münchner Montparnasse. Steffi gefiel es auch. Und Toni sprach mir, halb widerwillig, seine Anerkennung aus. Das erhöhte meinen Arbeitseifer noch. Wenn es mir gelang, diesen Ton, diesen Schwung beizubehalten, dann – stopp! Keine Vorschußlorbeeren, die man sich selbst ums Haupt wickelt. Erst mal fleißig arbeiten.

Das einzige, was mir Sorge machte, war der rapide Schwund meines Alkoholvorrats. Rosalind hatte sich seit jenem turbulenten Tag nicht mehr blicken lassen. Es war also kein Nachschub gekommen, und auch meine eigenen bescheidenen Vorräte gingen zur Neige. Ich versuchte, den Toni zu erhöhtem Bierkonsum anzuregen, er war auch dafür zu haben, jedenfalls tagsüber. Aber wenn es Abend wurde, verlangte er unnachsichtig nach Wein. Wir hatten den weißen getrunken, dann den roten, und eines Abends war die letzte Flasche geleert.

»Nix mehr da?« fragte Toni enttäuscht. Es war erst halb zehn, und er hatte noch Appetit. »Schau mal richtig nach.«

»Da is nix mehr nachzuschauen. Wir sitzen auf dem trockenen.«

Zwei Flaschen Sekt waren noch da, aber die wollte ich retten.

»Komischen Haushalt hast du da beieinand«, grollte der Toni.

»Hör mal, mein Lieber, dies ist keine Kneipe, sondern ein schlichtes, bürgerliches Heim. Und ohne die Hilfe einer mir freundlich gesinnten Dame wäre schon lange nichts mehr dagewesen. Auf den Besuch eines Säufers bin ich nicht eingerichtet.«

»Wer arbeiten will, muß was zu trinken haben. Wenn ich trocken sitz', fällt mir nix ein.«

»Erstens arbeiten wir heute abend sowieso nicht mehr, und zweitens braucht dir nichts mehr einzufallen. Jedenfalls im Moment. Ich habe genug Stoff für die nächsten Wochen. Wenn ich deine Einfälle wieder brauche, werde ich Nachschub besorgen.«

»Du bist ein undankbarer Rotzbub«, stellte der Toni freundlich fest. »Das ist der Dank, daß ich einen berühmten Schriftsteller aus dir mache.«

»Ich werde morgen nach Tanning fahren und was einkaufen«, schlug Steffi vor.

»Gibt's da auch was Gescheites?« fragte Toni mißtrauisch.

»Du wirst trinken, was du bekommst«, beschied ich ihn. Und zu Steffi gewandt: »Einkaufen werde ich. Nicht du.«

Denn Steffi war in dieser Woche ohnedies öfter zum Einkaufen gefahren und hatte uns gut und reichlich ernährt. Ich hatte ihr zwar einige Male Geld mitgegeben, aber sie hatte sicher mehr ausgegeben. Es wurde nötig, daß ich in die Stadt fuhr und zu meiner Bank ging. Ein paar hundert Mark würden noch auf meinem Konto liegen. Wenn ich meinem Verleger schrieb, würde er mir auch etwas schicken. Aber es ging nicht an, daß meine gesamten Einkünfte durch Tonis unersättliche Kehle flossen.

»Wenn wir jetzt schreiben«, regte der Toni an, »dann werde ich beim Verlag nach einem größeren Vorschuß fragen.«

»Nichts da«, erwiderte ich. »Nicht in diesem Stadium. Erst müssen mindestens zweihundert Seiten brauchbares Manuskript vorliegen.«

»Die hast du bald«, meinte Toni hoffnungsvoll. »Du bist ein fleißiger Mensch. Und Verleger zahlen gern Vorschüsse. Das ist ihre Hauptbeschäftigung. Ohne Vorschüsse keine Autoren, und ohne Autoren keine Bücher. Vorschuß zahlen ist für einen Verleger Selbsterhaltungstrieb.«

Wir besprachen, daß Steffi und ich am nächsten Tag in die Stadt hineinfahren, einmal übernachten und am Tag darauf zurückkehren würden.

»Ihr wollt mich hier allein lassen?« fragte Toni angstvoll.

»Dich stiehlt schon keiner. Dorian paßt auf dich auf.«

Sehr wohl fühlte er sich nicht in seiner Haut, als wir ihn am nächsten Tag verließen. Nur die Aussicht, daß wir mit einem Wagen voller Flascher zurückkehren würden, tröstete ihn einigermaßen über die bevorstehende Einsamkeit hinweg.

Und dann, ganz zuletzt, hatte er sogar einen Auftrag für uns. Wir sollten doch mal bei seinem jungen Freund vom Zeitungshandel vorbeifahren und hören, was es so Neues gebe.

»Und uns vielleicht auch nach Ihrer verlassenen Braut erkundigen?« fragte Steffi freundlich. »Ich kann mir vorstellen, daß Sie das Gewissen drückt.«

»Ich hab' keins. Da macht euch keine Sorgen. Und sagt's dem Burschen noch amal, daß er ja die Schnauzen hält.«

Der junge Mann mit dem Bart hatte ein winziges Geschäft an einer alten Schwabinger Ecke, zu dem man drei Stufen hinuntersteigen mußte. Dort gab es Zigarren und Zigaretten zu kaufen und alle Zeitungen. In einer Ecke waren bunte, wirre Bilder ausgestellt, das Abstrakteste vom Abstrakten, denn in Wahrheit war der Bärtige ein Künstler, wie wir erfuhren, ein Malersmann, und der Tabak- und Zeitungshandel, den ihm seine Mutter hinterlassen hatte, diente nur dazu, ihn zu nähren und zu kleiden.

Wir mußten die Bilder ansehen und einen Vortrag dazu anhören, der sich zu einem weitschweifigen Kolleg über moderne Kunst ausweitete, bekamen eine Handvoll Zeitungen für den Toni und hatten dann endlich Gelegenheit, uns nach der übriggebliebenen Witwe zu erkundigen.

»Der geht's gut«, meinte der Bärtige. »Ich seh' sie jeden Tag mit ihrem Hund spazierengehen, und sie macht dabei ein ganz zufriedenes Gesicht. Die hat den Toni schon vergessen.«

»Was reden denn die Leute?« wollte Steffi wissen.

»Die Leute? Um die kümmer' ich mich nicht. Ich red' doch nicht mit den Spießern. Ja, wenn Mutter noch hier wär', die hätt' Ihnen das genau erzählen können.«

Im Verlauf unseres Gespräches war ein schlankes, blasses Mädchen in den Laden gekommen, ein typisches Schwabinger Mädchen, strichdünn in engen schwarzen Hosen, einem schlampigen Pullover und langen schwarzen glatten Haaren. Wir erfuhren, sie sei die Freundin des Bärtigen und male auch. Sie sprach kein Wort, betrachtete uns nur gleichgültig mit großen schwarzen Augen und hielt uns offenbar, die wir wie normale Bürger gekleidet waren, für völlig exotische Lebewesen.

Als wir gingen, kam der Bärtige mit vor die Tür, wies in die kurze Straße hinein, die an seiner Ecke begann, und sagte: »Seng S', da drüben, in dem gelben Haus mit den Balkons, da hat der Toni gewohnt. Im zweiten Stock.«

Wir bedankten und verabschiedeten uns. Dann konnten wir der Versuchung nicht widerstehen, die kleine Straße, die in einem anmutigen Bogen zur nächsten Ecke führte, zweimal auf und ab zu gehen. So eine richtig gemütliche Schwabinger Straße. Jedes Haus anders, eins groß, eins klein, eins gepflegt, eins verwahrlost, ein paar Gärtchen dazwischen, ein paar schöne alte Bäume. Das Haus, das man uns gezeigt hatte, war das größte und schönste der Straße, in gutem Zustand, der Garten in Ordnung, die Fenster geputzt, und auf den Balkons standen bunte Blumenkästen.

»Ist doch nett hier«, meinte Steffi. »Da hat er doch wunderbar gewohnt. Er ist schon ein richtiger Haderlump, dein Freund.«

Dagegen ließ sich nichts sagen. »Ob sie das ist?« sagte Steffi, denn eben kam eine blonde Dame in einem hübschen dunkelblauen Sommerkleid die Straße entlang, eine Einkaufstasche in der Hand, vor ihr her sprang ein schwarzer Pudel. Sie sah recht ansehnlich aus, ein wenig mollig, aber gepflegt, mit einem noch jugendlichen, freundlich blickenden Gesicht. Kein übler Anblick.

»Also dann ist der Toni ein Depp«, sagte Steffi entschieden. »So eine nette Frau. Er könnt' sich alle zehn Finger abschlecken, wenn die ihn heiratet.«

Ich blickte der Dame nach, die an uns vorbeiging und wirklich in dem gelben Haus mit dem Blumenkästen verschwand.

»Vielleicht ist es auch die«, sagte ich dann. Von der anderen Seite kam ebenfalls ein weibliches Wesen. Auch nicht mehr die jüngste, nicht mollig, sondern dick, ein bißchen schlampig anzusehen und begleitet von einem fetten Dackel. Wir blickten gespannt, und wirklich, auch diese verschwand in besagtem Haus. Wie gesagt, die Straße war nicht lang, sie hatte im ganzen nur sechs Häuser.

»Das wär' natürlich etwas anderes«, meinte Steffi. »Weißt du, was ich am liebsten täte?«

»Ich kann mir's denken.«

»Ja, ich möchte da ins Haus gehen, die Wohnung erforschen, in der der Toni wohnt, und . . .« Sie stockte.

»Und was?«

»Na ja, vielleicht schöne Grüße von ihm bestellen, es ginge ihm gut, und er freue sich aufs Wiedersehen.«

»Das wirst du bleiben lassen. Ein Postillon d'amour ist hier nicht erwünscht. Außerdem würde sie versuchen, herauszukriegen, wo er steckt. Und was machst du dann?«

Steffi sah es ein. Wir wandelten also den Weg zurück. Der Bärtige stand noch unter der Tür seines Ladens.

Steffis Neugier mußte gestillt werden. »Ein hübsches Haus«, sagte sie. »Übrigens, was hat denn Tonis Wirtin für einen Hund?«

»Einen Pudel.«

»Einen schwarzen?«

»Ja. Grad ist sie hier vorbeigekommen.«

Steffi und ich tauschten einen raschen Blick. »Ich glaube, dann haben wir sie gesehen«, sagte Steffi. »Eine sympathische Dame.«

»Doch. Schon«, gab der Bärtige zu. »Meine Mutter mochte sie gut leiden. Und das Haus gehört ihr auch.«

Wir waren beide einen Moment sprachlos.

»Dieses da?« fragte Steffi. »Das gelbe?«

»Ja. Sie hat es von ihrem Mann geerbt. Sind schöne Wohnungen drin.«

»Dann versteh' ich den Toni wirklich nicht«, sagte Steffi.

Der junge Mannn hob die Schultern. »Ja, ein bisserl deppert ist es schon von ihm. Die Frau Obermeier wär' eine gute Partie gewesen. Aber er liebt halt seine Freiheit. Da kannst nix machen.« Sehr nachdenklich kletterten wir ins Auto.

»Deppert ist gar kein Ausdruck«, sagte Steffi, als wir stadteinwärts die Leopoldstraße entlanggondelten. »Er ist ein Idiot. Und das werde ich ihm sagen, darauf kannst du dich verlassen.«

Ich war der gleichen Ansicht. Ich wußte schließlich, wie mühsam sich Tonis Leben oft gestaltete, was die materielle Seite anging. Hier hätte er zumindest ein warmes, sicheres

Heim gewonnen und dazu eine nette Frau, die für ihn gesorgt hätte.

Am Nachmittag besuchten wir Muni, luden sie zum Abendbrot in den Augustinerkeller ein, denn es war ein schöner, milder Sommerabend und der Biergarten überfüllt. Muni verspeiste ein halbes Hendl und trank eine ganze Maß Bier. Zu Steffi war sie diesmal sehr liebenswürdig. Es schien, sie hatte sich ein wenig an den Gedanken gewöhnt, daß eine neue Frau für mich existierte.

Nicht zu spät kamen wir nach Hause, in Tante Josefas schöne Wohnung, und es dauerte noch lange, bis wir endlich zum Schlafen kamen. In letzter Zeit waren wir kaum allein gewesen, Tonis Gegenwart hatte unser junges Liebesleben ein wenig behindert. Darum genossen wir diesen Abend, an dem wir ungestört zusammen sein konnten.

Wir waren schon recht vertraut miteinander. Mir kam es vor, als hätte es nie eine Zeit gegeben, in der ich Steffi nicht gekannt hätte.

»Und das«, erklärte ich ihr, »ist der beste Beweis für Liebe.«

»Für Liebe?«

Ich nickte.

»Willst du sagen, daß du mich . . .« Sie sprach nicht weiter, sah mich aber mit erwartungsvollen Kinderaugen an.

»Das will ich sagen. Daß ich dich . . .«, ich legte eine Kunstpause ein und lächelte in ihre blauen Augen hinein, ». . . liebe.«

Sie legte sich zurück in meinen Arm und blickte sehr ernsthaft zur Decke auf. »Ich glaube, du sagst so etwas nicht leichtfertig.«

»Nein. Aber wenn ich alles richtig bedenke, dann komme ich zu diesem Ergebnis. Ich bin froh, daß du da bist, ich freue mich über jede Stunde mit dir, und was sollte das anderes sein als Liebe. Und«, ich richtete mich halb auf und neigte mich über sie, »und nicht nur meine Seele tut das.«

Sie lächelte. Ich küßte sie. Und dann lächelte sie wieder. »Nun ja, das andere weiß ich ja. Aber es ist mir sehr wichtig, daß auch deine Seele sich freut. Sehr, sehr wichtig.«

Dann ließen wir die Seele ein bißchen zugucken und freuten uns alles in allem aneinander.

Am nächsten Vormittag gingen wir ausführlich einkaufen. Für unseren Haushalt und auch so ein bißchen. Steffi, die begeistert vor allen Schaufenstern stehenblieb – »Weißt du, wenn man auf dem Lande lebt, macht so ein Stadtbummel Spaß, nicht?« –, bekam von mir ein lustiges Sommerkleid, rosa und blau gekringelt, bloß mit dünnen Trägern über ihren braungebrannten Schultern. Dann kaufte sie sich noch einen todschicken türkisfarbenen Badeanzug, für die Badesaison im Weiher, wie sie sagte. Ich verbrachte eine angeregte Viertelstunde, während sie verschiedene Badeanzüge probierte. Ich mußte natürlich vor den Kabinen waren, von einer liebenswürdigen Verkäuferin in einen Sessel placiert, und hatte nicht nur das Vergnügen, Steffi in einigen Badekostümen zu bewundern, sondern auch noch andere Damen, die sich gleichfalls für die Badesaison ausrüsteten. Das ergab manch ulkiges Bild, denn nicht jede hatte eine so gute Figur wie meine Steffi.

Mittags gingen wir ins Bratwurstglöckl, wo es von Fremden wimmelte und wo wir nur nach einigem Warten zwei bescheidene Plätzchen an einem großen Tisch ergatterten. Kunststück, die Schweinswürstl waren auch zu gut. An unserem Tisch saß ein Amerikaner, der in Windeseile zwanzig Stück verdrückte. Immerhin eine beachtliche Leistung, und ich sagte: »Kein Wunder, daß sie den Krieg gewonnen haben.«

Am Spätnachmittag trafen wir im Waldhaus ein und fanden einen ziemlich kleinlauten Toni vor. In der Nacht sei es schrecklich gewesen, der Wind habe in den Bäumen gejault – gejault, sagte er wirklich, dabei war gar kein Wind gewesen –, und im Haus habe es geknarzt und gestöhnt, und die Spiegeleier seien ihm verbrannt, und überhaupt sei das Landleben auf die Dauer nichts für ihn.

Nun ja, meinte Steffi, das könne sie schon verstehen, wo er doch in Schwabing so hübsch wohne, ein ganz reizendes Haus, und die Frau Obermeier sei eine reizende Dame, und er solle sich schämen. Der Toni war eine Weile sprachlos und wollte dann wissen, was wir denn um Himmels willen angestellt hätten. Wir berichteten, er hörte sich das stumm an, gab keinen Kommentar, sondern blickte ausgesprochen nachdenklich in die Landschaft. Dann verzog er sich mit einer Flasche Wein und den Zeitungen in seinen Sessel unter dem wilden Apfelbaum. Wir überließen ihn, wie wir hofften, seiner Reue.

Am nächsten Morgen bei meinem Ausritt traf ich Gwen. Ich war natürlich während der vergangenen Tage jeden Morgen geritten, aber niemals war mir Gwen begegnet. Weder bei der Brücke in Ober-Bolching, wo ich einige Male nach ihr Ausschau gehalten hatte, noch unterwegs.

Steffi hatte inzwischen bei mir die ersten Reitstunden genommen. Sie stellte sich recht geschickt an, erinnerte sich an vieles, was sie einmal gelernt hatte. Nur war natürlich Isabel mit ihrem empfindlichen Maul, und gewohnt, auf kleinste Andeutungen von Hilfen zu reagieren, nicht das geeignete Pferd für einen Anfänger. Eigentlich hatte ich die Absicht gehabt, bei dem Grafen Tanning seinen alten Flux auszuleihen, der ein gutes Reitpferd war, doch jetzt schon nicht mehr viel tat. Aber ich war nicht zum Gut geritten, eben wegen Gwen. Wenn sie bockte, sollte sie. Ich würde ihr nicht nachlaufen.

Heute nun traf ich sie also. Ich ritt im Trab eine Waldschneise entlang, und wie ich zum Waldrand kam, preschte sie auf einmal von der Seite heran. Wie immer in voller Fahrt. Ein schmaler, hellblonder Junge im weißen Hemd auf dem kupferfarbenen temperamentvollen Vollblüter.

»Hei!« rief sie. Und parierte ihr Pferd aus vollem Lauf zum Stand.

»Guten Morgen«, sagte ich, »sieht man dich auch wieder mal?«

Sie schenkte mir einen flüchtigen Blick und sagte lässig: »Ich bin letzthin nicht in diese Gegend gekommen. Meist war ich da drüben hinaus.« Sie wies vage in die Gegend, die jenseits von Tanning lag.

»Auch sehr hübsch da«, sagte ich.

»Ja. Wie geht es Ihnen?«

»Oh, danke, soweit ganz gut. Sind wir wieder per Sie?«

Sie errötete, runzelte die Stirn und ktzuelte Jessica mit den Sporen, die daraufhin unruhig tänzelte.

»Entschuldigen Sie, Durchlaucht, daß ich wagte, Sie zu duzen«, sagte ich. »Ich wußte nicht, daß unser Status sich geändert hat.«

»Quatsch«, sagte sie, »red keinen Unsinn. Wollen wir hier über die Wiese?«

Ehe ich antworten konnte, schoß sie mit Jessica davon und

war nicht mehr einzuholen, sosehr sich Isabel auch streckte. Dann ritten wir eine Weile schweigend im Schritt nebeneinander.

»Bist du böse auf mich?« fragte sie dann.

»Nein. Warum sollte ich?«

»Weil du gar nichts sagst.«

»Du doch auch nicht.«

Wieder eine längere Pause.

»Ich dachte immer, du kämst mal vorbei. Zum Baden wenigstens, wenn du schon nicht mehr mit mir reiten willst.«

»Ich wäre schon gekommen. Aber ich wußte nicht, ob es erwünscht ist.«

»Warum denn nicht? Du weißt, ich habe mich immer gefreut, wenn du da warst.«

Sie schoß einen raschen Blick zu mir herüber. »Zuletzt hatte ich nicht den Eindruck.«

Ich lächelte sie sehr gelassen an und schwieg.

»Da war es dir gar nicht recht, daß ich da war. So ist es doch?« stieß sie schließlich trotzig hervor. »Mit deinen ganzen Frauen da.«

»Ich werde doch mal Besuch bekommen dürfen. Du bist eine kleine Egoistin, mein Kind. Schließlich leben noch andere Menschen auf dieser Erde.«

»Ich fand es viel schöner, als wir allein waren. Und ich dachte, du findest es auch schön.«

»Doch, das tat ich auch. Aber . . .« Ich wußte nicht, was ich weiter sagen sollte.

Sie hielt Jessica an und wandte sich mir zu. »Aber was?«

Ich war um eine Antwort verlegen. Sie schien auch keine zu erwarten.

»Siehst du«, sagte sie, und es klang richtig traurig, »du machst dir eben nichts aus mir.«

Ich lachte ein wenig gezwungen. »Aber Gwen, sei doch nicht albern. Was hast du erwartet, was ich tun soll? Dich entführen? Dich verführen? Du bist achtzehn, nicht?«

»Na und? Gefallen dir alte Frauen besser?«

Ich sah sie nur schweigend an, und ihr Blick ging an mir vorbei ins Land.

»Ich bin eklig, nicht?« fragte sie leise.

»Ziemlich. Das ist schade. Ich dachte, wir wären Freunde.«

»Jetzt nicht mehr?« Sie lächelte auf einmal.

»Ich weiß nicht.«

»Bist du wieder allein?«

»Nein. Ich habe sogar zwei Besucher.«

»Alle beide?«

»Was, alle beide?«

»Na, die alle beide, die damals da waren.«

»Nein. Nicht die alle beide. Fräulein Bergmann ist da und dann noch ein Freund von mir, ein Kollege.«

»Wo schlafen die denn?«

Eine peinliche Frage. Achtzehnjährige haben schon manchmal eine vertrackte Art zu fragen.

»In jedem Zimmer einer«, sagte ich. Hoffentlich stellte sie nun nicht fest, daß das Sofa im Wohnzimmer als Nachtlager höchst ungeeignet sein müßte.

Aber sie sagte nur: »Bißchen voll in deinem Haus.« Und dann, ohne weiteren Übergang. »Gehen wir ein bißchen springen?«

»Gern«, antwortete ich, erleichtert, daß das Examen vorüber war. Wir ritten zu unserem kleinen Parcours und gingen abwechselnd über die Sprünge.

»Jessica ist wieder reichlich unruhig«, sagte ich. »Du mußt sie wild geritten haben in letzter Zeit.«

»Spring du sie mal«, sagte sie und war schon abgesessen.

Ich zögerte. Ich hatte wenig Lust, mir mit der ungestümen Jessica das Genick zu brechen. Aber ich durfte kein Feigling sein, dann hatte ich es ganz mit der kleinen Fürstin verdorben.

Ich bestieg also Jessica, ließ sie zweimal im Trab ruhig in der Runde gehen, nahm dann einen Sprung, parierte sie durch, dann noch einen, wieder eine Trabrunde und dann alle Sprünge hintereinander. Ich ließ ihr den Kopf möglichst frei und vermied es, die Sporen zu benutzen. Sie nahm die Sprünge ruhig, ohne wie sonst mit dem Kopf zu schlagen und nach jedem Sprung hysterisch loszupreschen.

»Du machst es wirklich besser als ich«, konstatierte Gwen sachlich.

»Du könntest es genauso«, sagte ich. »Du mußt ruhiger werden, dann wird das Pferd auch ruhiger.«

»Ich werd' es noch mal probieren.«

»Heute nicht mehr. Es langt. Kommst du mit zum Baden?«

»Darf ich denn?«

»Natürlich.«

Wir ritten langsam zum Waldhaus hinunter, dabei erzählte ich ihr ein wenig von Toni und unseren Plänen. Sie fand es interessant. Dann erkundigte ich mich nach dem Grafen und seiner Frau.

»Denen geht es gut.«

»Hat sich dein Onkel nicht gewundert, daß wir nicht mehr zusammen geritten sind?«

»Das weiß er nicht.«

»Das weiß er nicht?«

»Nein. Ich habe jeden Tag irgend etwas von dir erzählt.«

»So.« Ich war ziemlich konsterniert. »Das hätte ich mal hören mögen.«

»Oh, immer ganz seriöse Sachen. Er findet, du bist eine gute Gesellschaft für mich.«

»Das hoffe ich. Sag mal, kennst du den Flux?«

»Den braunen Wallach?«

»Ja.«

»Natürlich. Ich habe ihn neulich sogar geritten. Jessica hat zwei Tage gelahmt.«

»Kein Wunder, bei deiner Art zu reiten.«

»Was ist denn mit dem Flux?«

»Ich dachte, ob ich ihn mir nicht mal ausleihen kann. Steffi möchte gern reiten lernen.«

»Kann sie das denn nicht?« Alle Verachtung der Welt schwang in Gwens Stimme.

»Weißt du, es gibt einige Leute, die nicht reiten können.«

»Komische Leute müssen das sein.«

Ein wenig Bange hatte ich vor dem Zusammentreffen zwischen Gwen und Steffi. Aber Ihre Durchlaucht war durchaus huldvoll. Sie begrüßte Steffi artig, schien auch Toni ulkig zu finden, nach dem Baden setzte sie sich zu ihm ins Gras, halb nackt natürlich wieder, und ließ sich von ihm Schwabinger Geschichten erzählen.

Von diesem Tag an gehörte Gwen wieder zu unserem Hauswesen. Sie hatte sich wohl doch sehr gelangweilt, und sie schien froh zu sein, daß unsere Beziehungen wiederhergestellt waren. Wir ritten zusammen, badeten zusammen, und dann hing sie stundenlang bei uns herum. Erfreulicherweise freundete sich sich auch mit Steffi an. Steffi hatte sich zunächst freundlich, aber abwartend verhalten, und Gwen, die im

Grund ja ein warmherziges Kind war, wurde zusehends zutraulicher.

Schon am zweiten Tag nach ihrer Rückkehr kam sie mit Flux an. Sie brachte ihn einfach mit, er bekam eine Box beim Andres, und Steffi erhielt nun jeden Tag Reitstunden. Und zwar von Gwen. Nicht von mir.

»Sie stellt sich gar nicht dumm an«, vertraute mir Gwen an. »Sie ist natürlich schon ein bißchen alt, aber zum Spazierenreiten wird es reichen.«

Ich hütete mich, Steffi das Urteil ihrer Lehrerin allzugenau zu überbringen, sagte ihr nur, daß Gwen sehr zufrieden mit ihren Fortschritten sei. Steffi war sehr stolz, als sie uns zum erstenmal auf einem Ausritt begleiten durfte. Gwen, ganz Verantwortung von Kopf bis Fuß, unterließ jede Raserei und ließ ihre Schülerin nicht aus den Augen.

Und nun, als alles wieder einigermaßen friedlich und wohlgeordnet erschien, kam es zu neuen Schwierigkeiten.

Er hatte es in sich, dieser Sommer, wirklich.

Weitere Einquartierung

Es war mittlerweile Juli geworden und sehr heiß. Man konnte geradezu von einer Hitzewelle sprechen. Bei uns im Wald ließ es sich ertragen. In der Nacht kam immer von den Bergen herüber kühle, frische Luft.

Wir standen schon sehr früh auf und ritten vor dem Frühstück, ehe es zu heiß wurde und die Pferde gar zu sehr von den Fliegen geplagt wurden.

An einem Nachmittag war es besonders heiß und schwül. Die Luft reglos wie aus Blei. Gwen verließ uns am frühen Nachmittag, nachdem sie dreimal gebadet hatte und an unserem leichten sommerlichen Mahl teilgenommen hatte.

»Uff!« stöhnte sie, als sie in die Hosen und Stiefel stieg. »Morgen reite ich im Badeanzug.«

»Daß du mir ja im Schritt nach Hause gehst«, sagte ich. »Keine Hetzerei.«

»Worauf du dich verlassen kannst.«

Isabel und Flux hatte ich schon zuvor in ihren Stall gebracht. Gegen Abend würde Wastl sie auf die Koppel lassen. Das

heißt, vielleicht heute auch nicht. Drüben über den Bergen sah
mir der Himmel so komisch aus, so grau und bleiern. Gut möglich, daß es heute noch ein Gewitter gab. Auch die Fliegen waren wie närrisch. Jessica stampfte mit den Füßen und ließ den
Schweif wie wild um ihre Kruppe kreisen. Ich brach einen
Zweig und stutzte das Laub zurecht.

»Hier, nimm das«, sagte ich zu Gwen. »Und vertreibe ihr das
Fliegenzeug ein bißchen, sonst wird sie hysterisch.«

»Tschüs«, sagte Gwen und schwang sich in den Sattel. »Bis
morgen.«

Ich sah ihr nach, bis sie im Wald verschwunden war, dann
ging ich zu Steffi und Toni, die sich mit Tisch und Stühlen
unter die Bäume am Waldrand zurückgezogen hatten. Statt
Kaffee gab es heute kaltes Zitronenwasser, für den
Toni Bier.

Steffi, in Shorts und mit einem kleinen Blüschen, lag im Liegestuhl und las. Auch ich trug kurze Hosen und sonst nichts.
Nur der Toni war in langen Hosen und im Hemd. Weniger bekleidet hatten wir ihn noch nie gesehen.

»Sollte mich nicht wundern, wenn wir heute ein Gewitter
kriegen«, sagte ich.

»Mich auch nicht«, erwiderte Steffi und patschte eine Mücke
auf ihrem nackten Oberschenkel tot. »Die Biester sind zu unverschämt heute.«

Dann blickte sie zu mir auf und lächelte. »Schön.«

»Was?«

»Wenn es ein Gewitter gäbe.«

Ich lächelte zurück, denn ich wußte, woran sie dachte.

»Möchte wissen, was daran schön sein soll«, knurrte der
Toni. »Auf dem Lande sind Gewitter immer gefährlich, habe
ich mir sagen lassen.«

»Bei Gewitter passieren manchmal die wunderbarsten Dinge«, sagte Steffi träumerisch.

Toni blickte mißtrauisch zu ihr hin. »Was soll denn da schon
Wunderbares passieren?«

»Man trifft manchmal Leute, die . . .«

»Die?« fragte ich, als Steffi verstummte.

»Die, wenn man nicht getroffen hätte, sehr bedauerlich
wäre.«

Wir blickten uns zärtlich in die Augen, nur der Toni bemän-
gelte: »Also nehmen's mir das nicht übel, meine Gnädigste,

aber das ist ein schauderhaftes Deutsch, das Sie da von sich geben.«

Steffi runzelte die Stirn und überlegte. »Die nicht getroffen zu haben, einen bedauernswerten Verlust in meinem Leben bedeutet hätte. So besser?«

Toni war immer noch nicht zufrieden. Er schüttelte den Kopf. »Als Verlust kann man nur etwas bezeichnen, was man bereits besessen hat. Etwas, was man gar nicht kennengelernt hat, kann auch kein Verlust sein.«

»Ich geb's auf«, meinte Steffi. »Es ist zu heiß. Jedenfalls trifft man manchmal nette Leute bei Gewitter. Dabei bleibe ich.«

»Waren es denn mehrere?« fragte ich. »Leute im Gewitter, die du getroffen hast?«

»Zwei.« Ihr Blick ging hinüber zu Dorian, der, alle viere von sich gestreckt, am Fuße einer mächtigen Tanne lag.

»Ah ja«, ich nickte. »Natürlich.«

»Ein komisches Geschwätz habt ihr zwei da beieinand«, meinte der Toni mißbilligend. »Verliebte reden immer Unsinn.«

»Sie haben ihre eigene Sprache«, gab ich zu. »Ihre eigene Grammatik, ihre eigene Diktion, und sie verwurschteln Vergangenheit, Gegenwart und Zukunft, alles eventuell in einem Satz. Und können sich gegebenenfalls bis an ihr Lebensende über jedes Gewitter freuen, bloß weil das *eine* Gewitter für sie so wunderbar und wichtig war.«

»Mal abwarten«, meinte Toni. »Soviel ich deinem Gefasel entnehme, habt ihr euch bei einem Gewitter kennengelernt. Es ist durchaus möglich, daß die junge Dame eines Tages sagt: Wenn ich an dieses gräßliche Gewitter denke, wo ich diesen gräßlichen Kerl kennengelernt habe. Nichts Übleres auf der Welt als Gewitter!«

Ich lachte. Steffi blickte erst den Toni, dann mich nachdenklich an.

»Das kann man natürlich nie wissen«, sagte sie. »Freilich, manchmal ändert sich alles. Aber ich glaub's nicht. Ich glaub's nicht, daß ich das Gewitter mal verfluchen werde.«

Ich beugte mich hinab und küßte sie. »Nein. Ich glaub's auch nicht.«

Und ich dachte: Eigentlich ist alles, was sie sagt, für mich ein großes Kompliment. Denn der Tag unseres Gewitters hatte ja nicht nur unser Kennenlernen gebracht, sondern auch ihren endgültigen Entschluß, sich von Eberhard zu trennen. Es war nicht nur der Beginn einer neuen Liebe gewesen, auch der Abschied von einer alten. Und wie es schien, maß Steffi diesem Teil des Gewitters nicht mehr die geringste Bedeutung zu. Ich zündete mir eine Zigarette an, trank einen großen Schluck Zitronenwasser und setzte mich neben Steffis Liegestuhl ins Gras.

»Wenn man euch zwei so sieht, muß man sich wundern«, sagte Toni.

»Warum?«

»Nicht über Sie, Gnädigste. Sie sind jung. Aber der da«, Toni machte eine wegwerfende Kopfbewegung zu mir hin, »er ist ja eigentlich schon ein recht alter Esel. Und balzt wie ein verliebter Auerhahn.«

»Erlaube mal, ich bin neununddreißig. Ist das vielleicht ein Alter für einen Mann?«

»Ich denk', vierzig?«

»Erst nächsten Monat. Und dann fangen endlich meine besten Jahre an. Darauf warte ich schon lange.«

»Vierzig Jahre«, meinte der Toni versonnen. »Du könntest glatt mein Sohn sein. Obwohl ich mich für einen solchen Sohn bedanken würde.«

Ich wußte nicht genau, wie alt der Toni war. Er hatte es nie gesagt, und ich hatte ihn nie gefragt. Über Sechzig war er bestimmt. Es ließ sich schwer schätzen. So ein ewiger Hallodri wie er blieb in gewisser Weiser immer jung.

Steffi sagte: »Vielleicht sind Sie bloß neidisch, Toni?«

»Neidisch? Ich? Warum denn?«

»Könnt' ja sein, Sie hätten ganz gern auch Ihre Freundin da, die Frau Obermeier.«

Toni kniff die Augen zusammen. »So? Denken S' das, meine Gnädigste? Daß Ihnen nur net geschnitten ham. Ich weiß schon, Sie graben immerzu nach meinem Gewissen und wollen mir einreden, ich hätt' Zeitlang nach der Nanni. Aber da können S' lang warten. I net. I scho lang net. Das wär' die erste Frau, die mir Seelenschmerzen macht.«

Steffi und ich tauschten einen raschen Blick. Gar so ein kaltschnäuziger Held, wie er uns einreden wollte, war der Toni durchaus nicht. Wir hatten ihn manchmal erwischt in den letzten Tagen, wie er grüblerisch vor sich hin sinnierte. Und immer redete er von seiner verlassenen Braut.

»Ich hol' mir ein frisches Bier«, verkündete er jetzt und erhob sich. »Wollt's ihr auch was?«

»Wenn Sie den Krug mit dem Zitronenwasser ein bisserl in den Kühlschrank stellen würden«, schlug Steffi vor. »Damit's nicht so warm wird.«

Toni nahm den Krug und marschierte ins Haus.

»Und du bereust es nicht?« fragte ich Steffi.

»Was?«

»Daß du damals bei dem Gewitter allein am Waldrand gelandet bist und von einem fremden Kerl aufgegriffen wurdest?«

»Ich bereu's nicht.«

»Noch nicht?«

Sie sah mich an, ihre Stimme war ganz ernst, als sie sagte: »Oh, ich wünsch' mir, ich wünsch' mir so sehr, daß ich es nie bereuen werde.«

»Und du meinst, das Leben, das ich dir biete, wird dir auf die Dauer genügen?«

»Das Leben, das du mir bietest, ist wundervoll. Ich liege hier faul im Schatten und tue nichts. Ich kann reiten und schwimmen und spazierengehen, ich habe Pferd, Hund und Mann und einen großen Wald um mich herum, und ich wüßte nicht, was für ein schöneres Leben noch irgendwo sein könnte.«

»Nun, viele Leute fahren jetzt in Urlaub. Sie machen große Reisen, fahren nach Italien und Spanien . . .«

»Bei der Hitze? Das stelle ich mir entsetzlich vor. Ich find's hier viel schöner.«

»Auch hier ist nicht immer Sommer. Der Winter kann sehr kalt sein. Dann müssen die Öfen geheizt werden, und es liegt vielleicht viel Schnee, der muß weggeräumt werden und . . .«

»Schneeschippen ist eine Leidenschaft von mir. Und den Winter habe ich auch gern. Dann kann ich hier im Wald Ski laufen. Und zu den Bergen hinüber ist es auch nicht weit. Und vergiß nicht, wir haben eine zentralgeheizte Wohnung in der Stadt. Nein, das schreckt mich gar nicht. Etwa anderes macht mir viel mehr Kummer.«

»Was denn?«

»Daß ich auch wieder mal was arbeiten muß. Ich muß mir eine neue Stellung suchen.«

»Da bin ich dagegen.«

»Ich auch. Aber so groß ist das Vermögen auch wieder nicht, das ich geerbt habe. Ewig kann man schließlich nicht davon leben.«

»Siehst du.«

»Was, siehst du?«

»Dir genügt es doch nicht, was ich verdiene.«

»Oh, du verdienst genug. Und wenn das Buch fertig ist, wirst du noch mehr verdienen. Aber ich kann mich schließlich nicht von dir ernähren lassen.«

»Warum nicht? Die meisten Frauen lassen sich von ihrem Mann ernähren.«

»Von ihrem Mann?«

»Ja.«

Kleine Pause. Steffi war ein wenig errötet und blickte unsicher zu mir herab.

»Soll das . . .«, begann sie, sprach aber nicht weiter.

»Hm?«

»Soll das heißen . . .?«

»Mhm. Das soll es heißen.«

Aber sie wollte es genau hören. »Was soll das heißen?« fragte sie streng und richtete sich gerade auf.

Ich grinste. »Daß wir vielleicht heiraten könnten.«

»Möchtest du das denn?«

»Du nicht?«

»Antworte mir nicht mit einer Frage. Sage es richtig.«

»Ich hab's doch schon gesagt.«

»Nein, nicht richtig. Wenn du mir einen Heiratsantrag machst . . . Du hast mir doch eben so eine Art Heiratsantrag gemacht, nicht?«

»Man könnte es so nennen.«

»Dann mußt du es richtig tun.«

»Schön.« Ich stand auf, stellte mich vor den Liegestuhl in Positur, machte eine tiefe Verbeugung und begann: »Sehr verehrtes, sehr geliebtes gnädiges Fräulein, darf ich mir erlauben . . .« Ich blickte an mir herunter. »Ich bin dazu nicht angezogen. So halb nackt, bloß mit kurzen Hosen.«

»Oh, das macht nichts. Mich stört es nicht.«

»Aber mich. Ich werde mir einen Anzug anziehen, eine Krawatte umbinden und ein paar Blumen pflücken gehen und dann auf die Angelegenheit zurückkommen.«

»Du Scheusal. Du willst dich drücken.« Sie zwickte mich ins

Bein, ich beugte mich hinab und wollte sie küssen, da kam der Toni ziemlich eilig über die Wiese auf uns zu.

»Es kommt Besuch!« rief er.

Ich richtete mich auf. »Besuch?«

»Ja. Da.« Er wies zum Haus, da tauchte um die Ecke ein Radfahrer auf, schwang sich aus dem Sattel oder, besser gesagt, glitt ziemlich matt aus dem Sattel, schmiß das Rad ins Gras und kam müde auf uns zu. Meine Tochter.

»Puh!« machte Lix, als sie da war. »Tag, Paps.« Dann ließ sie sich der Länge nach ins Gras fallen.

Sie war schmutzig und erhitzt, das dunkle Haar naß verklebt an den Schläfen.

»Mensch, ist das 'ne Hitze!«

Dorian war aufgesprungen, beschnüffelte den Gast und wedelte erfreut mit dem Schwanz.

»Tag, Dorian«, sagte Lix matt.

»Wo kommst du denn her?« fragte ich erstaunt.

Ohne die Augen aufzumachen, erwiderte meine Tochter: »Aus München.«

»Willst du damit sagen, du bist bei dieser Affenhitze hier heraus geradelt?«

»Genau.«

»Du mußt verrückt sein.« Es war nicht so weit nach München, aber mit dem Rad war es immerhin eine ansehnliche Strecke. Und die Straße lag in der prallen Sonne.

»Habt ihr was zu trinken?«

Steffi stand auf. »Ich hol dir Zitronenwasser.«

Ich hielt Steffi zurück. »Warte noch einen Moment. Sie ist zu erhitzt.«

Lix richtete sich auf. »Und dann geh' ich gleich ins Wasser.«

»Auch damit wirst du noch ein bißchen warten. Aber wenn du mir vielleicht erklären würdest . . .«

Lix sah mich ruhig an. Ihr Gesicht war ernst, sein Ausdruck entschieden und erwachsen.

»Ich bin gekommen, weil ich bei dir bleiben will.«

»Weil du . . . weil du was?«

»Ich will wieder bei dir bleiben, und ich gehe nicht zurück zu denen.«

Ich schwieg und blickte meine Tochter an. Sie erwiderte meinen Blick, ohne mit der Wimper zu zucken. Dann stand sie auf, stellte sich vor mich hin und sagte: »Es hat keinen Zweck, wenn du mich zurückschicken willst. Ich gehe nicht zurück. Nie. Und wenn du mich nicht haben willst, dann gehe ich ganz fort.«

»Und wohin, wenn ich fragen dürfte?«

Jetzt begann ihre Unterlippe zu beben und ihr Blick zu flakkern. »Das . . . das weiß ich noch nicht. Aber zurück gehe ich nicht, wenn du mich nicht haben willst.«

»Wer redet davon, daß ich dich nicht haben will. Aber es würde mich interessieren, was eigentlich vorgefallen ist.«

Plötzlich war es um ihre Fassung geschen. Sie rief noch: »Oh, Paps!«, und da kullerten ihr schon die Tränen aus den Augen. Wie ein kleines Kind drängte sie sich an mich, schlang die Arme um mich und schluchzte.

Ich streichelte sie und murmelte beruhigende Worte. Irgendwann würde ich schon erfahren, was geschehen war. Zunächst einmal mußte sich das Kind beruhigen. Etwas hatte sie völlig aus der Fassung gebracht.

Steffi ging ins Haus nach dem Zitronenwasser, Toni wiegte bedauernd den Kopf, ließ sich dann in seinen Sessel nieder und wartete interessiert die weitere Entwicklung ab.

Lix trank zwei Glas Zitronenwasser, nachdem sie mit dem Weinen fertig war.

»Weiß deine Mutter, daß du hier bist?«

Sie schüttelte den Kopf.

»Soll ich das so verstehen, daß du ausgerissen bist?«

»Ausgerissen!« Sie hob die Schultern. »Ich hab' mein Rad genommen und bin eben weggefahren.«

»Und was war los?«

Lix warf einen finsteren Blick auf Steffi und Toni und schwieg.

»Gehen wir ins Haus«, sagte ich.

Ich legte meinen Arm um ihre Schultern, und wir gingen hinein.

»Also?« sagte ich, als wir allein im Wohnzimmer waren.

»Er hat mich geschlagen.«

»Wer?«

»Der Killinger.«

Der Herr Generaldirektor hatte meine Tochter geschlagen. Seine zukünftige Stieftochter.

»So«, sagte ich. »Warum?«

»Ach, bloß wegen seinem dämlichen Rasen. Gras ist doch

schließlich dazu da, daß man darauf gehen kann, nicht? Nicht bloß zum Angucken. Wir gehen ja hier auch auf dem Rasen. Wir sind doch nie darum herumgegangen. Und er hat sich mit dem blöden Rasen, und der Gärtner muß kommen, und da wird ewig daran herumgeschnippelt und gesprengt und gefummelt. Und da hat er mir eine heruntergehauen. Aber ich lass' mich von dem nicht schlagen. Ich lass' mich von niemand schlagen. Höchstens mal von Mutti, das gilt nicht. Aber von dem noch lange nicht. Und ich hab' ihm auch eine geklebt.«

Fast hätte ich gelacht. »Du hast ihm eine – geklebt?«

»Ja«, rief Lix wild. »Es kam ganz von selbst. Als er mich geschlagen hat, habe ich zurückgeschlagen. Ich wollte es gar nicht, aber meine Hand tat es ganz von selbst. Und es tut mir nicht leid. Daß du es weißt, es tut mir nicht leid. Ich lass' mich nicht von einem fremden Mann ins Gesicht schlagen. Du hast mich auch nicht geschlagen. Nie. Und du bist schließlich mein Vater. Und ich war bestimmt manchmal ungezogen.«

»Bestimmt«, sagte ich und setzte mich erst mal hin.

Ich hatte sie nie geschlagen, das stimmte. Ich bin der Meinung, daß man Kinder auch ohne Schläge erziehen kann. Und ich glaube, meine Autorität war immer groß genug, daß ich darauf verzichten konnte. Lix war immer ein kluges Mädchen. Man konnte mit vernünftigen Worten und Belehrungen sehr viel bei ihr ausrichten.

Gewiß, Rosalind rutschte manchmal die Hand aus. Aber das nahmen beide, Mutter und Tochter, nicht sehr schwer. Das galt nicht, wie Lix gerade gesagt hatte.

Und was nun Herrn Killinger betraf, so war ich auch der Meinung, daß er seine Kompetenzen überschritt.

»Erzähl mir das mal richtig mit dem Rasen«, forderte ich sie auf.

Mit dem Rasen war es so, daß sie nicht nur darauf spazierengegangen war, sondern sie hatten Herrn Killingers kostbaren, gärtergepflegten Rasen als eine Art Sportplatz betrachtet. Sie hatte ein Seil gespannt und mit Dolly Hochsprung geübt. Ausdauernd. Weil, wie sie sagte, sie zwar gut in Hochsprung sei, aber doch nicht gut genug. Zwei in ihrer Klasse sprangen höher, und das ärgerte sie.

»Muß man doch trainieren, nicht? Und der Rasen war prima dazu geeignet.«

»Wenn er doch aber nicht wollte, daß ihr auf seinem Rasen

herumtrampelt. Das hat er euch doch sicher gesagt. Oder?«

»Ja, schon. Früher mal. Und Dolly wollte auch erst nicht. Aber dann fand sie es auch prima. Sie springt natürlich viel schlechter als ich. Sie ist überhaupt keine gute Turnerin. Sie ist zu verweichlicht. Ich kann sie überhaupt nicht leiden, weißt du.«

»Ich dachte, ihr wärt Freundinnen.«

»Am Anfang waren wir es ein bißchen. Aber jetzt nicht mehr richtig. Ich hab' dir ja neulich schon erzählt, wie sie immer redet. Ich mag Monika Clausen viel lieber. Die aus meiner Klasse mit den rotblonden Haaren, ich glaub', du hast sie mal bei Muni gesehen, weißt du noch?«

»Doch, ich erinnere mich.«

»Monika ist in Ordnung. Aber Dolly ist eine richtige Flasche. Immer bloß angeben. Mit ihrem Vater, weil der Geld hat, und mit ihrer Mutter in Amerika, weil die noch mehr Geld hat, und immer ist sie so affig. Monika gar nicht, dabei ist ihr Vater sogar Professor. An der Universität. Das ist bestimmt mehr als ein Generaldirektor. Und Monika fand den Rasen auch prima zum Trainieren.«

»Sie ist demnach auch mitgesprungen?«

»Natürlich. Ich hab' sie eingeladen. Wir sind gleich nach der Schule zu uns gegangen, haben ein bißchen was gegessen, und dann haben wir trainiert.«

»War es denn zum Springen nicht zu heiß?«

»Da war gerade Schatten hinter dem Haus, und da ging es. Und Frau Boll war auch nicht da.«

»Und deine Mutter?«

»Auch nicht. Und dann kam der Killinger nach Hause. Ganz plötzlich. Wer denkt denn so was? Er war furchtbar wütend. Er hätte uns verboten, auf dem Rasen herumzutrampeln, der kostete sehr viel Geld, und ich sagte, das machte dem Rasen gar nichts, der wachse schon wieder, und schließlich sei der Rasen ja dazu da, daß man darauf herumgeht, nicht bloß zum Angukken. Und dann sagte ich, was du immer sagst:«

»Was denn, um Himmels willen?«

»Daß das Geld für uns da wäre und nicht wir für das Geld, und da sagte er: Das kann dein Vater machen, wie er will, hier in meinem Haus wird es jedenfalls so gemacht, wie ich will. Und ich sagte, in seinem Hause gefiel es mir schon lange nicht, und diese ewige Protzerei hinge mir zum Halse heraus. Und dann hat er mir einen heruntergehauen, vor allen. Monika hat es gesehen, und Dolly, und die blöde Boll war auf einmal auch da. Aber sie haben auch alle gesehen, wie ich ihm eine geklebt habe.«

Das war eine schöne Bescherung. Herr Generaldirektor Killinger und seine zukünftige Stieftochter ohrfeigten sich in aller Öffentlichkeit. So was war dem Generaldirektor sicher noch nicht passiert. Aber was in aller Welt sollte ich nun dazu sagen?

»Das hättest du natürlich nicht tun dürfen«, sagte ich lahm. »Es war bestimmt nicht richtig, daß er dich geschlagen hat. Du bist ein großes Mädchen und hättest natürlich so viel Verstand haben müssen, auf dem Rasen nicht wie ein kleines Kind herumzuspringen, wenn er es nun partout nicht haben will. Schließlich ist es sein Rasen. Und der Gaul ist ihm nicht wegen des Rasens durchgegangen, sondern weil du frech warst. Na schön, das kommt mal vor. Aber du kannst doch nicht zurückschlagen. Lix, ich verstehe dich nicht.«

»Ich wollte es ja gar nicht. Es kam ganz von selbst, Paps, wirklich. Es war wie . . . wie . . .«

»Ein Reflex«, sagte ich, »eine Reflexbewegung, ich verstehe schon. Aber was machen wir nun? Du wirst dich entschuldigen müssen.«

»Ich gehe nicht zurück, wenn du das meinst. Du kannst alles von mir verlangen, und ich entschuldige mich auch. Aber ich gehe nicht wieder zurück. Ich will bei denen nicht bleiben. Nie mehr.«

»Aber Lix, deine Mutter . . .«

»Wenn Mutti ihn heiraten will wegen seinem dummen Geld, dann soll sie ihn eben heiraten. Ich verstehe es zwar nicht. Bei dir war es viel schöner. Mutti hat es auch erst neulich gesagt.«

»Was hat sie gesagt?«

»Sie war traurig. Und sie hat gesagt: So wie bei Paps ist es eben nirgends. Weil er ein Herz hat. Das hat sie gesagt.«

Ich schwieg. Ich schluckte. Was sollte ich dazu auch sagen? Rosalind bereute es doch nicht am Ende, mich verlassen zu haben? Nun, wie auch immer, darüber konnte ich jetzt nicht nachdenken.

»Du wirst einsehen, Lix, daß zu zurückgehen mußt. Vorausgesetzt, Herr Killinger will dich überhaupt noch haben. Es könnte sein, er legt auf deine Anwesenheit keinen Wert mehr.«

»Hoffenltich. Und ich gehe sowieso nicht zurück. Nie.« Sie warf den Kopf in den Nacken, und ihre Augen blitzten vor Entschlossenheit.

Ich räusperte mich. »Und, was willst du tun? Du weißt genau, daß du bei mir nicht bleiben kannst. Du mußt schließlich in die Schule gehen.«

»Dann wohne ich eben wieder bei Muni. Und jetzt darf ich hierbleiben, Paps, ja?« Sie fiel mir um den Hals und küßte mich abwechselnd auf beide Wangen. »Bitte, Paps, ja? Sieh mal, nächste Woche fangen sowieso die Ferien an. Du schreibst mir eine Entschuldigung, daß ich Halsentzündung habe oder mir den Fuß verstaucht habe. Und ich bleibe hier. Und wenn die Schule wieder anfängt, ziehe ich zu Muni. So wie früher auch.«

»Und deine Mutter?«

Lix löste sich von mir und zuckte mit den Achseln. »Wenn sie den Killinger heiraten will, muß sie ihn eben heiraten. Aber ohne mich.«

Fast hätte ich gelacht. Arme Rosalind. Ganz so reibungslos, wie sie es sich erhofft hatte, würde ihr neues Leben auch nicht verlaufen. Ein fernes, dumpfes Grollen unterbrach unser Gespräch. Das von mir erwartete Gewitter meldete sich an.

Lix stürzte zur Tür und kam gleich wieder. »Es ist noch weit weg. Ich geh' noch schnell baden.«

»Ich weiß nicht . . . manchmal kommt es schnell.«

»I wo, das dauert noch eine Weile. Ich schwimme bloß mal schnell durch den See. Mir ist doch so heiß.«

»Aber komm gleich wieder, hörst du.«

»Klar.«

Ich trat vor die Haustür und sah ihr zu, wie sie mit langen Schritten in den Wald lief. Es gehörte nicht viel dazu, die Kinder in die Welt zu setzen. Je älter sie wurden, um so mehr mußte man sich mit ihnen beschäftigen, um so größer wurden Verantwortung und Sorge. Eine altbekannte Tatsache. Ich hatte gedacht, Lix wäre bei ihrer Mutter gut aufgehoben. Hatte ich gedacht, mich um meine Aufgabe zu drücken, meinen Teil der Verantwortung nicht zu tragen? O nein, gewiß nicht. Ich hatte nur gedacht, sie brauchten mich nicht mehr. Alle beide nicht, die Große und die Kleine nicht. Nun erfuhr ich, daß die Große traurig war in ihrem neugewählten Leben, und die Kleine war überhaupt davor weggelaufen. Und vor einer halben Stunde hatte ich zu einer anderen Frau von Heirat gesprochen.

Mir wurde noch heißer, als mir ohnehin schon war. Mein Leben wurde immer verwickelter.

Ich schlenderte hinüber zum Waldrand, von wo man mir schon erwartungsvoll entgegenblickte, und erzählte kurz, was es gegeben hatte. Toni freute sich. »Donnerwetter, die hat Temperament, die Kleine. Hat sie das von dir?«

»Und wo ist sie jetzt hin?« fragte Steffi.

»Baden.«

»Es kommt aber gleich ein Gewitter.«

»Sie kommt gleich wieder, hat sie mir versprochen. Tja.« Ich zündete nachdenklich meine Pfeife an und schenkte mir ein Glas Bier ein. »Was machen wir nun?«

»Heute muß sie auf jeden Fall hierbleiben«, meinte Steffi. »Nur, du solltest deine . . . du solltest Rosalind verständigen.«

»Ich kann sie von Unter-Bolching aus anrufen.« Ich blickte zum Himmel, das Gewitter kam schnell. Der erste Blitz zuckte schon über den Wald. »Ich werde hinunterradeln.«

»Warte bis nach dem Gewitter. Es ist nicht nötig, daß du obendrein vom Blitz getroffen wirst.«

Ich betrachtete Steffi eine Weile stumm. Sie gab mir den Blick zurück und lächelte. Nicht schön, daß unser Gespräch von vorhin so überraschend unterbrochen worden war. Was sie wohl dachte? Vielleicht, daß ich doch nicht der richtige Mann für sie wäre? Recht hätte sie schon.

»Wir wollen die Sachen hineinräumen«, sagte sie, »und dann werde ich Abendessen machen. Da«, sie lachte und wies auf Dorian, »er zieht sich bereits zurück.«

Dorian lief mit eingezogenem Schwanz rasch ins Haus, ohne sich noch einmal umzusehen. Wir packten jeder einen Stuhl und folgten ihm. Lix kam zurück, gerade ehe es richtig losging. Sie war etwas kleinlaut und benahm sich sehr manierlich, half Steffi beim Tischdecken und war zu meinen Gästen außerordentlich höflich.

Das Gewitter kam rasch und heftig und zog schnell wieder ab. Nur der Regen blieb. Ich radelte im strömenden Regen nach Unter-Bolching und telefonierte mit Rosalind. Sie war ganz außer sich. Aber nicht sehr überrascht, daß Lix bei mir war. Das hatte sie sich schon gedacht.

»So ein Fratz«, sagte sie. »Konrad ist wütend, das kannst du dir ja denken. Ich habe auch Krach mit ihm gehabt.«

»So.«

»Ja. Er mußte sie ja nicht ohrfeigen. Dazu hat er kein Recht.«

»Hm«, machte ich.

»Ich dulde es nicht, daß ein Fremder meine Tochter ohrfeigt«, rief Rosalind zornig.

»Was heißt Fremder? Schließlich willst du ihn heiraten.«

»Das hat damit nichts zu tun. Lix ist meine Tochter. Er hätte seine ja ohrfeigen können, die ist auch mit herumgehopst. Und wegen dem verdammten Rasen, so wichtig ist der auch nicht.«

Rosalind nahm also Partei für ihre Tochter. Demnach hatte sich die Schlacht verlagert. Sie tobte jetzt zwischen dem Generaldirektor und seiner künftigen Gemahlin.

»Und was soll nun geschehen?« fragte ich.

»Ich komme morgen hinaus.«

»Und die Schule?«

»Ich werde anrufen. Übrigens, Dodo – bist du allein draußen?«

»Nein.«

Schweigen. Dann: »So.« Und spitz: »Welche von beiden ist es denn? Oder gibt es schon eine dritte?«

»Fräulein Bergmann ist hier. Und der Toni.«

»Der Toni? Was macht denn der bei dir?«

»Urlaub.«

»Na, so was. Also gut, ich komme morgen.«

Pitschnaß kam ich wieder ins Waldhaus. Lix schlief schon. Die Augen seien ihr zugefallen, berichtete Steffi, und da habe sie sie ins Bett gesteckt.

»In welches denn?«

»In deins natürlich.«

»Und wo schlafe ich?«

»In dem anderen. Ich werde hier auf dem Sofa schlafen.«

»Dann schlafe ich auf dem Sofa.« Das würde eine herrliche Nacht werden, das Sofa war nämlich zum Sitzen gedacht, nicht zum Liegen.

»Da wirst du mich wohl hier nicht mehr brauchen können«, meinte Toni.

»Du kannst zum Andres ziehen, der hat zwei Zimmer, die er manchmal an Sommergäste vermietet. Soviel ich weiß, ist zur Zeit keiner da.«

Die Nacht auf dem Sofa war wirklich nicht sehr bequem. Nachdem ich mich eine Weile hin und her gewälzt hatte, stand ich auf und ging vors Haus. Der Himmel war wieder sternklar, die Luft wie Sekt, so frisch und prickelnd. Eine Weile saß ich auf der Schwelle, Dorian verwundert neben mir.

»Früher, mein Freund, war es viel friedlicher hier«, sagte ich zu ihm. »Über Einsamkeit können wir uns wirklich nicht mehr beklagen. Gar nicht davon zu reden, was morgen alles los sein wird.« Rosalind würde kommen und vermutlich, wie immer, auch Gwen. Auf jeden Fall würde ich in aller Herrgottsfrühe, vor Tau und Tag, zum Reiten gehen. Keine Bange, daß ich nicht wach sein würde, das Sofa würde dafür sorgen. Und Isabel war immer noch das vernünftigste Frauenzimmer in meiner Umgebung.

Aber dann dachte ich, daß ich Steffi unrecht tat. Sie hatte sich großartig benommen. So ganz einfach war es für sie auch nicht. Mitten in meinen Heiratsantrag hinein platzte meine durchgebrannte Tochter. Nicht sehr romantisch.

Ob sie schlief? Ob sie mich vermißte?

Ich hatte es noch nicht zu Ende gedacht, da spürte ich eine leise Bewegung hinter mir, und dann war sie plötzlich da, setzte sich neben mich auf die Schwelle.

»Du Armer! Du kannst nicht schlafen auf dem kleinen Ding.«

»Nicht besonders gut. Und warum schläfst du nicht?«

»Ich bin gar nicht müde. Und ich habe auch keinen richtigen Gutenachtkuß bekommen.«

Ich sah sie an. Mond war keiner am Himmel, und die Sterne gaben nicht viel Licht. Aber ich sah trotzdem das zärtliche Leuchten in ihren Augen. Ich legte den Arm um sie und zog sie an mich. »Gut, daß ich nicht zu Ende gekommen bin mit meinem Heiratsantrag. Am Ende hättest du eingewilligt, und jetzt täte es dir leid. So kannst du es dir noch überlegen.«

»Aber ich habe doch schon eingewilligt.«

»Wirklich? Ich habe nicht zugehört, daß du ja gesagt hast.«

Sie küßte mich leicht auf die Wange und flüsterte: »Ich habe ja gedacht.«

»Und denkst du es immer noch?«

»Ja.«

Ich küßte sie lange. Und dann bat ich: »Sag es noch einmal.«

Dicht an meinem Ohr flüsterte sie rasch und mit Nachdruck: »Ja. Ja. Ja.«

Der nächste Tag verlief ungefähr so, wie ich es erwartet hatte. Turbulent. Bis auf den Morgen, der war herrlich. Ich verließ das Haus schon gegen fünf Uhr in der Früh auf Zehenspitzen, unrasiert und ungewaschen, und pilgerte mit Dorian gemächlich hinauf zum Gstattner-Hof.

Wie schön so ein Sommerlorgen ist! Man sollte sich diesen Genuß öfter verschaffen. Der Wald erwachte langsam vom Schlaf, die Wiesen waren feucht vom Tau, über den Bäumen war das erste Sonnenlicht zu ahnen, und die Vögel jubelten ihr Morgenlied. Ganz andächtig konnte man werden. Wirklich, man sollte diese schönste Stunde des Tages nicht immer verschlafen.

Als ich von meinem Ritt zurückkam, traf ich den Andres im Stall.

»Was is nachher mit dir los?« fragte er verwundert. »Bist unter die Schlafwandler gangen?«

»Herrlich so ein Morgen. Ich werd' jetzt öfter so früh reiten.«

Er zog zweifelnd die Brauen hoch.

»So schaust aus. Findest eh' nie aus den Federn. Magst an Kaffee?«

Ich mochte, denn inzwischen hatte ich Frühstücksappetit. Ich setzte mich zur Mali in die Küche, bekam einen guten starken Kaffee, Schwarzbrot, frische Butter und eine ordentliche Portion Schinken. Dabei hatte ich gleich Gelegenheit, nachzufragen, ob man den Toni für einige Zeit auf dem Hof einquartieren könne.

»Freili«, sagte die Mali. »An Platz hätten wir scho. G'fallts ihm net mehr bei dir?«

Also berichtete ich über die Ankunft meiner Tochter und in etwa, was vorgefallen war.

»Mei, das arme Madl«, sagte die Mali mitleidsvoll. »So a Stiefvater, des is nix Rechts. Und wenn des so a Großkopfeter ist, dann spinnt er eh'. Die spinnen alle. Kommt dann am End' dei Frau aa wieder zruck?«

»Schmarrn«, belehrte sie der Andres. »Die kann er net brauchen. Er hat doch a Neue.«

»Freili, i woaß ja eh'. Die Steffi. Willst di denn a wirkli behalten?«

Ich nickte, den Mund voller Schinkenbrot.

»Mir g'fallts gut«, sagte die Mali. »Ich glaub', sie paßt net schlecht zu dir. Und was sagt die Lix dazu?«

»Die wird sich daran gewöhnen müssen.«

»Und die ander?« fuhr die Mali nach einer hinterlistigen Pause fort.

»Was für eine andere?« fragte ich irritiert.

»Na, die Kloa vom Grafen drent. Die kommt do aa no allerweil.«

»Mali«, sagte ich kopfschüttelnd, »wie kommst du mir denn vor. Gwen ist achtzehn Jahre alt.«

»Freili, arg jung is noch. I hab' nur denkt, weils allweil bei dir umeinanderhockt.«

»Sie kommt machmal zu Besuch, und wir reiten zusammen.«

»Aber du hast's doch gern. Oder net?«

»Schon. Aber doch nicht in dieser Art.«

Die Mali kniff die Augen zusammen und musterte mich ziemlich eindringlich. Mir wurde etwas ungemütlich.

»A schöne Weiberwirtschaft hast beieinand, des muß ma sagen. Grad zugehen tut's bei dir.«

Das stimmte. Im Laufe des Vormittags entwickelte sich ein beachtlicher Rummel im und um das Waldhaus. Zuerst traf Rosalind ein. Gwen nicht viel später. Die erste mit dem Auto, die zweite hoch zu Roß. Die erste geladen wie ein Schießgewehr, die zweite tief gekränkt, weil ich nicht an der Brücke gewesen war.

Steffi hielt sich bescheiden und möglichst unauffällig im Hintergrund, und nachdem sie ein wutglitzernder Blick von Rosalind getroffen hatte, verzog sie sich zu Toni an den Waldrand. Dorthin schickte ich auch Gwen, die eintraf, als sich das Gespräch zwischen Rosalind, Lix und mir seinem ersten Höhepunkt näherte.

Ich schob Gwen ziemlich unsanft aus dem Zimmer, nachdem sie ungeniert hereingekommen war, mich ihre Vorwürfe hören ließ und Miene machte, sich häuslich auf dem Sofa niederzulassen.

»Ich hab' jetzt keine Zeit, das siehst du doch«, sagte ich zu ihr, als wir vor der Haustür standen. »Geh ein bißchen zu Steffi und Toni.«

»Was gibt's denn?« fragte Gwen neugierig. »Krach?«

»So was Ähnliches.«

»Kann ich mir denken, wenn die da ist.« Das ›die‹ bezog sich auf Rosalind und war von einer verächtlichen Kopfbewegung zum Haus hin begleitet.

»Die kann ich sowieso nicht leiden.«

»Schön. Dann kannst du sie eben nicht leiden. Entschuldige, aber das ist mir ziemlich wurscht.«

»Ja, ich weiß schon. Dir alles wurscht, was ich sage und tue. Dir wird es auch wurscht sein, daß ich nächste Woche abreise.«

»So?« fragte ich, wirklich etwas gleichgültig.

Gwen blitzte mich wütend an. »So, ja!« äffte sie mich nach. »Das ist alles, was du dazu sagst. Wahrscheinlich bist du froh, mich loszuwerden.«

»Aber Kind . . .«

»Sag nicht immer Kind zu mir! Ich bin kein Kind. Und ich werde froh sein, wenn ich dich nicht mehr sehen muß.«

»Gut. Wie du meinst. Und jetzt sei so lieb und setz dich zu Steffi.«

»Ich kann ja auch wieder nach Hause reiten.«

»Das kannst du natürlich auch«, erwiderte ich und meinte es auch so. »Wir treffen uns dann morgen.«

»Das bezweifle ich«, gab Ihre Durchlaucht hochmütig zur Antwort und steckte die Nase in die Luft.

Sie warf noch einen verachtungsvollen Blick auf Rosalind, die unter der Tür aufgetaucht war, um zu sehen, wo ich geblieben war. Dann stolzierte sie über die Wiese. Rosalind sah mich giftig an.

»Daß du dich nicht schämst. Alle diese Frauenzimmer hier. Und da soll ich meine Tochter hierlassen. Nie, nie.«

»Also, bitte«, sagte ich gereizt, »von mir ist jetzt nicht die Rede. Beenden wir erst einmal das Hauptthema.«

Drin im Zimmer saß Lix auf dem Sofa und heulte. Sie sah verbockt und böse aus. Es schien, Rosalind hatte nicht gerade den besten Einfluß auf sie ausgeübt.

»Hör auf«, sagte ich zu Lix. »Warum heulst du denn auf einmal?«

»Ich habe ihr eine heruntergehauen«, sagte Rosalind. »Es ist schon so weit, daß sie mir auch noch frech kommt. Kaum ist sie einen Tag bei dir, ist sie restlos verwildert.«

Langsam begann ich auch die Ruhe zu verlieren, um die ich mich bis dahin bemüht hatte.

»Bitte, Rosalind«, sagte ich scharf, »wenn du hergekommen

bist, um eine Szene zu machen, dann fährst du am besten gleich wieder ab. Meiner Ansicht nach ist Lix zu groß, um mit Ohrfeigen traktiert zu werden, ob sie nun von dir kommen oder von deinem zukünftigen Mann. Und ich bin außerdem der Meinung . . .«

»Deine Meinung interessiert mich nicht«, rief Rosalind wild, »*du* hast dich ja blendend aus der Affäre gezogen. Du bist aller Verantwortung ledig. Du kümmerst dich weder um deine Frau noch um dein Kind, sondern amüsierst dich mit fremden Weibern. Und sich dann aufblasen und weise Worte sprechen, darauf kann ich gern verzichten. Das merke dir. Wenn es nach dir ginge, dann brauchten wir beide nicht auf der Welt zu sein, Lix und ich. *Du* empfindest es offenbar bloß noch als eine Belästigung, wenn man dich deinem Amüsierbetrieb stört. *Du* . . .« Und so ging es noch eine Weile weiter. Es war Rosalind, meine süße, kleine Rosalind von ihrer übelsten Seite.

Nun – ich kannte ihr Temperament. Ich hatte schon manche Szene erlebt. Diese hier war wirklich nicht schön. Und am wenigsten schön war dabei, daß unsere Tochter das alles mit anhörte.

Lix hatte nämlich aufgehört zu weinen und betrachtete ihre zornige Mutter mit weitaufgerissenen Augen.

Ich zwang mich mich zur Ruhe, zündete mir eine Zigarette an und stellte mich mit dem Rücken zum Fenster. Es hatte wenig Zweck, Rosalind zu unterbrechen. Sie würde sowieso nicht aufhören, ehe sie nicht alles gesagt hatte, was sie auf dem Herzen hatte. Wenn ich dazwischenredete, zögerte ich nur das Ende des Auftritts hinaus. Ich kannte das aus Erfahrung. Es würde nicht lange dauern. Sie verschoß ihr Pulver immer sehr rasch, und dann verließen sie die Nerven.

So war es auch diesmal. Nachdem sie mir alles an den Kopf geworfen hatte, was ihrer Meinung nach gegen mich sprach, was ich mir jetzt und früher hatte zuschulden kommen lassen, sank sie neben Lix auf das Sofa und begann ihrerseits zu weinen. Laut und ungebärdig wie ein verzweifeltes Kind.

Lix, die ihren Zorn über die Ohrfeige vergessen hatte, legte den Arm um Rosalind und weinte noch ein bißchen zur Gesellschaft mit. Ich holte die Kognakflasche, warf einen vorsichtigen Blick aus dem Fenster, Gott sei Dank, die drei saßen friedlich vereint drüben am Waldrand, Jessica graste neben dem

Haus, und wandte mich wieder meinen familiären Problemen zu.

Ich zog mir einen Stuhl an das Sofa und setzte mich vor die beiden unglücklichen Kinder hin. Denn, was war denn Rosalind anderes als ein großes, dummes Kind, eitel und gefallsüchtig, schwach und liebebedürftig, gleich heftig im Zorn wie in der Freude. Und glücklich war sie nicht, das erkannte ich nun. Denn Lix' Auftritt mit dem Generaldirektor war schließlich kein Weltuntergang und verdiente nicht so viel Gemütsbewegung.

»Einen Kognak?« fragte ich, als der Tränenstrom zu versiegen begann. Ich schenkte ein, auch Lix bekam einen kleinen Schluck, wir tranken, Rosalind kramte in ihrer Tasche nach einem Taschentuch, ich fragte: »Zigarette?«, und als sie nickte, zündete ich ihr eine an.

Doch als ich sie ihr reichen wollte, nahm sie nicht die Zigarette, sondern schlang beide Arme um meinen Hals, versteckte ihr Gesicht an meiner Schulter und weinte noch ein bißchen weiter.

Ich hielt Lix die brennende Zigarette hin, sie nahm sie mir ab, und ich hatte nun beide Hände frei, um Rosalind beruhigend in den Arm zu nehmen und zu streicheln.

Lix saß derweil auf dem Sofa, mit ernster Miene, und hielt mit steifen Fingern die Zigarette fest, die langsam verglühte. Auf diese Weise gelangten wir nach einiger Zeit zu dem Punkt, an dem sich das Gespräch weiterführen ließ.

Es begann damit, daß Rosalind mit einem letzten Schluchzer an meinem Ohr sagte: »Ach, Dodo, ich bin so unglücklich.«

»Aber liebes Kind«, sagte ich in väterlich tröstendem Ton, »warum denn eigentlich? So welterschütternd ist die Geschichte nun doch auch wieder nicht. In den besten Familien gibt es einmal Krach. Und wenn man heranwachsende Kinder hat, kommt es immer wieder mal zu Ärger. Das wird Herrn Killinger nicht unbekannt sein. Schließlich hat er selbst eine Tochter. Lix wird sich bei ihm entschuldigen, und er wird die Angelegenheit vergessen. Und Lix wird lernen, daß man sich den Verhältnissen und anderen Leuten anpassen muß. Sie ist alt genug, um das einzusehen.«

»Wenn du damit meinst«, kam die feindselige Stimme meiner Tochter, »daß ich dorthin zurückgehe, dann täuschst du dich. Ich bleibe hier.«

»Du bist still«, sagte ich zu ihr. »Ich rede jetzt mit deiner Mutter.«

Rosalind löste die Arme von meinem Hals und wandte sich zu Lix. »Ich habe gerade genug Ärger«, sagte sie. »Das fehlt noch, daß du mir auch Schwierigkeiten machst.«

Darauf blieb es eine Weile still. Rosalind zündete sich nun selbst eine Zigarette an, goß sich noch einen Kognak ein und starrte unglücklich vor sich hin.

Ich hielt es für besser, nicht näher auf diesen Ärger, von dem sie sprach, einzugehen. Meinte sie Ärger mit Herrn Killinger? Das wollte ich nicht hoffen. Das wäre ein bißchen früh.

»Soviel ich weiß«, sagte ich, »hat Lix doch bis jetzt keine Schwierigkeiten gemacht. Oder? Das war nun gestern mal eine unerfreuliche Szene. Sie hat sich schlecht benommen. Herrn Killinger ist der Gaul durchgegangen. Schön. Das kommt vor. Das Gewitter lag in der Luft, vielleicht war das auch mit schuld.«

Rosalind drehte sich gereizt zu mir um. »Hör jetzt bloß auf mit deinem Gewitter! Es war nicht bloß gestern. Lix hat sich schon oft schlecht benommen. Und sie hat schon ein paarmal gesagt, daß sie zu dir will. Erst letzte Woche«, sie ging drohend auf Lix zu, »da hast du dich geradezu schandmäßig benommen. Das weißt du ja wohl noch, nicht? Frech und ungezogen wie ein Rotzjunge von der Straße. Schließlich bin ich noch nicht mit ihm verheiratet. Kein Mensch könnte es ihm verdenken, wenn er sich dafür bedankt, eine Frau zu heiraten, die so eine unverschämte Tochter hat. Ich hab' dir ja schon den Standpunkt klargemacht. Und was machst du? Benimmst dich so wie gestern und machst alles noch viel schlimmer. Was denkst du dir eigentlich? Paps hat es dir eben gesagt. Man muß sich anpassen. Dort ist eben ein anderes Milieu als hier. Nachgerade könntest du es lernen, dich wie ein zivilisierter Mensch zu benehmen.« Lix schob trotzig die Unterlippe vor und schwieg. Ich fühlte mich versucht, es ihr nachzutun. Demnach befand man sich hier bei mir fern der Zivilisation. Aber es war wohl zwecklos, den Streit nun auch noch nach dieser Richtung hin auszudehnen.

»Wenn du denkst, daß das für mich alles so einfach ist, dann täuschst du dich«, fuhr Rosalind fort. »Ich muß auch erst sehen, wie ich mich zurechtfinde. Du weißt genau, daß mir Frau Boll Schwierigkeiten macht, wo sie kann.«

Sieh an, das war neu.

»Warum denn das?« fragte ich so sanft wie möglich.

Rosalind wandte sich wieder zu mir und sagte ungeduldig: »Ach, das ist doch klar. Für sie war es doch großartig, wie es bisher war. Nun kommt wieder eine Frau ins Haus, und ihre Vormachtstellung ist zu Ende. Was denkst du, wie sie das Theater gestern genossen hat? Ich hätte ihr am liebsten in ihre höhnisch grinsende Fassade geschlagen.«

Ich seufzte. »Lieber Himmel, Rosalind, es geht nun wirklich nicht an, daß ihr euch wechselseitig dort ohrfeigt. Ich muß sagen: ich staune. Ich dachte immer, alles ist eitel Freude und Herrlichkeit, und ihr versteht euch großartig.«

»Du weißt genau, daß es nicht so ist. Du brauchst mich auch gerade noch zu verhöhnen, das hat mir noch gefehlt.«

Ein neuer Ausbruch schien sich vorzubereiten. Wie konnte ich es fertigbringen, daß wir endlich sachlich und ruhig den Fall erörtern konnten?

»Schluß jetzt mit der Streiterei«, sagte ich energisch und mit erhobener Stimme. »Du hast Ärger mit Frau Boll, und du hast Ärger mit deinem Konrad, gut. Aber das steht hier nicht zur Debatte. Vielleicht, mein liebes Kind, solltest auch du dich bemühen, dich den neuen Verhältnissen und den Menschen, mit denen du leben willst, anzupassen. Daß es dort nicht immer so gemütlich zugehen wird wie hier bei mir, wo es ja, deinen Worten nach, reichlich unzivilisiert ist«, das konnte ich mir nun doch nicht verkneifen, »ist klar. Aber du hast dieses Leben gewollt, dir war es hier nicht gut genug. Jetzt hast du, was du willst, und nun beklage dich gefälligst nicht.«

»Wie redest du denn mit mir?« rief Rosalind empört.

»Das alles brauchen wir momentan nicht zu besprechen. Hier geht es um Lix und um das Problem, wie wir sie mit der Zivilisation versöhnen.«

»Ich gehe nicht zurück«, rief Lix dazwischen, stur und eigensinnig und nun ebenfalls mit erhobener Stimme.

Rosalind drehte sich wütend zu ihr um. »Ich fahre nicht ohne dich zurück, daß du es weißt.«

»Und ich fahre nicht mit. Du kannst mich nicht zwingen. Ich bleibe bei Paps.«

Erbittert starrten sich Mutter und Tochter an.

»Dann bleibt sie eben vorerst hier«, sagte ich begütigend. »Später werden wir weitersehen.«

»Lix ist mir zugesprochen«, rief Rosalind. »Du kennst das Urteil.«

Ich blickte sie ruhig an. »Rosalind, sei nicht kindisch. Du kannst Lix nicht zwingen. Und vielleicht ist es deinem Konrad lieber, wenn er sie eine Weile nicht um sich hat. Wenn ihr dann mal verheiratet seid, ist deine Situation günstiger. Dann kannst du sicher eine Versöhnung arrangieren. Apropos – wann wird denn nun geheiratet?«

Rosalind nagte an ihrer Unterlippe. »Anfang September«, sagte sie knapp.

»Das ist ja nicht mehr lange hin. Und so lange kann Lix wirklich hierbleiben. Wenn sowieso nächste Woche die Ferien anfangen, versäumt sie nichts. Und bis zum September sieht alles anders auch.«

»Ich gehe nicht zurück. Nie«, kam es wieder von Lix.

»Lix, das wird langweilig«, sagte ich. »Wir kennen deine Meinung. Es ist nicht nötig, daß du immer wieder dasselbe sagst. Wir werden darüber sprechen, wenn es soweit ist.«

»Nie«, wiederholte Lix, etwas leiser, aber nicht minder entschlossen. Komisch, wie sich so was vererbt. Nie war schon immer ein Lieblingswort von Rosalind gewesen. Es gab so viel, was sie ›nie‹ tun wollte. Aber bei ihr war das ›Nie‹ nie sehr ernst zu nehmen, möglicherweise bei Lix auch nicht.

Rosalind hatte schon wieder eine neue Zigarette angezündet. Ich sah, daß ihre Hand zitterte. Fast tat sie mir leid. Nein, sehr glücklich schien sie nicht zu sein.

»Wir wollten nächste Woche ins Tessin fahren«, sagte sie leise, »gleich wenn die Ferien angefangen haben. Lix, Dolly und ich. Konrad wollte im August nachkommen. Lix, du hattest dich doch so auf die Reise gefreut.« Lix schwieg verbockt. Fast bittend sprach Rosalind nun zu ihrer Tochter. »Lix, das hübsche Haus am Wasser. Und der Luganer See ist ganz warm. Du kennst das doch alles nicht. Wir werden so viel sehen, die ganze Schweiz wirst du kennenlernen. Wir können schöne Ausflüge machen. Und du kannst jeden Tag schwimmen.«

»Das kann ich hier auch«, sagte Lix abweisend. »Und hier gefällt es mir viel besser. Und am Luganer See ist im Sommer ein irrsinniger Betrieb, hat Fräulein Behrends gesagt. Geradezu gräßlich sei es. Nichts wie Autos und Menschen und Lärm. Und das Wasser ist viel zu warm.«

»Fräulein Behrends?« fragte Rosalind irritiert.

»Hat sie gesagt. Sie war schon mal dort. Ihr gefällt es besser am Chiemsee, hat sie gesagt.«

»Wer, um Himmels wilen«, warf ich ein, »ist denn nun wieder Fräulein Behrends? Deine Lehrerin?«

»Quatsch. Fräulein Behrends ist die Sekretärin.«

»Sag nicht Quatsch, wenn du mit mir redest«, fuhr ich Lix an. Sie war wirklich etwas unzivilisert. War mir früher gar nicht aufgefallen.

»Entschuldige, Paps«, sagte Lix artig, denn offensichtlich lag ihr daran, sich mit mir gut zu stellen.

»Die Sekretärin von Konrad«, erläuterte mir Rosalind. »So, die war im Tessin?« Das klang enttäuscht. Offenbar verband Rosalind mit diesem Landstrich gewisse soziale Maßstäbe.

»Und du hast selber gesagt«, fuhr Lix fort, »das Haus ist eine miese kleine Bude, und du kannst nicht verstehen, warum er das gekauft hat für das viele Geld. Und es ist gar nicht direkt am Wasser, hast du mir gesagt, und es ist furchtbar steinig dort, und das Grundstück ist winzig, man kann sich kaum im Garten umdrehen. Und wenn man baden will, muß man über die Straße, und ein richtiger Strand ist es auch nicht, nur gerade so zwei Stufen ins Wasser und gleich daneben flitzen die Autos vorbei. Wo das schön sein soll, möchte ich auch mal wissen. Hier ist doch viel schöner. Hier habe ich einen See ganz für mich allein. Und Platz, soviel ich will. Einen ganzen Wald für mich. Und so viele Leute sind auch nicht da.«

»Wenn du dich da nur nicht täuschst«, sagte Rosalind bissig. Sie war sehr verärgert, und sie sah mich nicht an.

Das Haus im Tessin war ihre ganze Wonne und ihr ganzer Stolz. Konrad, der Killinger, hatte es erst im vergangenen Jahr gekauft. Und Rosalind betrachtete den Besitz eines Hauses im Tessin als den endgültigen Beweis dafür, daß sie nun zur oberen Sahneschicht der Gesellschaft gehören würde. Als sie im Frühjahr einmal kurz dort gewesen war, es war kurz vor unserer Scheidung, hatte sie mir einen ganzen Nachmittag lang von diesem Haus vorgeschwärmt. Was für ein herrlicher Besitz es sei, ein wundervoller Garten, und der prachtvolle Blick, und so warm sei es, und sie hätte nie einen schöneren Fleck Erde gesehen. Ich war ordentlich neidisch geworden.

Lix gegenüber hatte sie sich offenbar anders geäußert. Nun ja, Grundstücke im Tessin waren teuer, soviel ich wußte. Warum sollte der gute Konrad da unten einen Palast kaufen,

wenn er doch immer nur wenige Tage oder Wochen dort verbrachte. Er hatte ja so wenig Zeit, der arme Manager. Er mußte
schließlich das Geld verdienen, für alle diese herrlichen Dinge,
die er den Seinen bescherte.

Ich empfand ein wenig Schadenfreude. Arme Rosalind!
Auch das neue Leben würde nicht so vollkommen sein wie ihre
Träume. Ob sie wohl endlich begriff, daß die Wirklichkeit niemals – nie! um nun auch ihr Lieblingswort zu gebrauchen –
rundherum aus Schokolade war? Als edler Mensch unterließ
ich jede hämische Bemerkung. Ließ nur die Stille, die nun endlich einmal eingekehrt war, ein wenig wirken. Aber dann, bei
einem zufälligen Blick aus dem Fenster, sah ich Gwen über die
Wiese kommen.

Rosalind hatte sie auch gesehen. »Da kommt eine deiner
Freundinnen«, sagte sie spitz.

Ich ging vors Haus und blickte Gwen fragend entgegen.

»Ich wollte schnell baden gehen«, sagte Gwen liebenswürdig. »Kommst du mit?«

»Ich kann jetzt leider nicht.«

»Aha. Immer noch Familienbetrieb? *Armes* Dolfilein!« Sie lächelte mich unschuldig an. Ich schwieg.

»Keine Angst, ich hau' dann gleich ab. Und nächste Woche
bist du mich ganz los. Dann wirst du froh sein, nicht?«

»Ich glaube nicht«, sagte ich. »Du wirst mir fehlen.«

»Zuviel der Ehre«, meinte sie spöttisch.

»Warum mußt du denn so schnell weg?«

»Ich fahre mit meinen Eltern nach Belgien. An die Küste.
Da fahren wir meist im Sommer hin. Wir haben dort Bekannte.«

»Aber das ist ja großartig. Da kannst du am Strand reiten.
Nimmst du Jessica mit?«

»Das wird Vater nicht erlauben. Und die haben dort selber
Pferde.«

»Na, ich finde das herrlich.«

Sie sah mich vorwurfsvoll an. »Ich hab' ja gewußt, daß du
dich freust, wenn du mich los wirst.«

»Wer sagt denn das? Ich meinte doch nur, daß ich mir das
Reiten am Strand herrlich vorstelle. Habe ich mir immer mal
gewünscht.«

»Dann komm doch mit«, rief sie eifrig. »Das wär' prima.« Ich
lachte. »Vielen Dank für die Einladung. Aber erstens kann ich

hier nicht weg, und zweitens müßte ich erst mal hören, ob dein Vater das auch prima findet.«

»Och, mein Vater ist nicht so. Der ist sehr gastfreundlich. Und dich fände er sicher interessant. Wo du doch Schriftsteller bist.«

»Hm. Na ja.«

»Wirklich. Er hat immer gesagt, er wünschte, es würde mal jemand unsere Familiengeschichte schreiben. Da ist nämlich allerhand passiert so im Laufe der Jahrhunderte. Da würdest du staunen, was da alles los war.«

»Kann ich mir vorstellen.«

»Soll ich dir eine Einladung besorgen?«

»Vielleicht später mal. Dieses Jahr geht es wirklich nicht. Ich habe hier allerhand Trubel, das siehst du ja.«

»Ja, mit deiner Familie. Deine Tochter ist durchgebrannt. Finde ich toll. Ich ließe mir auch nichts gefallen.«

Mir kam eine Idee. »Wie wär's, wenn du Lix mitnimmst zum Baden? Eine kleine Abkühlung würde ihr guttun.«

»Von mir aus«, meinte die Durchlaucht gönnerhaft. »Wenn sie Lust hat.«

Lix hatte Lust. Es war ihr ganz willkommen, mal für eine Weile zu verschwinden. Ehe sie ging, flüsterte sie mir zu: »Du mußt machen, Paps, daß ich bei dir bleiben kann, ja? Ich fahre bestimmt nicht mit ins Tessin. Du mußt es Mami beibringen.«

Im Verlauf der nächsten halben Stunde gelang mir das. Rosalind resignierte schließlich. Gut, Lix sollte dann also für die nächste Zeit bei mir bleiben. Und ich sollte versuchen, sie zur Räson zu bringen.

»Ich werde mein möglichstes tun«, versprach ich.

»Es ist ja schließlich in deinem eigensten Interesse«, sagte Rosalind mokant. »Genaugenommen kannst du das arme Kind ja gar nicht brauchen mit deinem Harem hier.«

»Du kannst dir diese Bemerkungen sparen.«

»Stimmt es vielleicht nicht? Es ist bestimmt nicht richtig, wenn Lix das alles mit ansieht.«

»Hier gibt es nichts mit anzusehen.«

»Daß ich nicht lache. Lix ist schließlich noch ein Kind.«

»Gwen, mit der sie eben zum Baden gegangen ist, auch noch. Außerdem reist sie sowieso nächste Woche ab.«

»Und die andere?«

»Fräulein Bergmann bleibt hier«, sagte ich sehr entschieden.

»Und Lix wird sich mit ihr vertragen. Es gibt nichs Ungehöriges, das Lix nicht sehen oder hören könnte.«

»So? Das möchte ich entschieden bezweifeln. Wie schlaft ihr denn überhaupt?«

Stimmt. Mit Steffi zusammen schlafen konnte ich nun nicht mehr. Jedenfalls nicht hier im Haus. Also mußte ich wohl in das kleine Zimmerchen ziehen, das Lix früher bewohnt hatte, und Steffi und Lix mußten zusammen im Schlafzimmer bleiben.

»Mach dir keine Sorgen«, sagte ich. »Du wirst wohl davon überzeugt sein, daß Lix bei mir gut aufgehoben ist.«

Rosalind gab keine Antwort. Sie verabschiedete sich von keinem. Nur Lix und ich begleiteten sie zum Wagen.

Ehe sie einstieg, sah es fast so aus, als würde sie noch einmal anfangen zu weinen. »Du kommt also wirklich nicht mit?« fragte sie Lix mit bebender Stimme.

»Bitte, Mami«, bat Lix flehentlich, »laß mich hier.«

»Es ist nur für die Ferien, das weißt du ja.«

Und dann fuhr sie ab. Wir sahen ihr nach, bis das Auto im Wald verschwunden war. Dann drehte sich Lix abrupt um und lief wie ein übermütiges Füllen dreimal um die Wiese herum. Sehr vergnügt und aller Sorgen ledig. Mit mir zusammen langte sie am Waldrand an.

»Na«, sagte Steffi zu ihr, »hast du deinen Kopf durchgesetzt?«

Lix nickte und setzte sich ins Gras. »Ich bleibe hier.«

Ich sah Steffi an und hob die Schultern. Steffi lächelte.

Und plötzlich sagte Lix sehr erwachsen und verständig: »Störe ich euch sehr?«

»Das wird sich zeigen«, sagte ich.

»Ich denke nicht«, sagte Steffi herzlich. »Ich hoffe, daß wir uns gut vertragen werden.«

Lix erwiderte ernsthaft Steffis Blick. Dann sah sie mich an, dann wieder Steffi, und dann fragte sie ungeniert: »Werdet ihr heiraten?«

Steffi errötete. Ich sagte ruhig: »Ja.«

Toni faltete die Hände über dem Bauch und grinste. Gwen rief erschrocken: »Oh!«

Lix aber sagte sorgenvoll: »Das wird Mami aber ärgern.«

Vorübergehend schien wieder einmal Friede im Waldhaus eingekehrt zu sein. Toni zog zum Andres hinauf. Anfangs kam er jeden Morgen und blieb bis zum Abend, aber innerhalb weniger Tage befreundete er sich mit Andres und der Mali, sogar mit dem Wastl, und da Toni ein hervorragender Skatspieler war, vertiefte sich die Feundschaft in Windeseile. Wir bekamen ihn immer seltener zu Gesicht.

»Weißt du«, sagte er eines Tages zu mir, »das Landleben hat auch seine Reize. Man gewöhnt sich. Früher hab' ich immer gedacht, das Leben am Land drauß' wär' stinklangweilig. Ist es aber gar nicht. Die Leut' san net dumm. Dein Freund da, der Andres, also mit dem kannst ganz vernünftig reden.«

Ich ritt jeden Tag mit Gwen, obwohl es zwei Tage nach Lix' Einzug anfing zu regnen und nicht mehr aufhörte. Aber wir ritten im Regen, und Gwen war manchmal ein wenig niedergeschlagen, die bevorstehende Trennung betrübte sie. Am Tage ehe sie abreiste, wurde ich auf das Gut zum Tee eingeladen, denn, so sagte der Graf: »Ich stehe tief in Ihrer Schuld. Sie haben mir und meiner Frau die meisten Sorgen mit diesem ungebärdigen Füllen hier abgenommen. Und ich finde, Sie hatten einen guten Einfluß auf das Kind. Sie steht jetzt schon besser am Zügel.«

Wir lachten, und Gwen zog eine Grimasse. »Macht ihn nur noch eingebildeter, als er sowieso schon ist. Er hält sich für einen Weisen der Sonderklasse, der abwechselnd wilde Pferde oder wilde Mädchen zähmt. Mit einem von beiden scheint er ja ständig beschäftigt zu sein.«

Ich lächelte ihr zu und sagte: »Du bist gar keine schlechte Beobachterin.«

Ich war dabei, als Jessica verladen wurde, was nicht ohne einige Schwierigkeiten abging. Sie würde mit dem Auto bis München und von dort per Bahn reisen. Einer der Pferdepfleger des Grafen begleitete sie und würde auf dem Rückweg ein anderes Pferd vom fürstlichen Gestüt mit herunterbringen, das für einen Bekannten des Grafen gedacht war.

»Jonas geht spielend heute schon eine M-Dressur«, erklärte Gwen eifrig. »Und mit ein bißchen Arbeit bringt er es zu S. Ein sehr intelligentes Pferd.«

»Mit geht immer noch nicht die Stute aus dem Kopf«, sagte

der Graf. »Seit ich dich jetzt wieder mit deiner Jessica gesehen habe, mußte ich immer wieder an sie denken.«

»Franz, ich bitte dich«, sagte die Gräfin. »Wir haben Pferde genug. Ich kann ja nun auch eine Weile wieder nicht reiten. Und ich habe Angst, wenn du mit so einem verrückten Tier in der Gegend herumkarriolst.« Die junge Gräfin war eine schöne Frau geworden. Früher wirkte sie immer ein wenig unscheinbar. Seit sie die Kinder hatte, war ein süßer, sanfter Madonnenausdruck in ihr Gesicht gekommen, groß und leuchtend die dunklen Augen, eine lächelnde Gelassenheit ging von ihr aus, die auf jeden Menschen wohltuend wirken mußte.

»Ich würde sie schon zähmen«, sagte der Graf. »Ich fege ja nicht so närrisch mit einem Pferd durch die Gegend wie Gwen.«

»Es handelt sich um Julika«, erklärte mir Gwen. »Eine Schwester von Jessica, weißt du. Onkel Franz hat sie voriges Jahr kennengelernt, als er bei uns zu Besuch war. Damals wurde sie noch longiert, aber diesen Sommer geht sie unterm Reiter. Sie sieht fast genauso aus wie Jessy.«

»Mit Isabel bist du auch nicht fertig geworden«, meinte die Gräfin. »Isabel ist eine Individualistin. Sie wollte sich ihren Herrn selbst aussuchen, und das hat sie getan.«

Ich lachte. »Zum Glück für mich.«

Die Gräfin seufzte. »Es ist traurig, daß ich wieder aussetzen muß. Na, ein Kind noch, dann ist Schluß. Dann wird wieder geritten.«

»Siehst du«, sagte Gwen, »sag' ich immer, daß Kinderkriegen was wahnsinnig Unpraktisches ist.«

Als wir alle lachten, wurde sie rot. »Na, ist doch so. Wenn man nicht mal mehr reiten kann – das ist doch kein Leben. Ich werde mir das sehr überlegen.«

»Das tu man«, neckte sie der Graf. »Und vergiß aber nicht, deinen zukünftigen Mann mit überlegen zu lassen.«

»Mein armes Mohrle ist bloß noch auf der Weide«, fuhr die Gräfin fort, »und sie ging so furchtbar gern im Gelände. Stundenlang, es konnte bergauf und bergab gehen, das machte ihr nicht das geringste aus.«

»Ich kann sie ja gelegentlich mal reiten«, schlug der Graf vor.

»Du bist zu schwer für sie«, sagte die Gräfin.

Morina, die zierliche, lebhafte Rappstute der Gräfin, die sie bekommen hatte nach dem Fiasko mit Isabel, wurde von allen

zärtlich Mohrle genannt, weil sie von Kopf bis Fuß ganz tief-
schwarz war und ein drolliges, betuliches Wesen hatte, so daß
jeder sie gern haben mußte.

»Wenn Sie mögen«, sagte ich, »kann Mohrle für ein paar Wochen zu mir kommen. Meine Tochter ist für die Ferien da und
hat schon verkündet, daß sie gern mit mir ausreiten würde.«

»Wenn Sie dabei sind, hätte ich keine Bedenken«, sagte die
Gräfin.

»Lix wird ohne weiteres mit ihr fertig, sie ist ganz artig.«

»Und Ihr Gast«, fragte der Graf, »kommt gut mit Flux zurecht?«

»Ausgezeichnet. Nicht, Gwen?«

»Ja«, bestätigte Gwen. »Steffi hat viel gelernt. Sie wird noch
eine passable Reiterin. Nächsten Sommer braucht sie ein anderes Pferd, da wird ihr Flux zu langweilig sein.«

»Na, nur langsam«, sagte ich. »Flux geht noch sehr ordentlich. Für Steffi ist er gerade richtig. Daß er mit Jessica nicht mit-
kommt, na ja, das verlangt ja kein Mensch von ihm.«

»Mit Isabel auch nicht.«

»Ich jage ja nicht so wie du.«

»Ja, du wirst froh sein, wenn ich weg bin, nicht? Dann kannst
du wieder deinen gemütlichen Altherrentrott reiten.«

Der Graf und ich lachten hellauf. Die Gräfin schüttelte den
Kopf.

»Gwen, du bist unmöglich. Dein armer Vater kann mir wirklich leid tun.«

»Ich werd's ihm bestellen«, sagte Gwen ungerührt. »Es wird
ihm ein Trost sein.«

Der Abschied von Gwen fiel ziemlich kurz und schmerzlos
aus.

»Tschüs«, sagte sie. »Mach's gut, Dolfi. Vielleicht komme ich
mal wieder.«

»Würde mich freuen«, erwiderte ich und war etwas gekränkt
durch diesen kühlen Abschied.

Aber dann, ich war schon ein Stück geradelt, rief sie mich.

Ich bremste und wandte mich um. Sie kam mir nachgelau-
fen, und als sie bei mir war, sagte sie atemlos: »Du könntest mir
wenigstens einen Kuß geben.«

»Ich wußte nicht, daß du Wert darauf legst.«

»Ach, nicht wenn alle zugucken. Ich komme bestimmt wieder. Und dann reiten wir wieder zusammen, ja?«

»Natürlich. Also dann, auf Wiedersehen, Gwen.« Ich legte leicht die Hand um ihren Nacken und küßte sie auf die Stirn.

Aber sie drängte sich an mich. schlang ihre Arme um mich und küßte mich auf den Mund. Es war ein richtiger fester Kuß, gar nicht mal so ungeübt. Und ich – ja, ich konnte nicht anders, ich küßte sie wieder. Auch richtig. Ein wenig schuldbewußt ließ ich sie los. Ihre Augen waren groß, und einen kleinen Moment lang sah sie mich stumm an. Dann wandte sie sich jäh um und lief im gleichen Tempo den Weg zurück!

Ich sah ihr nach. Am Tor vom Gutshof blieb sie stehen, wandte sich noch einmal und winkte. Ich winkte auch. Dann schwang ich mich auf mein Rad und fuhr los, eine kleine Wehmut und eine große Freude im Herzen.

Die kleine Fürstin! Auch sie gehörte in diesen verrückten, närrischen und seligen Sommer hinein.

Was für ein Sommer! Er war voller Überraschungen und Torheiten, ein Sommer mit Sonne und Gewitter, mit Regen und Wind, mit Glück und Traurigkeit. Ein Sommer des Abschieds und des Beginns.

Es begann wieder zu regnen, sanft und stetig, gerade eine Stunde hatte es mal aufgehört. Ich strampelte durch den Regen und sang, ein närrisches Lied mit einer närrischen Melodie, die auf und ab tanzte. Das Lied dieses Sommers, die Melodie von Sonne, Regen und Wind, von Glück und Traurigkeit. Süßes Sommerlied! Wie schön das Leben war! Wie glücklich ich war!

Warum eigentlich! Schwer zu sagen. Ich war es nun mal. Ich kam mir vor, als ob ich zwanzig wäre. Aber gerade weil ich nicht zwanzig war, sondern doppelt so alt, war alles auch doppelt so schön. Eine kleine Fürstin küßte mich. Zuvor hatte mich meine Frau verlassen, die ich geliebt hatte, doch dann war ein blondes Mädchen gekommen, das bei mir bleiben wollte. Ich war alles gewesen in diesem Sommer, was man nur sein konnte: traurig und einsam und verlassen. Glücklich und verliebt, voller Hoffnung und voller Verzagtheit, voller Übermut und voller Bedachtsamkeit. Es war kein Lied, es war eine ganze Symphonie, was dieser Sommer mir bescherte. Dur- und Molltöne in buntem Wechsel, und ich liebte diese Musik. Ich liebte dieses Land, durch das ich gerade fuhr, auch im Regen liebte ich es, so grün und saftig und atmend. Ich liebte den Himmel über mir, auch wenn er grau war von schweren dunklen Wolken. Ich liebte meine Frauen, die, die mich verlassen hatte, und die, die neu gekommen war, und die kleine Fürstin, und meine ungeartete Tochter, und meine schönen, klugen Tiere, und immer wieder und vor allem liebte ich das Leben, auch wenn es mich einmal zauste und schüttelte. Ich war vielleicht ein Narr, aber ein seliger und verliebter und glücklicher Narr. Dieser Sommer, der so närrisch und außer Rand und Band war, zeigte es wieder einmal ganz deutlich, wie närrisch auch ich war. Den Tag zu lieben, auch wenn er grau war; den Himmel zu lieben, auch wenn es regnete; die Frauen zu lieben, auch wenn sie mich verließen, und glücklich zu sein, mit dem, was mir blieb und was ich bekam. Gab es hinter dem Horizont ein Land oder eine Welt, ein Reich oder ein Glück, die es zu erobern galt? Es war mich gleichgültig. Hier war mein Land und meine Welt, mein Reichtum und mein Glück. Hier wollte ich bleiben.

Noch eine Abreise

Steffi und Lix vertrugen sich recht gut, nicht zuletzt deswegen, weil Lix sich außerordentlich gesittet benahm. Rosalind war noch einmal herausgekommen, hatte Lix einige Sachen zum Anziehen gebracht und ihre Schulbücher. Keiner von uns hatte einen Kommentar dazu gegeben, aber Lix setzte sich freiwillig gelegentlich über ihre Bücher und tat jedenfalls so, als arbeite sie. Von früher wußte ich, daß sie viel Interesse an Naturwissenschaften hatte. Ob es Biologie war, ob Botanik oder Zoologie, sie war in diesen Dingen gut bewandert. Besser als ich. Und sogar in Physik hatte sie erstaunliche Kenntnisse, obwohl sie über die Anfangsgründe noch nicht hinaus war. Ich war ein reiner Ignorant in diesen Dingen und hörte ihr stumm zu, wenn sie anfing, davon zu reden. Steffi dagegen blätterte einmal in den Englischheften, bemerkte reichlich viel Rotstift in den Übersetzungen und den Diktaten und begann, sich manchmal mit Lix auf englisch zu unterhalten. Nachdem Lix ihre anfänglichen Hemmungen überwunden hatte, plauderten sie ganz fließend miteinander. Auch hier konnte ich nur staunend schweigen. Was ich in der Schule gelernt hatte, war so gut wie vergessen, mir fehlte jedes Talent für Fremdsprachen. Morgens ritten wir drei zusammen, schöne, ruhige Ritte durch das sommerliche Land, denn hier war ich der Könner, die beiden anderen Anfänger. Dann badeten wir zusammen, und den Rest des Tages verbrachte ich meist am Schreibtisch und arbeitete an dem Schwabing-Buch, das mich immer mehr gefangennahm.

Tonis umfangreiches Material zu sichten und geschickt zu verwenden, machte allerhand Mühe. Trotzdem kam ich gut mit der Arbeit voran. Ganz von selbst hatte es sich ergeben, daß Steffi mein Konzept ins reine schrieb, was mir natürlich viel Zeit ersparte.

»Du brauchst es nicht zu tun«, sagte ich. »Ich habe es früher auch selber gemacht. Du hast gerade genug Arbeit mit uns.«

Steffi lachte mich aus. »Ich möchte wissen, wo. Ich komme mir sowieso wie eine Drohne vor. So faul habe ich noch nie gelebt. Außerdem macht es mir Spaß.«

Auf diese Weise würde das Buch bald fertig werden. Und ich hatte dann vielleicht noch Zeit, den begonnenen Roman zu vollenden, so daß auch er für die übernächste Herbstproduktion bereit sein würde. Auf diese Weise konnte ich zwei Bücher herausbringen und mit Zuversicht der Zukunft entgegenblicken.

Doch plötzlich verließ uns Steffi für einige Tage. Ihre Freundin käme zu Besuch, erzählte sie mir. Sie lebe in Nürnberg und verbrächte jedes Jahr eine Woche in München, ehe sie nach Italien oder Österreich in Urlaub fahre. Das kam für mich ziemlich überraschend.

»Davon hast du mir nie erzählt.«

»Ich erzähle es dir ja jetzt. Ich kann Gerda nicht enttäuschen. Es ist immer sehr nett, wenn sie in München ist. Wir bummeln in der Stadt herum, gehen in feine Lokale zum Essen, auch mal ins Theater. Und diesmal habe ich viel Zeit für sie. Und das Auto habe ich auch. Damit können wir viel unternehmen.«

»Na schön, wenn es unbedingt sein muß«, sagte ich verdrießlich. Ich hatte mich so an Steffi gewöhnt, daß es mir schwerfiel, mich von ihr zu trennen. Und daß sie mit dieser plötzlich aufgetauchten Freundin in der Stadt herumbummelte, gefiel mir schon gar nicht. Steffi bemerkte meine Verstimmung und freute sich darüber.

»Schadet gar nichts, wenn ich mal ein paar Tage nicht da bin. Vielleicht fehle ich dir. Das wäre fein. Vielleicht merkst du aber auch, daß es ohne mich auch sehr gut geht.«

»Ich hoffe letzteres«, antwortete ich. »Es geschähe dir recht.«

Eines Morgens kletterte sie in ihr Automobil und ließ uns allein.

Lix allerdings schien darüber erfreut zu sein.

»Ist doch prima, Paps«, sagte sie. »Jetzt sind wir ganz für uns. Da können wir machen, was wir wollen.«

»Das können wir doch immer. Magst du denn Steffi nicht?«

»Doch. Ich kann sie gut leiden. Aber am allerliebsten bin ich mit dir allein. Paß nur auf, ich kann genauso gut für dich sorgen.«

Sie gab sich redlich Mühe, aber so gut wie Steffi konnte sie es natürlich nicht. Wir lebten hauptsächlich von Rühreiern, Spaghetti mit Tomatensoße und Suppen aus der Tüte. Zweimal wurden wir von Mali zum Essen eingeladen.

Eines Nachmittags, es war inzwischen wieder ziemlich heiß geworden, rumpelte wieder einmal ein Auto auf unsere Lichtung. Das komische kleine Fahrzeug kam mir bekannt vor. Richtig, damit war der Toni damals hier eingetroffen. Es gehörte dem jungen Maler mit dem Zeitungshandel. Im ersten Moment dachte ich: O wei! Jetzt kommt sie, die verlassene Braut. Aber der Jüngling mit dem dunklen Bart kletterte allein aus dem Vehikel.

Wir befanden uns am Waldrand im Schatten der Bäume, und Lix schaute genau wie ich gespannt zu dem Ankömmling hinüber.

»Wer ist denn das? Kennst du den?«

»Doch, ja. Das ist ein Freund vom Toni.«

Ich ging dem Jüngling entgegen, er begrüßte mich mit seiner unbewegt-mürrischen Miene und sah sich suchend um.

»Der Toni ist nicht da, falls Sie zu dem wollen.«

»Wo ist er denn?«

»Umgezogen. Er wohnt hier in der Nähe auf einem Bauernhof. Nachdem meine Tochter angekommen war«, ich wies auf Lix, die neugierig herangekommen war, »hatten wir zu wenig Platz.«

»Ja nachher . . . kann ich da hinfahren?«

»Sicher. Allerdings müssen Sie wieder auf die Landstraße zurück. Hier durch den Wald kommen Sie nicht weiter. Sie müssen links abbiegen, wo die Nebenstraße nach Ober-Bolching geht.«

Ich erklärte ihm genau den Weg, was er sich schweigend anhörte. Dann wandte er sich wieder seinem Fahrzeug zu. Doch ehe er sich hineinquetschte, drehte er sich noch einmal um. »Es ist wegen der Frau Obermeier, wissen Sie.«

»Ah, ja. Die Dame, bei der er gewohnt hat.«

»Die.«

»Weiß sie jetzt, daß er hier ist?«

»Nein, des weiß sie net. Aber ich hab' mir gedacht, daß der Toni vielleicht wissen sollt, daß ihr was passiert ist.«

»Was passiert? Was heißt das?«

»So schlimm is aa wieder net. Den Arm hat's brochen. Die Stiegen is abi gfallen. Und meine Freundin hat gesagt – Sie kennen doch meine Freundin?«

Ich erinnerte mich an das blasse Hosenmädchen mit den schwarzen Haaren und nickte.

»Ja, die hat gemeint, das müßt' man den Toni wissen lassen. Vielleicht, daß er mal nach ihr schauen tät.«

»Da hat Ihre Freundin ganz recht. Ich denke, unter diesen Umständen sollte der Toni nach Hause fahren.«

»Das ham wir uns denkt.«

Eine Frau ist eben eine Frau, auch wenn sie so ein verdrehtes Schwabinger Hosenmädchen ist. Sie hatte das Richtige empfunden und ihren jungen Mann losgeschickt, den Toni zu holen.

»Wissen Sie was«, sagte ich. »Ich fahre mit Ihnen 'rüber zum Gstattner-Hof. Da kann ich Ihnen gleich den Weg zeigen.«

»Kann ich auch mitfahren?« fragte Lix eifrig.

»So viel Leut' gehn net nein in mein Wagen«, belehrte sie der Jüngling.

»Du kannst ja mit dem Rad hinüberkommen«, schlug ich ihr vor. »Bis wir den Umweg über Ober-Bolching gemacht haben, bist du auch da.«

Wir trafen den Toni bei einem Bier in der Küche.

»Ja, wo kommst du denn her, du Hosenscheißer?« begrüßte er seinen jungen Freund. »Hat dich die Deine 'nausgeschmissen?«

Aber als er dann erfahren hatte, was los war, geriet der wurschtige Toni ganz aus der Fassung. Er wurde ganz blaß und war so außer sich, als habe man ihm den Tod seiner verlassenen Braut gemeldet.

»Mei, o mei«, jammerte er, »so was aa. Einmal wenn man den Rücken dreht. Gleich passiert was. Ja, wie ist denn das bloß gekommen? Was muß denn so umeinander rennen?

Weil's auch nie langsam gehen kann. Kruzifix, was mach ich da bloß? Die arme Nanni. Jetzt so was aa.« Und so ging es weiter. Die Mali hatte ganz entsetzte Augen bekommen und machte besorgt »pscht! pscht!« als der Andres vergnügt in die Küche gerumpelt kam.

»Da wirst du wohl hineinfahren müssen«, sagte ich, als der Toni endlich eine Verschnaufpause einlegte.

»Freilich, freilich. Da muß ich nach dem Rechten sehen. Die arme Nanni. Mei, das tut mir leid.«

Lix und Mali halfen ihm beim Packen. Mir brachte er große Stapel von Notizen. »Hier. Mußt halt selber sehen, wie du damit zurechtkommst. Wennst net weiterweißt, mußt halt hineinkommen zu mir.«

»Kommen S' denn net wieder, Herr Toni?« fragte die Mali ganz betrübt.

Er schaute sie mit düsterer Miene an. »Verehrte Gnädigste, ich fürchte, nein. Ich werde jetzt gebraucht. Wenn einer in Not ist, muß man ihm beistehen.«

»Freili, freili. Ich hab' nur denkt, wenn die Dame wieder gesund ist, nachher vielleicht.«

Toni schlug die Augen zur Decke und seufzte tief. Dann sprach er mit Grabesstimme: »Wann wird das sein, Verehrteste, wann?«

»Nun mach's nur nicht so dramatisch«, sagte ich. »Ein Armbruch ist keine so große Sache, wenn alles gut verheilt.«

»Wenn!« rief er beschwörend. »Wenn alles gut verheilt.«

»Vielleicht«, schlug ich vor, »kommst du anschließend mit deiner Nanni heraus. Zur Erholung. Und vielleicht«, fügte ich scheinheilig hinzu, »bist du dann schon verheiratet. Man muß ja die Hochzeitsreise nicht immer nach Venedig machen. Hier wär's auch ganz schön für die Flitterwochen.«

Die Mali sperrte sprachlos den Mund auf, doch der Toni, anstatt mir kräftig herauszugeben, nickte zu meinem Erstaunen zustimmend mit dem Kopf. »Das ist keine schlechte Idee, lieber Freund. Wär' gar net übel.«

Der Bärtige und ich tauschten einen Blick und grinsten. Die Mali fragte aufgeregt: »Ja, ist denn die Dame . . . ich meine . . .«

»Meine Braut«, sprach der Toni würdevoll. »Wir hatten vor, in nächster Zeit zu heiraten.«

»Ja, so was aa«, erklang es nun von der Mali. »Davon ham S' mir gar nix erzählt.«

»Er ist ein bißchen schüchtern«, sagte ich. »Wie sich das für einen jungen Bräutigam gehört.«

»Des freut mi aber«, sagte die Mali herzlich. »I sag' immer, ein Mann muß heiraten. So alloa, des is nix. Mei, a Mo alloa, des is was Traurigs. Gell, Andres, des sag' i immer.«

»Hm«, machte der Andres und besah sich den Hochzeiter mit skeptischen Blicken.

Kurz darauf fuhren der Toni und der Bärtige ab. Ich, nachdem ich der Mali noch einige Auskünfte hatte geben müssen, was ich im Hinblick auf die Braut sehr schonend tat, wanderte zu Fuß zum Waldhaus zurück. Wozu so ein Armbruch alles gut war! Er verhalf der Nanni Obermeier nun doch zu einem späten Glück. Wenn es für sie ein Glück sein würde, den Toni zu heiraten. Woran man zweifeln konnte.

Die böse Saat des Mißtrauens

Sehr still war es auf einmal. Wenn Lix nicht dagewesen wäre, hätte ich meinen können, die turbulenten Wochen, die hinter mir lagen, seien nur ein Traum gewesen. Steffi war nun schon sechs Tage fort. Sie hätte wenigstens mal eine Karte schreiben können. Aber vielleicht kam sie morgen oder übermorgen.

Zunächst jedoch kam Rosalind. Um sich zu verabschieden, wie sie sagte. Denn sie würde nun ins Tessin fahren, nachdem sie die Reise schon um vierzehn Tage verschoben hätte. In der Zwischenzeit war es ihr gelungen, einen Mieter für ihr Apartment zu finden, der die Wohnung sofort übernommen hatte. Wenn sie zurückkommen würde, brauchte sie sie ja nicht mehr. Dann wurde geheiratet.

Noch einmal wurde Lix gefragt, ob sie mitkommen wolle. Aber Lix wollte nicht.

»Na schön«, sagte Rosalind resigniert. »Du bist ein Dickkopf. Fahr' ich eben mit Konrad und Dolly allein.«

»Kommt denn dein . . . eh, der Konrad gleich mit?« fragte ich.

»Ja, er kann es gerade einrichten. Ein paar Wochen Urlaub werden ihm guttun. Er ist furchtbar nervös in letzter Zeit.«

»Vielleicht«, sagte ich, »ist es dann ganz gut, wenn Lix nicht dabei ist. Das Haus wird sicher nicht so geräumig sein, wie ihr es gewohnt seid. Und eine Göre genügt.«

Rosalind gab darauf keine Antwort, sie sah mich nur an und fragte dann: »Ihr seid wieder allein, ihr zwei, nicht?«

Ich nickte. »Vorübergehend.«

»So?« Ich merkte, daß sie noch etwas in petto hatte.

»Steffi ist für ein paar Tage in München. Eine Freundin von ihr ist zu Besuch.«

»Eine Freundin, so!« Mehr sagte sie vorerst nicht. Aber als Lix dann einmal draußen war, erklärte sie genußvoll: »Du warst ja schon immer ein Trottel, mein lieber Dodo. Dich kann eine Frau wirklich leicht an der Nase herumführen.«

»Findest du?« sagte ich abwartend. Irgend etwas kam nun. Ich wußte noch nicht, was, aber ich würde es gleich erfahren.

»Ich habe ja gleich gesagt, daß diese Steffi nichts für dich ist. an sich sollte ich mich ja freuen. Aber es ärgert mich, daß diese Person dich so hintergeht.«

»Wie kommst du auf die Idee, daß sie mich hintergeht?«

»Ich habe mir immer schon so was gedacht.«

»Lieber Himmel, Rosalind, warum soll sie keine Freundin haben, die sie mal besucht.«

»Eine Freundin?« Rosalind lächelte süffisant. »Einen Freund.«

»Ich habe keinen Grund, an Steffis Worten zu zweifeln«, sagte ich steif.

»Mein lieber Dodo«, Rosalind betrachtete mich mitleidig, »ich habe sie gesehen, deine liebe Steffi.«

»Du hast sie gesehen?«

»Ja. Gestern. Ich kam gerade vom Friseur. Und wie ich aus dem Laden komme, wer geht da vorbei? Deine Steffi. Mit einem jungen Mann. Mit einem *sehr* gut aussehenden jungen Mann. Er hatte die Hand unter ihren Arm geschoben, und sie lachte ganz selig zu ihm auf. Ganz verliebt. Mich hat sie gar nicht gesehen. Aber sehr schick war sie angezogen. Wirklich, hätte ich ihr gar nicht zugetraut. Ein lavendelblaues Kleid hatte sie an, sah aus wie reine Seide. Sehr schick.«

»Aha«, sagte ich dämlich.

»Mein armer Dodo!« Rosalind legte tröstend ihre Hand auf meinen Arm. »Nimm es nicht zu schwer. Sie war bestimmt nicht die Richtige für dich.«

Ich gab keine Antwort. Warum sollte Steffi schließlich nicht mit einem jungen Mann durch die Straßen gehen. Es konnte genausogut der Freund ihrer Freundin sein. Zum Beispiel. Oder irgendein Bekannter. Ganz harmlos konnte es sein. Flüchtig schoß mir der Gedanke an Eberhard durch den Kopf. Unsinn. Ich hatte keinen Grund, an Steffi zu zweifeln. Das hatte ich gesagt, und das stimmte.

Trotzdem war mir ein bißchen elend zumute. Ich bin nun mal ein Mensch, der dazu neigt, die Dinge schwerzunehmen.

Rosalind betrachtete mich wie die Katze die Maus. Sie merkte gut, wie ich fühlte.

Glücklicherweise kam Lix wieder herein, und das ersparte mir eine weitere Diskussion dieses Falles.

Zwei Tage später kam Steffi wieder. In strahlender Laune, den Wagen voller Einkäufe und in dem lavendelblauen Kleid.

»Hab' ich mir gekauft. Wie findest du es?«

»Hübsch.«

Sie zog eine Schnute. »Ein mageres Lob. Ist doch schick. Reine Seide.«

»Doch. Sehr schick.«

»Natürlich nichts für hier draußen. Aber ich wollte es dir zeigen.«

»Nett von dir.«

Sie warf mir einen schrägen Blick zu. »Du scheinst dich nicht sehr zu freuen, daß ich wieder da bin.«

»Ich dachte, du kommst überhaupt nicht mehr wieder.«

»Gerda ist diesmal zwei Tage länger geblieben. Kriege ich keinen Kuß?«

Ich küßte sie, ziemlich zurückhaltend.

»Puh!« machte sie. »Wenn du dich nicht freust, daß ich da bin, fahre ich wieder weg. Daß du es weißt.«

Ich gab keine Antwort, half ihr den Wagen ausladen.

»Gerda ist diesmal nach Jugoslawien gefahren. Mit ihrem neuen Freund. Sie hat wieder einen. Gott sei Dank. Wenn sie keinen hat, ist sie unausstehlich.«

Mir wurde schon viel wohler. Na also, ich hatte es ja gewußt.

»Und der war mit in München?«

»Nein. Sie trifft ihn in Wien. Erst fährt sie nämlich noch für zwei Tage nach Wien. Ich habe ihn nicht kennengelernt, aber sie schwärmt von ihm in den höchsten Tönen. Das macht sie allerdings immer, wenn sie einen neuen Mann hat. Sie wollte, daß ich mitkomme nach Jugoslawien.«

»Und? Wolltest du nicht?«

»Nein. Ich habe ihr gesagt, daß ich auch einen neuen Mann habe. Und daß wir unseren eigenen Landsitz haben und daß mir ganz Jugoslawien und alle umliegenden Ortschaften gestohlen bleiben können.«

Nein, ich glaubte es nicht, daß Steffi mich belog. Ich war nahe daran, ihr zu erzählen, was Rosalind berichtet hatte. Aber dann unterließ ich es, und am Abend war ich froh darum, daß ich den Mund gehalten hatte. Da erzählte mir Steffi nämlich von selbst, wer der junge Mann gewesen war, den sie angeblich so verliebt angestrahlt hatte. Wir gingen ein kleines Stück in der Abenddämmerung spazieren.

Die ersten Sterne waren schon am Himmel, und ein schmaler, junger Mond schaukelte über den Bäumen.

»Ich bin so froh, daß ich wieder da bin«, sagte Steffi und schob ihre Finger zwischen die meinen. »Ich hab' so Sehnsucht nach dir gehabt. Und nicht nur nach dir.«

»Wonach denn noch?«

»Nach allem hier. Nach dem Haus und dem Wald. Ich bin so gern hier. Ich habe alles hier liebengelernt in den letzten Wochen. Oh, ich wünsche mir etwas, Florian.«

»Was denn?« fragte ich und umschloß fest ihre Hand.

»Daß wir das Haus immer behalten, Daß wir hier bleiben. Auch wenn du mal viel Geld verdienst und berühmt wirst. Wir wollen nie von hier weggehen.«

»Nein«, sagte ich und blieb stehen, zog sie an mich und sah in ihr junges glückliches Gesicht. »Ich möchte auch nicht von hier weggehen.«

»Und auf Dorian habe ich mich gefreut. Und auf Flux. Ich kann es gar nicht erwarten bis morgen früh. Wir machen einen langen, weiten Ritt, ja?« Ein wenig schuldbewußt fügte sie rasch hinzu: »Natürlich habe ich mich auch auf Lix gefreut.«

Ich lachte. »Es ist lieb, daß du das sagst.«

»Es ist wahr, wirklich. Weil sie deine Tochter ist, will ich sie liebhaben.«

Ich küßte sie, und schweigend gingen wir weiter.

Und dann: »Weißt du, wen ich getroffen habe?«

»Nein«, sagte ich und hielt den Atem an.

»Eberhard.«

»Ach nein. Zufällig?«

»Nein. Ich habe im Büro angerufen. Ich hatte doch noch kein Zeugnis. Und ich dachte mir, das kann er mir auf jeden Fall geben. Man weiß ja nie, ob man es nicht eines Tages braucht. Er wollte nicht, daß ich ins Büro komme, und wir trafen uns in der Stadt in einem Café. Er hat mir ein wunderbares Zeugnis geschrieben, also schon eine Pracht. Und er meint, es sei sehr schade, daß ich nichts mehr von ihm wissen wolle. Ich sah auch sehr schick aus, ich hatte das neue Kleid an, weißt du. Ich sagte, ja, das sei wirklich schade, besonders für ihn. Ob ich jetzt glücklich sei, fragte er. Ja, sehr glücklich, sagte ich. Und dann habe ich ein bißchen von dir erzählt. Sei nicht böse, aber ich konnte nicht anders. Hier von dem Haus, und ich habe alles sehr prächtig geschildert, und von Dorian, und daß wir zusammen reiten, das hat ihm die Sprache verschlagen. Ich glaube, Florian, ich habe ziemlich angegeben. Frauen sind albern in dieser Beziehung, weißt du.«

Ich nahm sie in die Arme und drückte sie an mich, bis sie keine Luft mehr bekam. Ich war so glücklich.

»Findest du es nicht albern?« fragte sie, als sie wieder sprechen konnte.

»Sehr albern. Aber ich liebe dich.«

In dieser Nacht bedauerte ich es sehr, daß wir nicht mehr in einem Zimmer schliefen. Steffi schien ähnliche Gefühle zu hegen, denn sie kam plötzlich in meine kleine Kammer.

»Lix schläft ganz fest«, flüsterte sie. »Darf ich ein bißchen bei dir bleiben?«

Das Bett war ziemlich schmal. Aber es hatte trotzdem für uns beide Platz genug. Irgendwann schlief ich ein. Als ich morgens erwachte, war ich allein. Ich hatte gar nicht gemerkt, wie Steffi mich verließ.

Im Wohnzimmer traf ich Lix. Sie legte den Finger auf die Lippen und flüsterte: »Steffi schläft noch. Die muß ganz schön gebummelt haben in München. Sie hat gar nicht gemerkt, wie ich aufgestanden bin. Dabei sind wir gestern doch zeitig ins Bett gegangen.«

»Ja, sie ist eine schreckliche Langschläferin«, sagte ich gut gelaunt. »Eine halbe Stunde geben wir ihr noch. Mehr nicht. Flux wartet auf sie.«

Friedliche Tage folgten. Die Ernte war in vollem Gange, wir hatten Stoppelfelder zum Galoppieren, ich feierte meinen vierzigsten Geburtstag, und meine beiden Frauen verwöhnten mich bei dieser Gelegenheit mit Geschenken und einem Festmahl.

Am Tag nach meinem Geburtstag fuhren wir alle drei in die Stadt hinein, denn Muni wollte mir schließlich auch gratulieren.

»Es scheint, ich bin für dich überhaupt nicht mehr auf der Welt«, sagte Muni ein wenig gekränkt.

»Du könntest ja auch wieder einmal für eine Woche zu mir herauskommen«, sagte ich.

»Du hast ja gar keinen Platz«, antwortete Muni, womit sie recht hatte.

Am nächsten Tag riefen wir den Toni an und wurden für nachmittags zum Kaffee eingeladen. Der Nanni ginge es den Umständen entsprechend ganz gut, erfuhren wir.

»Hat sie dir denn verziehen?« fragte ich.

»Was gibt's denn da zu verzeihen?« fragte der Toni großspurig zurück. »Sie hat eh' gewußt, daß ich wiederkomm'.«

Nun, vielleicht hatte sie es wirklich gewußt. Frauen wissen ja meist sehr genau, wie sie mit den Männern dran sind. Bewaffnet mit einem großen Blumenstrauß fanden wir uns in Schwabing ein. Die Nanni entpuppte sich als eine warmherzige, lebhafte Frau, die über genügend Humor und Gelassenheit verfügte, Tonis Benehmen als das zu sehen, was es gewesen war: das letzte Verteidigungsgefecht einer sturmreifen Festung.

»Er tät' sich wundern, was er ohne mich machen würde«, sagte sie lächelnd. »Mit der Zeit hat er sich nämlich doch an ein geordnetes Leben gewöhnt. Wenn der Mensch älter wird, weiß er die Bequemlichkeit zu schätzen.«

Über Tonis Verbleib hatte sie sich nicht die geringsten Sorgen gemacht, wie wir erfuhren, denn das Hosenmädchen, die Freundin des Bärtigen, hatte ihr schon am Tage nach der Flucht genau berichtet, wo der Toni gelandet war. Ihrem Freund hatte sie zwar Stillschweigen gelobt, aber mit der selbstverständlichen Solidarität, die sich die Frauen in gewissen Situationen erweisen, hatte sie sich an diesen Schwur nicht im geringsten gebunden gefühlt.

»Ich hab' mir gedacht, so ein bißchen Erholung auf dem Land

wird ihm ganz guttun. Wenn's ihm langweilig wird, kommt er schon wieder.«

Der Toni saß dabei und grinste über das ganze Gesicht.

»Die Weiber, was?« sagte er. »Und ich hab' mir gedacht, sie weint sich hier die Augen aus nach mir.«

»Was ihr euch immer so denkt«, meinte die Nanni. »Über das Alter, wo ich um einen Mann geweint hab', bin ich lang hinaus. Das tut man nur, wenn man sehr jung und dumm ist. Nachher weiß man, daß es nicht der Mühe wert ist. Hab' ich nicht recht?«

Die Frage war an Steffi gerichtet, die energisch mit dem Kopf nickte. Ja, es stimmte schon, in gewissen Dingen waren uns die Frauen über. So in der pragmatischen Beurteilung des Daseins im allgemeinen und der Liebe im besonderen.

Der Toni machte sich als Hausherr nützlich, er kochte den Kaffee und deckte den Tisch, da die Nanni ja durch den gegipsten Arm behindert war. Aber gleich nach dem Kaffeetrinken zog er sich mit den ersten fünf Kapiteln des Schwabing-Buches, die ich mitgebracht hatte, in eine Ecke zurück. Er schien sehr befriedigt zu sein.

»Gar net schlecht«, sagte er. »Da werd' ich gleich morgen zum Verlag gehen und sehen, daß wir einen Vorschuß kriegen.«

»Das eilt doch nicht so.«

»Und ob das eilt. Erstens heizt man damit die Verleger an, und zweitens brauch' ich Geld zum Heiraten, und du brauchst ja vermutlich auch welches.«

Er sprach in aller Gemütsruhe von der bevorstehenden Heirat, als sei er niemals in panischem Entsetzen davor davongelaufen. Im September, wenn der Gips herunter sei, würde das Ereignis stattfinden. Wir wurden gleich dazu eingeladen.

»Das sind dann gleich zwei Hochzeiten auf einen Fleck«, sagte ich. »Rosalind heiratet auch.«

Rosalind sorgt für eine Überraschung

Aber Rosalind sorgte auch diesmal für eine Überraschung. Geruhsam war ja das Leben mit ihr nie gewesen. Und die Tatsache, daß wir geschieden waren, änderte für mich durchaus

nichts daran. Eines Nachmittags kam der Alois außerfahr-
planmäßig zu mir herausgeradelt.

»An Eilbrief!« sagte er vorwurfsvoll zu mir. »Und bei dera
Hitzn!«

Ich besah den Brief erstaunt. Er kam aus Chur in der
Schweiz, und meine Adresse war in Rosalinds steiler Kinder-
handschrift geschrieben. Was tat sie in Chur? Soviel ich wußte,
lag das weitab vom Luganer See. Und was war denn so eilig?

Der Alois bekam ein kaltes Bier, und ich öffnete neugierig
den Brief. Was darin zu lesen war, kam mir reichlich verworren
vor. Immerhin entnahm ich an Tatsachen folgendes: Rosalind
befand sich in Chur, wohnte im Hotel Steinbock, war tief unglücklich und dem Selbstmord nahe, der Killinger war der
größte Schuft unter Gottes Sonne, sie wolle seinen Namen nie
wieder hören, und ich solle sofort kommen und sie abholen
und Geld mitbringen, denn sie habe keins und könne ihre Ho-
telrechnung nicht bezahlen, und je später ich käme, um so höher würde diese sein. Bums!

Als der Alois wieder fort war, der übrigens tief beleidigt war,
daß ich ihm vom Inhalt des Briefes keine Mitteilung gemacht
hatte, besprachen wir drei diese sensationelle Wendung der
Dinge. Ich hatte Lix den Brief auch gezeigt und sie zur Beratung
zugezogen. Was hatte es für einen Zweck, ihr etwas zu ver-
heimlichen, was sie früher oder später doch erfahren mußte,
falls das, was Rosalind da mitteilte, endgültige Tatsachen
waren.

»Na bitte«, war Lix' befriedigter Kommentar, »seht ihr nun,
daß ich recht habe? Ich hab' doch gleich gesagt: bei dem kann
man es nicht aushalten. Bin ich froh, daß wir den los sind.«

Ich war es weniger. Von allen Überraschungen, die dieser
verrückte Sommer mir bescherte, war das die übelste.

»Was kann denn da passiert sein?« fragte ich ganz außer mir.

»Krach haben sie eben gehabt«, meinte meine Tochter ungerührt. »Und da ist Mami abgehauen. Finde ich prima. Genau
wie ich. Und auf mich habt ihr geschimpft. Vielleicht«, Lix kam
ein großartiger Einfall, »vielleicht hat er ihr auch eine heruntergehauen. Da sieht Mami mal, wie das ist.«

»Lix!« sagte ich streng. »Deine Fantasie geht mit dir durch.
Kultivierte Leute ohrfeigen sich nicht.«

»Hat er doch bei mir auch getan. Wenn er kultu . . . kulti-
viert wäre, hätte er es nicht getan. Oder?«

»Ich verstehe gar nicht – schön, angenommen, sie haben Krach gehabt, aber wieso ist sie dann in Chur. Und warum hat sie kein Geld? Sie hat doch in letzter Zeit immer ausreichend Geld gehabt.«

»Das denkst du«, sagte meine Tochter höhnisch. »So ist der auch nicht. Ja, er hat die Rechnungen bezahlt vom Schneider und von den Geschäften. Aber mit Geld ist der sehr sparsam.«

Das war ja ganz was Neues. Davon hatte Rosalind nie ein Wort gesagt. Aber es leuchtete mir sofort ein. Umsonst wurde einer nicht ein reicher Mann. Meist waren es sparsame Leute, die es so weit brachten.

»Ich bin sprachlos«, sagte ich. Was Besseres fiel mir nicht ein. Lix war sehr zufrieden mit der Entwicklung der Dinge. »Jetzt kommt Mami wieder zu uns. Ist doch prima, nicht? Und sie hat ja sowieso schon gesagt: So lieb wie Papa ist keiner. Hat sie gesagt, hab' ich dir doch erzählt.«

Ich sah zu Steffi hinüber, die bis jetzt kein Wort zu dem Fall geäußert hatte. Unsere Blicke trafen sich kurz, dann blickte Steffi zur Seite.

Lix schien jetzt erst die Komplikation der Lage voll aufzugehen.

»Ach so!« sagte sie und blickte nun auch Steffi an. »Aber wie wird denn das nun? Ich meine, ihr . . . und . .« Dann verstummte sie verwirrt und runzelte bekümmert die Kinderstirn.

»Ja«, sagte ich und war auf einmal zornig. »Wie wird das nun? Sehr richtig. Wie denkt ihr euch das eigentlich? Erst geht ihr beide fort und laßt mich allein, ganz wie es euch paßt. Und dann kommt ihr nacheinander wieder. Und ich soll das vielleicht noch großartig finden. Da täuscht ihr euch aber. Da täuscht ihr euch ganz gewaltig.«

»Aber Paps«, rief Lix erschrocken. »Wir gehören doch zu dir.«

»Ach? Auf einmal?«

»Ich bin doch deine Tochter.«

»Das bist du. Aber was deine Mutter angeht . . .«

»Sie ist doch deine Frau.«

»Nicht mehr. Wir sind geschieden. Sie wollte ihre Freiheit haben, und nun hat sie sie. Jetzt soll sie sich gefälligst selbst um sich kümmern. Sie hat mich verlassen, nicht ich sie. Vergiß das bitte nicht.« Ich ging vor die Tür, weil ich auf einmal ziemlich erregt war. Mir blieb auch wirklich nichts erspart.

Konnte ich denn nicht endlich einmal in Ruhe leben und arbeiten? Mußte es immer Schwierigkeiten geben? Jetzt hatte ich eine Frau, die ich mochte und die mich auch gern hatte, und nun kam Rosalind in aller Selbstverständlichkeit mit ihrem Hilferuf zu mir. Zum Donnerwetter, das war doch schließlich jetzt Aufgabe des Konrad, für Rosalinds Sorgen und Nöte zur Hand zu sein. Meine nicht mehr. Nein, zum Teufel, meine nicht mehr. Aber dann, nachdem ich eine Weile erbost auf die Wiese gestarrt hatte, wurde ich ruhiger. Ich dramatisierte die Sache unnötig. Noch wußte ich gar nicht, was geschehen war. Rosalind wandte sich in einer Notlage an mich, das war verständlich. Schließlich war ich es ja gewesen, der seit ihrer Mädchenzeit für sie die Verantwortung getragen hatte und für ihr Wohl und Wehe zuständig gewesen war. Daß wir geschieden waren, hatte nichts daran geändert. War mir das etwas Neues? Mir kam es vor, als hätte ich das sowieso gewußt. Ich ging wieder hinein. Meine beiden Damen saßen noch da, wie ich sie verlassen hatte. Steffi hatte eine undurchsichtige Miene aufgesetzt. Lix schien höchst angeregt.

»Was machen wir nun?« fragte sie munter.

Ich nahm mir eine Zigarette. »Das weiß ich auch nicht.«

»Du mußt hinfahren, Paps.«

»Ich muß gar nichts.«

»Aber du kannst sie doch nicht dort sitzenlassen«, rief meine Tochter empört. »Wenn sie doch kein Geld hat.«

»Vielleicht schreibt sie der Abwechslung halber mal an Herrn Killinger. Ich würde sagen, der ist dafür zuständig.«

»Sie will doch von dem nichts mehr wissen. Das schreibt sie doch. Hier.« Lix schwenkte den Brief vor der Nase herum.

Ich nahm ihn und knallte ihn auf den Tisch. »Das habe ich gelesen. Aber was kümmert mich das?«

»Du bist gemein«, rief Lix wütend.

»Halt den Mund«, fuhr ich sie an.

Erstmals mischte sich Steffi in das Gespräch. »Du mußt ja nicht hinfahren. Du kannst ihr ja Geld schicken.«

Lix betrachtete sie feindselig. »Mami schreibt, er soll sie holen.«

»Entschuldige«, sagte Steffi kühl. »Ich weiß, es geht mich nichts an. Es war nur ein Vorschlag.«

Sie stand auf und wollte das Zimmer verlassen. Ich hielt sie fest.

»Bitte, Steffi, sei vernünftig. Ich kann ja nichts dafür. Ich weiß auch nicht, was vorgefallen ist. Und du, Lix, hältst deinen vorlauten Mund.«

Lix schob in bekannter Manier die Unterlippe vor und sah bockig vor sich hin.

Schließlich einigten wir uns darauf, daß wir am nächsten Tag in die Stadt fahren würden, Steffi und ich, und von ihrer Wohnung aus mit Chur telefonieren würden. Vom Gasthaus in Unter-Bolching aus schien mir das zu umständlich. Wer weiß, wie es mit der Verbindung klappte. Ich führte selten Auslandsgespräche. Um ehrlich zu sein, nie. Ich hatte da noch ein bißchen vorsintflutliche Vorstellungen.

Das zeigte sich am nächsten Tage, denn die Verbindung mit dem Hotel Steinbock kam ohne Schwierigkeiten mit Windeseile zustande. Rosalind war allerdings nicht im Hotel. Die gnädige Frau sei ausgegangen, erfuhr ich. Ich hinterließ, daß mich Frau Schmitt unter der und der Nummer baldmöglichst anrufen solle. R-Gespräch, bitte sehr. Steffi machte uns eine Kleinigkeit zu essen, aber wir hatten beide keinen rechten Appetit. Und Steffi konnte es, wie alle Frauen, nicht unterlassen, die Schwierigkeiten noch ein bißchen schwieriger zu machen.

»Dann dürfte ja meine Rolle in deinem Leben ausgespielt sein«, sagte sie.

»Bitt, Steffi, tu mir den Gefallen und sei nicht kindisch.«

»Wieso? Habe ich nicht recht? Rosalind kehrt zu dir zurück. Im Grunde bist du doch sehr froh darüber. Du liebst sie doch immer noch. Und es ist schließlich für dich ein großer Triumph.«

Ich schwieg, sah sie nur an. Zum erstenmal enttäuschte sie mich. Sie benahm sich wie jede Frau.

Steffi war unsicher geworden unter meinem Blick. Sie kam zu mir und rieb ihre Wange an meiner. »Sei nicht böse. Ich glaube, ich bin wirklich kindisch. Aber was soll nun werden?«

»Das weiß ich auch noch nicht. Ich muß erst einmal hören, was los ist. Auf jeden Fall, was auch immer geschehen ist und geschieht, zwischen uns beiden ändert sich nichts.«

Steffi lächelte traurig. »Ich fürchte, das ist ein Irrtum deinerseits.«

Es war wirklich ein Irrtum meinerseits.

Sie kommt

Das Gespräch kam am späten Nachmittag. Rosalind schwitscherte aufgeregt im Telefon. Sie sei nur ein bißchen spazierengegangen und habe unterwegs Kaffee getrunken.

»Ich denke, du hast kein Geld?« sagte ich.

»Na, für eine Tasse Kaffee reicht es gerade noch. Aber sonst . . . Wann kommst du denn, Dodo?«

»Ich komme überhaupt nicht. Ich werde dir telegrafisch Geld anweisen. Wieviel brauchst du denn?«

»Nun – das Hotel, und dann die Fahrkarte, das macht etwa . . .« Sie nannte eine ziemlich hohe Summe.

»Allerhand«, sagte ich.

»Es ist ein gutes Hotel, weißt du.«

Ich unterdrückte die Bemerkung, daß sie auch hätte in einer bescheidenenen Bleibe absteigen können. Das tat Rosalind nicht. Und bei der Fahrkarte hatte sie zweifellos erster Klasse berechnet.

»Wieso bist du eigentlich nicht am Luganer See?«

»Nicht einen Tag länger wäre ich dort geblieben. Mit diesem Herrn Killinger bin ich fertig.«

»So.«

»Stell dir vor . . .«

»Rosalind«, unterbrach ich sie, »besser, du erzählst mir das hier. Sonst wird das Gespräch zu teuer.«

»Aber – na gut. Gott, Dodo, werde ich froh sein, wenn ich wieder bei dir bin.«

Kleine Pause auf meiner Seite. »Ja«, sagte ich dann. Was sollte ich denn sonst sagen?

»Wann kriege ich das Geld?«

»Ich denke, daß du es morgen vormittag haben wirst.«

»Warum kommst du denn nicht selbst?«

»Weil es dann doppelt soviel kostet, mein liebes Kind. Ich bin kein Krösus wie dein Bräutigam, das weißt du ja.«

»Du bist gemein, Dodo, mich auch noch zu verhöhnen.«

»Das liegt mir fern.«

»Holst du mich wenigstens am Bahnhof ab, ja? Ich kann am frühen Nachmittag hier abfahren, ich hab' mich schon erkundigt. Dann bin ich so gegen zehn in München.«

»Und wenn du in München bist? Wo gehst du dann hin? Soviel ich weiß, hast du deine Wohnung doch aufgegeben.«

»Zu dir natürlich. Ich komme mit hinaus ins Waldhaus. Lix ist doch noch da?«

»Ja. Aber morgen abend kommen wir nicht mehr hinaus, das ist dir ja klar.«

»Dann übernachten wir eben in der Stadt.«

»Bei Muni?«

»O nein, Dodo, bitte nicht. Das ist mir so unangenehm. Miete für mich bitte ein Hotelzimmer. Es muß ja nicht so teuer sein.«

»Keine Bange«, sagte ich grimmig, »ich habe nicht die Absicht, dich im ›Bayerischen Hof‹ einzuquartieren.«

Rosalind schluckte auch dies ohne Widerspruch.

»Bis morgen Liebling«, sagte sie sanft. Und dann hängte sie ein.

Steffi zu berichten, was wir gesprochen hatten, fiel mir schwer. Sie zog ein wenig die Mundwinkel hoch und sagte: »Siehst du.«

»Was siehst du?« fragte ich gereizt.

»Sie kommt zurück, als wenn nichts gewesen wäre.«

»Es ist aber einiges gewesen. Ich werde ihr schon klarmachen, daß sie bei mir nicht bleiben kann.«

»Wo soll sie denn hin?«

»Das weiß ich auch noch nicht. Und es soll auch nicht meine Sorge sein. Darüber soll sie sich gefälligst selbst den Kopf zerbrechen.«

Steffi erwiderte nichts darauf. Sie lächelte nur skeptisch.

Und – sie ist da!

Und damit hatte sie natürlich recht gehabt. Rosalind kam mit ins Waldhaus und richtete sich dort wieder häuslich ein, als sei nichts geschehen. Der einzige Unterschied bestand darin, daß Mutter und Tochter im Schlafzimmer nächtigten und ich in der Kammer blieb.

»Na ja«, hatte Rosalind so nebenbei gesagt, »zunächst können wir es ja so belassen.«

Ich reagierte nicht auf das Zunächst. Aber es änderte nichts an der Tatsache, daß sie wieder da war und ihre Rechte und Pflichten als Hausfrau wahrnahm wie früher auch.

Steffi war in München geblieben. Wenn ich an sie dachte, und ich dachte weiß Gott viel an sie, wurde mir ganz elend zumute. Ich hatte das Gefühl, mich schofel und gemein benommen zu haben. Obwohl ich doch an der neuen Situation ganz unschuldig war. Was sollte ich schließlich mit Rosalind anfangen? Ihr eine Wohnung in der Stadt zu mieten, wie es Konrad getan hatte, dazu fehlte mir das Geld. Bei Muni wollte sie nicht bleiben, vor ihr schämte sie sich. Verständlich. Es ist ja nur vorübergehend, tröstete ich mich. Irgendwie müssen wir die Lage klären. Und zwar bald.

Aber ich hatte keine Ahnung, wie das vor sich gehen sollte. Und was hatte sich nun ereignet zwischen Konrad und ihr? Weiter gar nichts Weltbewegendes. Nur daß Rosalind dahintergekommen war, daß er mit Fräulein Behrends, seiner jungen hübschen Sekretärin, ein Verhältnis hatte. Schon eine ganze Weile. Und daß er in diesem Frühjahr, als er sich angeblich auf einer Geschäftsreise in der Schweiz befand, mit Fräulein Behrends einen Urlaub in eben dem niedlichen Häuschen am Luganer See verbracht hatte, in das Rosalind soeben als Hausherrin eingezogen war.

»Im Mai«, sagte Rosalind empört. »Stell dir vor, noch diesen Mai. Ich bin kurz zuvor unten gewesen und habe dort Ordnung gemacht. Und dann fährt er mit dieser Person hin. Blamiert mich vor allen Leuten. Ich wollte damals mitfahren in die Schweiz, und er sagte, er hätte viel zu tun, immer Besprechungen und Konferenzen und was weiß ich noch. Und dann war ja auch gerade die Scheidung. Und während ich das durchmachen mußte, fährt er mit der Person in Urlaub. In unser Haus. Schreit das nicht zum Himmel?«

Ich hob die Schultern. »Daran wirst du dich wohl gewöhnen müssen. Ich glaube, so etwas ist ziemlich alltäglich. Ich meine, daß Generaldirektoren Verhältnisse mit ihren Sekretärinnen oder mit sonstwem haben. Man hört es jedenfalls immer. Das ist der Preis, den man unter anderem bezahlen muß, wenn man so einen Mann heiratet. Das einzige, was du tun kannst, ist, dafür zu sorgen, daß er eine ältere und weniger attraktive Sekretärin engagiert. Das dürfte dir doch eigentlich nicht schwerfallen.«

»Ich?« rief sie empört. »Du denkst doch nicht im Ernst, daß ich den Kerl noch heirate? Für mich ist er gestorben. Mit dem will ich nichts mehr zu tun haben. Nie.«

Hier hatten wir also wieder einmal Rosalinds berühmtes ›Nie‹. Ich betrachtete sie eine Weile schweigend. Sie sah reizend aus wie immer. Das Drama, das sich da am Luganer See abgespielt hatte, war jedenfalls nicht so geartet, daß es ihrer Schönheit geschadet hätte. Sie war braun gebrannt, ihre großen dunklen Augen spiegelten lebhaft wie eh und je jede Gemütsbewegung wieder, sie war schlank und zierlich, anmutig in jeder Bewegung. Eine entzückende Frau, kein Zweifel. Sie war zu mir zurückgekehrt und, darüber ließ sie mich nicht im Zweifel, hatte die Absicht, wieder bei mir zu bleiben. Der Ausflug in die große Welt war zu Ende. Sie war auch bei mir nicht auf die Spielregeln dieser großen Welt vorbereitet worden. Ich hatte sie nie betrogen. Ich hatte keine andere Frau angesehen. Ich hatte sie täglich und stündlich merken lassen, daß ich sie liebte.

Aber das war einmal gewesen. Nicht nur sie hatte sich von mir entfernt. Auch ich war ein großes Stück auf dem Weg gegangen, der von ihr wegführte. Und wie es schien, war ich auf diesem Weg, mit Steffis Hilfe, ein gutes Stück weiter gekommen, als sie mit ihrem Konrad. Aber das nahm Rosalind einfach nicht zur Kenntnis. Sie sprach nicht von Steffi, jedenfalls nicht zu mir. Was sie aus Lix herausgeholt hatte, wußte ich nicht. Jedenfalls waren Mutter und Tochter ein Herz und eine Seele und eine verschworene Gemeinschaft, in dem Bemühen, mich zu sich zurückzuholen.

Ja, Rosalind war reizend zu mir. Und trotzdem – für mich war alles anders geworden. Ich dachte an Steffi. Ich radelte jeden Tag nach Unter-Bolching und rief sie an. Es störte mich nicht, daß Steffi von Tag zu Tag kühler wurde. Aber es machte mich immer zerfahrener und rastloser. Die Arbeit ruhte. Die Stimmung war weg. Und das trug nicht dazu bei, meine Laune zu verbessern. Ich glaube, manchmal war ich reichlich unausstehlich. Rosalind und Lix ertrugen es stumm und opferwillig. Sie zeigten mir ununterbrochen, wie gern sie mich hatten und daß sie bereit waren, alles für mich zu tun. Und wenn ich übler Laune sei, sagten ihrer Märtyrergesichter, würden sie es still erdulden.

Es war alles in allem eine unhaltbare Situation. Aber ich wußte nicht, wie ich sie ändern sollte. Gelegentlich brachte ich das Gespräch auf Mr. Killinger, sprach in höchsten Tönen von dem wunderbaren Leben, das Rosalind an seiner Seite führen könnte.

Aber das schien Rosalind nicht mehr zu interessieren. Denn nicht nur die Tatsache, wie er sich aufgeführt hatte, als es wegen dieser Angelegenheit zu der großen Auseinandersetzung gekommen war. Tja, Konrad war eben nicht ich.

»Er ist ein ungebildeter, pöbelhafter Kerl«, sagte Rosalind wütend. »Bildet sich sonstwas ein auf sein dämliches Geld und glaubt, er kann mich behandeln, wie es ihm paßt. Nicht mich.«

Was er gesagt und getan hatte, erfuhr ich nie. Auf jeden Fall war er meiner süßen Rosalind nicht sehr zart begegnet, soviel stand fest. Daß der gute Konrad auch mal ganz gehörig aus den Pantinen kippen konnte, hatte ja Lix schon erfahren. Rosalind nun also auch. Aber wie sollte es weitergehen? Im stillen fragte ich mich, was eigentlich in dem Kopf des Herrn Killinger vorging. Erst nahm er mir die Frau weg, kaufte ihr teure Kleider, setzte einen Hochzeitstermin fest und mußte doch alles in allem die Rolle des Liebhabers und zukünftigen Ehemanns gespielt haben. Und dann auf einmal gab es Krach, er war ertappt auf einem quasi vorehelichen Seitensprung, Rosalind war Hals über Kopf weggefahren, ohne Geld sogar, war für ihn verschwunden, zerplatzt, hatte sich in Luft aufgelöst, und er – er fragte nicht einmal danach, wo sie abgeblieben war. Es mußte ihn doch interessieren, was aus seiner Braut geworden war.

Ich befragte Rosalind dieserhalb.

»Er kann sich denken, daß ich hier bin«, sagte sie. »Hab' ich ihm ja gesagt.«

»Was hast du gesagt?«

»Daß ich zu dir zurückgehe. Daß ich dich liebe. Und daß du ein guter und anständiger und liebevoller Mensch bist. Während er ein übles Subjekt ist, mit dem zu leben keiner Frau von Geschmack zugemutet werden kann.«

Hm. Das war deutlich gewesen. Rosalind war noch nie sehr wählerisch in ihrer Ausdrucksweise gewesen, wenn der Zorn sie packte.

Herr Killinger war jedenfalls davon unterrichtet, daß Rosalind in meine Arme zurückgeeilt war. Und wie es schien, war er damit ganz zufrieden. Das war ja heiter.

»Ich denke, er liebt dich.«

»Das dachte ich auch.«

»Und du?«

»Was ich?«

»Ich dachte, du liebst ihn auch.«

»Ich? Ihn lieben?« Rosalind ließ mich einen ihrer langsamen, sehr gekonnten Augenaufschläge miterleben. »Dodo«, sagte sie mit Nachdruck, »das kannst du doch nicht im Ernst denken.«

»Entschuldige, aber das denke ich. Du hast mich verlassen, du wolltest ihn heiraten. Schön. Er ist ein reicher Mann, aber das kann doch nicht der einzige Grund gewesen sein.«

»Nnnnein, natürlich nicht«, sagte sie langsam und seufzte über so viel männlichen Unverstand, »er gefiel mir am Anfang ganz gut. Er sieht ja auch ganz imposant aus, nicht?«

»Ich habe nicht die Ehre, den Herrn zu kennen. Ich kenne ihn nur aus deinen Schilderungen, und die variieren, das wirst du ja zugeben. Früher jedenfalls hast du mir ihn als außerordentlich attraktive männliche Erscheinung dargestellt.«

»Du brauchst gar nicht so mit mir zu reden. Er sieht nicht schlecht aus. Aber es kommt schließlich auf den Charakter an.«

»Aha.«

»Ja. Du hältst mich für oberflächlich, Dodo. Das hast du immer getan. Aber ich kann keinen Mann ertragen, der herzlos ist und rücksichtslos. Ich kann ihn einfach nicht um mich ertragen.«

»Wenn er aber doch so viel Geld hat.«

»Rede doch nicht immer von Geld. Das ist schließlich nicht die Hauptsache im Leben.«

Ich schwieg beeindruckt. Kein Zweifel, meine Chancen waren großartig. Nur daß ich kein Interesse mehr daran hatte. Doch das sah Rosalind nicht ein. Wollte sie nicht sehen. Sie verschloß sich eisern gegen die Möglichkeit, daß eine andere Frau, beispielsweise Steffi, in meinem Leben eine Rolle spielen könnte, eine so große Rolle, daß die dadurch aus meinem Leben endgültig verdrängt worden war. Sie nahm es einfach nicht zur Kenntnis. Vielleicht hätte ich es ihr unmißverständlich und genauso rücksichtslos, wie Herr Killinger zuzeiten sein konnte, klarmachen sollen. Aber das lag mir nun mal nicht.

Denn bei alledem, so albern es sein mochte, tat sie mir leid. Sie war so hochgemut ausgezogen, sich ein neues Leben zu erobern. Und war so schnell wiedergekommen.

»Also wie dem immer auch sei, Geld oder Charakter, auf jeden Fall müßte sich Herr Killinger einmal nach deinem Verbleib erkundigen. Findest du nicht auch?«

Sie hob die Schultern, aber an der harten Linie ihres Mundes sah ich, daß es sie tief kränkte, so einfach ohne Sang und Klang beiseite gestellt worden zu sein.

»Soviel ich weiß, wolltet ihr ja heiraten. Lieber Himmel, Rosalind, das ist doch schließlich nicht so eine Kleinigkeit, daß man von heute auf morgen zur Tagesordnung übergeht. Schließlich ist unsere Ehe daran kaputtgegangen. Er kann doch nicht annehmen, daß du so ohne weiteres wieder in dein altes Leben einsteigen kannst.«

Sie schwieg, blickte vor sich hin, ein trauriges, verlassenes Kind.

»Vielleicht«, sagte sie leise, »vielleicht . . .« Sie stockte.

»Was?«

»Vielleicht ist er ganz froh, daß er mich los ist. Dann kann er Fräulein Behrends heiraten.«

»So«, sagte ich erstaunt. »Aber das hätte er ja längst tun können, wenn ihm daran gelegen war. Er kennt sie länger als dich. Und außerdem hast du gesagt, sie sei eine ganz ordinäre Person.«

»Ist sie auch. Keine Dame. Nicht in meinen Augen. Sonst hätte sie das nicht getan. Im Büro ist sie halt tüchtig. Und – ja, eben jung.« Sie schluckte. »Sie ist immerhin zehn Jahre jünger als ich.«

Ich lachte. »Komm, Rosalind, das ist ja lächerlich. Du bist dreimal jung genug für den. Er ist doch über Fünfzig.«

»Ja, sicher, Aber du weißt doch, wie die Männer heutzutage sind. Besonders, wenn sie Geld haben.«

Hm. Geld kauft natürlich junge hübsche Mädchen genauso, wie es meine Rosalind gekauft hatte. Ich kannte Fräulein Behrends nicht. Nach Rosalinds Schilderungen konnte man nicht gehen. Aber ich konnte mir nicht vorstellen, daß Herr Killinger mit seinem ganzen Geld eine begehrenswertere Frau kaufen konnte als Rosalind. Der Meinung war ich immer noch, obwohl ich sie nicht mehr liebte. Nein, das tat ich wirklich nicht. Ich sagte mir das immer wieder, obwohl ich mir manchmal meiner Sache nicht ganz sicher war. Denn jetzt, wo ich sie immer um mich hatte, wirkte ihr alter Zauber auf mich, ob ich wollte oder nicht. Und immer war sie auch nicht traurig, manchmal auch vergnügt und amüsant wie früher. Und vor allem weich und zärtlich und liebevoll. So wie ganz, ganz früher.

An einem sonnenblauen, windstillen Septembertag war sie

besonders liebevoll zu mir. Ich hatte mich am Nachmittag wieder einmal an die Maschine gesetzt, was ich regelmäßig tat, wobei aber nicht viel herauskam. Rosalind brachte mir eine Tasse Kaffee, strich mir zärtlich übers Haar und fragte anteilnehmend: »Kommst du gut voran?«

Ich brummte nur vor mich hin.

»Wir sind sehr störend für dich, nicht wahr?«

»Es geht.«

»Aber vorher warst du schließlich auch nicht allein. Lix hat mir erzählt, daß dieses Fräulein Bergmann immer dein Manuskript abgeschrieben hat. Also das könnte ich ja auch machen, wenn du willst.«

»Du? Du kannst ja gar nicht ordentlich maschineschreiben.«

»Ich werde es lernen.«

Ich blickte zu ihr auf, sie lächelte mich unschuldig an, eine gehorsame kleine Frau, ganz bereit, ihrem Mann jeden Wunsch von den Augen abzulesen.

»Rosalind«, begann ich, aber dann stockte ich schon. Ohne Zweifel, wir mußten einmal ernsthaft miteinander reden. Es war nur schwer, ihr zu sagen, was ich empfand. Für mich war es schwer, trotz allem. Aber heute war die Gelegenheit günstig, Lix war hinüber zur Mali geradelt, um beim Einkaufen zu helfen.

»Ja, Liebling?«

»Rosalind, hast du eigentlich schon einmal darüber nachgedacht, wie es weitergehen soll?«

»Weitergehen?«

»Ja, hier mit uns. Ich meine, hast du dir schon einmal Gedanken über deine Zukunft gemacht?«

»Über meine Zukunft?«

»Ja. Herrn Killinger willst du nicht mehr heiraten. Einen Beruf hast du nicht gelernt. Wie wirst du leben?«

»Aber Dodo!« Ihre großen Augen wurden traurig. »Was willst du damit sagen? Willst du mich denn nicht mehr bei dir haben? Ich hab' gedacht . . .«

Ich wappnete mich mit Härte gegen den Vorwurf in ihrem Blick, das schmerzliche Beben in ihrer Stimme. »Was hast du gedacht?«

»Es wird alles wieder so wie früher«, sagte sie leise.

»Wie früher? Nein. Wie früher kann es nicht mehr werden. Das siehst du hoffentlich ein.«

»Aber du warst doch unglücklich, weil ich fortging. Und nun bin ich wieder da.«

»Und? Meinst du, das genügt, mich wieder glücklich zu machen?«

»Ja«, sagte sie naiv. »Das dachte ich.«

Ich stand auf. »Mein liebes Kind, so einfach, wie du dir das Leben vorstellst, ist es nicht. Ja, zugegeben, ich habe sehr gelitten darunter, daß du mich verlassen hast. Und ich habe eine ganze Weile gebraucht, bis ich einigermaßen damit zu Rande gekommen bin. Du bist zu einem anderen Mann gegangen, hast mit ihm gelebt, hast dich fast ein Jahr lang sehr wohl dabei gefühlt. Und nun kommst du hier an und tust, als sei nichts gewesen. Es ist aber allerhand gewesen.«

»Ich habe immer nur dich geliebt, Dodo. Und du weißt, warum ich weggegangen bin. So richtig glücklich war ich gar nicht. Und ich weiß jetzt, daß es dumm von mir war. Eigentlich weiß ich es schon lnge. Dodo«, sie kam zu mir, legte beide Arme um meinen Hals und sah mich mit tränengefüllten Augen an, »ich will es gutmachen. Du mußt mir diese Chance geben.«

Es war schwer für mich. Sehr schwer. Schließlich war Rosalind nicht irgend jemand. Sie war meine Frau. Ich hatte fünfzehn Jahre lang mit ihr gelebt. Steffi kannte ich seit einem Vierteljahr. Es war eine junge und süße Liebe gewesen. Aber das, was mich mit Rosalind verband, wog eben doch schwerer.

Ich nahm sacht ihre Arme von meinem Hals. »Es ist für mich nicht leicht, an deine sogenannte Liebe zu glauben. Und das Leben bei mir ist nicht anders wie früher. Es würde dir wieder nicht genügen.«

»Doch«, rief sie eifrig. »Es genügt mir. Ich habe ja jetzt eine Menge neuer Kleider. Die reichen eine Weile. Du wirst Konrad schreiben, daß mir meine Sachen zugeschickt werden. Schließlich gehören sie mir. Ich sehe nicht ein, warum er sie behalten soll. Fräulein Behrends passen sie sowieso nicht, die ist viel kräftiger als ich.«

Das war nun wieder echt Rosalind. »Das ist wohl nicht das wichtigste«, sagte ich ein wenig ungeduldig.

»Nein, natürlich nicht. Ich meine nur. Vielleicht werden wir uns ein Auto kaufen können, wenn du mit dem neuen Buch viel Geld verdienst. Und wenn nicht, geht es auch so. Und ich werde dir helfen. Ich werde für dich schreiben. Und ich . . .«

Sie erging sich noch eine Weile in Zukunftsplänen. Ich hörte ihr schweigend zu. Von Steffi sagte sie kein Wort. Also mußte ich es tun. »Du vergißt ganz, daß ich nicht nur hier gesessen und auf dich gewartet habe. Schließlich bin ich auch eine neue Bindung eingegangen.«

Sie blickte mich kampflustig an. »Ach, das meinst du? Aber lieber Dodo, ich habe dir von Anfang an gesagt, das ist keine Frau für dich. Außerdem hatte sie ja sowieso noch einen anderen Freund, ich habe es dir erzählt.«

»Es war ein Bekannter, den sie getroffen hatte.«

Rosalind lächelte ironisch. »Das hat sie dir erzählt. Mein Gott, Dodo, du bist so naiv.«

»Ich habe Vertrauen zu dem, was Steffi mir sagt. Und es kommt hier gar nicht darauf an, mit wem du sie in der Stadt gesehen hast. Es handelt sich darum, wie ich zu Steffi stehe.«

»Und wie stehst du zu ihr?« rief Rosalind, und ihre Stimme klang nicht mehr weich und traurig, sondern zeigte erste Töne von unterdrücktem Zorn. »Du willst doch nicht sagen, daß sie dir mehr bedeutet als ich. Sie ist eine flüchtige Bekanntschaft von dir, genau wie das kleine Mädchen, das hier war. Schön, du hast ein bißchen Gesellschaft gebraucht, ich sehe es ein. Du warst deprimiert. Ich mache dir auch keinen Vorwurf. Aber jetzt bin ich doch wieder da.«

Sie machte mir keinen Vorwurf. Es war großartig.

»Du bist eine große Egoistin, mein Kind«, sagte ich. »Aber laß weiter hören. Wie stellst du dir also die weitere Entwicklung vor?«

Sie wurde etwas kleinlauter. »Na ja, ich hab' gedacht, wir heiraten am besten wieder. Wegen Lix und so, nicht? Nächste Woche geht die Schule an, davon haben wir schon gesprochen. Dann muß Lix wieder zu Muni hinein.«

»Ach, sieh an. Auf einmal ist euch Muni wieder gut genug.«

»Keiner hat je etwas gegen deine Mutter gesagt. Und Lix war immer gern bei ihr, das weißt du so gut wie ich.«

So ging es noch eine Weile weiter. Wir redeten im Kreis herum. Rosalind verstand mich nicht oder wollte mich nicht verstehen, dann weinte sie ein bißchen, dann küßte sie mich, und dann fing die nutzlose Rederei von vorn an.

»Du bist eigensinnig«, warf sie mir vor. »Du willst mich jetzt klein und häßlich sehen. Bitte, wenn dir das so großen Spaß macht. Ich sehe bloß nicht, wozu das gut sein soll. Schließlich müssen wir früher oder später zu einer Einigung kommen. Vergiß doch endlich, was gewesen ist. Wir wollen wieder leben wie früher. Du warst doch glücklich mit mir, Dodo?« Wieder ihre Arme um meinen Hals, ihre Wange an meiner. »Du hast mich doch geliebt, Dodo?«

»Ja«, gab ich widerwillig zu, »aber jetzt . . .«

»Siehst du«, rief sie triumphierend und ließ mich nicht weitersprechen. »Wir werden wieder glücklich sein. Wenn Lix in der Stadt ist, sind wir dann eine Weile für uns. Und dann . . .« Sie lächelte, ein verführerisches, zärtliches Lächeln. Sie war sich ihrer Sache sicher. Sie wußte, wie gern ich sie im Arm gehalten, wie gern ich sie geliebt hatte.

Und sie vertraute darauf, wenn sie erst mit mir allein war, würde die letzte Barriere verschwinden, die uns jetzt noch trennte. Sie war sicher, daß ich ihr nicht widerstehen konnte. Und dann würde alles wieder sein wie früher.

Nein. Nicht wie früher. Ich konnte nicht mit Rosalind leben, solange zwischen Steffi und mir alles ungeklärt war. Ich mußte vor allem mit Steffi sprechen. Ich hatte sie jetzt seit fast drei Wochen nicht gesehen. Was tat sie eigentlich? Am Telefon war sie sehr zurückhaltend, sehr kühl. Nun ja, ich konnte ihre Gefühle verstehen. Und vor allem war es dringend notwendig, daß ich zu ihr in die Stadt fuhr. Das hätte ich längst tun sollen.

Unsere Debatte endete ergebnislos, wie alle Debatten in letzter Zeit. Ich schob schließlich meine Arbeit vor und setzte mich an die Maschine. Aber ich schrieb natürlich keine vernünftige Zeile. Ich machte mir Vorwürfe. Auf einmal kam es mir unverzeihlich vor, daß ich nicht längst zu Steffi gefahren war. Was sollte sie von mir halten? Ich war feige, das war es. Ich wußte nicht, was ich ihr sagen sollte.

Lix kam zurück, wir aßen zu Abend und sprachen dabei vom bevorstehenden Schulbeginn.

»Du willst also wieder bei Muni wohnen.«

»Ja, natürlich«, sagte Lix.

Auch für sie war alles selbstverständlich. Auch für sie mußten wir alle kommen und gehen, zur Verfügung stehen oder beiseite treten, ganz, wie es paßte. Nun ja, sie sah sich das von ihrer Mutter ab. Auf einmal merkte ich, daß ich auf beide, auf Rosalind und Lix, einen ehrlichen Zorn hatte.

Ich stand auf, nahm meine Jacke und pfiff nach Dorian.

»Wo willst du denn hin?« fragte Rosalind.

»Ich gehe noch spazieren.«

»Da komme ich mit!«, rief Lix.

»Nein«, sagte ich kurz. »Ich gehe allein.«

Beide, Mutter und Tochter, blickten mir schweigend nach, als ich das Zimmer verließ. Beide fanden es wahrscheinlich ein bißchen komisch, wie ich mich benahm. Beide waren weit davon entfernt, es tragisch zu nehmen. Sie würden mich schon wieder hinbiegen, wie sie mich brauchten. Ich war schließlich und endlich ihr Besitz.

Herbstgedanken am Abend

Es war schon fast dunkel draußen, die ersten Sterne zitterten auf dem blassen Abendhimmel. Aber mir fehlten heute alle poetischen Gefühle. Ich schritt grimmig, mit langen Schritten durch den Wald und pfiff dabei vor mich hin. Als wir aus dem Wald kamen, dufteten die Wiesen. Andres hatte das zweite Heu geschnitten. Der Sommer neigte sich seinem Ende zu.

Ich mußte flüchtig an Gwen denken. Ich hatte nichts wieder von ihr gehört. Das Reiten hätte ihr jetzt Spaß gemacht, über die Stoppeln hätte sie sich so richtig austoben können. In letzter Zeit war ich immer mit Lix geritten, die zunehmend Spaß daran gefunden hatte. Sie ritt abwechselnd den Flux oder das Mohrle der Gräfin. Ich würde beide Pferde auf das Gut zurückbringen. Steffi war nicht da, und Lix würde wieder in die Schule gehen.

Ich blieb stehen. Hatte ich Steffi schon abgeschrieben? Nein, gewiß nicht. Ich wünschte, sie würde lieber heute als morgen kommen. Ich beschloß, bis nach Unter-Bolching zu marschieren und Steffi noch anzurufen. Heute vormittag hatten wir nur ein paar Sätze miteinander gesprochen.

Wie geht es? Danke, gut. Und dir? Kommst du mit der Arbeit gut weiter? Es geht. Und was machst du? Och, nichts Besonderes. Ich habe zwei gute Stellenangebote, in den nächsten Tagen müßte ich mich für eines entscheiden. So, na, das ist ja fein.

So ähnlich verliefen jetzt unsere Gespräche. Kein schöner Zustand. Ihre Stimme klang merkwürdig unbeteiligt. Und wenn ich eine persönliche Frage stellte, wich sie aus.

Zunächst besuchte ich Isabel. Ich bemühte mich, leise zu

sein, im Haus war noch Licht, und ich hatte jetzt keine Lust, mit dem Andres oder der Mali zu reden.

Isabel rieb den Kopf an meiner Schulter, als ich zu ihr in die Box trat.

»Du bist doch die Beste«, sagte ich. »Von allen Frauenzimmern bist du mir die liebste.«

Isabel nickte. Sie fand das ganz verständlich. Sie bekam ihren Zucker, dann bekamen die anderen auch etwas, und wir machten uns wieder auf den Weg. Dorian und ich.

Dorian war etwas verwundert, daß wir nicht nach Hause gingen. Aber er trabte eifrig den Weg zum Dorf entlang. So ein Abendspaziergang gefiel ihm, frische, kühle Luft, wunderbare Fährten überall. Ihm war es recht. Im Gasthaus von Unter-Bolching saßen nur noch drei Unentwegte beim Schafkopf. Der Wirt begrüßte mich erstaunt.

»So spät am Abend kimmst heit noch daher?«

»Ja, ich muß noch mal telefonieren. Und ein Bier hätt' ich gern.«

Hier mußten sie sich doch auch wundern über meine täglichen Telefonate. Sie dachten sich wohl ihr Teil. Sicher wußten die Leute mehr, als ich annahm. Mehr oder weniger blieb ja nichts verborgen. Und bestimmt verfolgten sie interessiert den Ablauf meines bewegten Privatlebens. In München meldete sich keiner. Steffi war nicht zu Hause. Ich trank mein Bier und versuchte es noch einmal. Nichts. Es war mittlerweile halb zehn, die Wirtschaft war leer. Ich mußte nach Hause wandern. Morgen würde ich in die Stadt fahren. Ich mußte mit Steffi sprechen.

Steffi ist traurig, und Muni hat eine Idee

Ich traf am Nachmittag bei Steffi ein. Wir tranken Kaffee zusammen und saßen uns gegenüber wie zwei Fremde. Sie war blaß und sah unglücklich aus. Aber sie tat, als sei weiter nichts los, plauderte höflich mit mir über allen möglichen Unsinn, blickte an mir vorbei und machte es mir nicht leicht.

Schließlich setzte ich mich neben sie auf Tante Josefas hübsches Biedermeiersofa und nahm ihre Hände.

»Steffi, ich bitte dich um Verständnis. Du kennst meine Situation. Ich weiß bis jetzt noch nicht, wie ich damit fertig werden soll. Du mußt ein bißchen Geduld haben.«

Sie zog ihre Hände zurück. »Geduld?« fragte sie zurück. »Verständnis? Ich glaube, ich habe beides gezeigt. Aber was erwartest du von mir? Ich kann dir nicht helfen. Und ich glaube auch nicht, daß du meine Hilfe haben willst. Du hast deine Familie bei dir, und vermutlich ist das ganz normal. Und du hast das Gefühl, du müßtest mir ein paar freundliche Worte sagen. Aber du brauchst dich nicht anzustrengen. Ich habe schon verstanden . . .«

»Steffi, bitte . . . Du siehst es ganz falsch. Ich habe doch an der ganzen Entwicklung keine Schuld. Ich wünschte, Rosalind wäre nicht gekommen, und wir hätten weiter zusammenbleiben können wie bisher. Und ich . . .«

»Ich sehe es ganz richtig«, sagte sie kühl. »Und ich verstehe alles. Ich mache dir keine Vorwürfe. Oder? Ich bin doch wirklich sehr vernünftig, ich . . .« Ihre Stimme brach, sie weinte. Ich nahm sie in die Arme, küßte sie, streichelte sie und sagte ihr, daß ich sie liebte. Aber sie schüttelte den Kopf. »Nein. Du liebst Rosalind. Du hast sie immer geliebt. Das wußte ich vorher schon. Es ist immer das gleiche bei mir. Ich habe kein Glück.«

Auch dieses Gespräch führte zu keinem Ergebnis. Wir redeten hin und her und kamen keinen Schritt weiter. Ich war unglücklich, weil Steffi unglücklich war und überhaupt. Es war alles meine Schuld. Aber ich konnte nichts daran ändern. Ich hatte gehofft, ich könnte bei Steffi übernachten, aber sie schickte mich weg. Freundlich, aber sehr entschieden.

»Du kannst nicht mit zwei Frauen leben«, sagte sie.

»Zwischen mir und Rosalind ist nichts«, beteuerte ich. »Davon kann keine Rede sein.«

Sie lächelte nur, ein wenig traurig und ein wenig ironisch. Sie glaubte mir nicht. Sie wollte nicht, daß ich bei ihr blieb. Ich war verärgert, als ich ging. Böse mit der ganzen Welt. Ich war in eine Sackgasse geraten und wußte nicht, wie ich hinauskommen sollte. So kam ich zu Muni. Sie sah mir sofort an, wie mir zumute war. Und sie endlich war neutral und wußte Rat.

Ich erzählte ihr mein ganzes Dilemma, von vorn bis hinten, ohne etwas auszulassen. Sie hörte sich schweigend alles an. Als ich fertig war, sagte sie: »Mei, Bub, das ist eine dumme Geschichte. Aber gar so arg auch wieder nicht. Vor allem mußt du dir klarwerden, was du willst. Welche willst du haben? Rosalind oder Steffi?«

Ich blickte sie irritiert an. Eine so deutliche Frage verlangte eine deutliche Antwort.

»Ich glaube . . .«, begann ich.

»Ich will nicht wissen, was du glaubst«, sagte Muni streng. »Überlege es dir gut, und antworte mir dann.«

Ich überlegte also eine kleine Weile vor mich hin und sagte dann: »Steffi.«

Muni nickte befriedigt. »Das habe ich mir gedacht. Und es ist richtig.«

»Aber Rosalind ist meine Frau. Und Lix ist auch da.«

»Rosalind *war* deine Frau. Und Lix ist alt genug. Ihr Vater bleibst du allemal. Mit Rosalind würde es in kurzer Zeit wieder wie früher sein. Sie wird nie zufrieden sein. Mit Steffi wirst du besser leben können.«

Ja. Muni hatte recht. Jetzt, wo sie es sagte, sah ich es ein.

»Aber was soll ich mit Rosalind machen? Ich kann nicht zwei Frauen ernähren. Jedenfalls momentan nicht. Und Rosalind ist ziemlich anspruchsvoll.«

»Ich denke mir«, meinte Muni, »daß Rosalind bald wieder heiraten wird, wenn nicht den, dann eben einen anderen. Sie ist ja eine hübsche Frau und versteht es, mit Männern umzugehen. Na, und wenn nicht, dann wird sie arbeiten müssen. Das müssen andere Frauen auch tun.«

»Kannst du dir Rosalind als berufstätige Frau vorstellen? Ich nicht. Sie hat nichts gelernt. Und sie wird keineswegs davon begeistert sein. Und sie muß auch erst einmal Arbeit finden.«

»Sie findet schon was. Arbeitskräfte werden heute genug gesucht. Und ob sie begeistert davon ist oder nicht, das kann dir egal sein. Sie hätte ja bei dir bleiben können, nicht wahr? Du mußt ihr das nur mal deutlich klarmachen.«

Ich seufzte.

»Du mußt aber«, betonte Muni, »du kannst nicht ewig einer Entscheidung aus dem Weg gehen. Es ist Steffi gegenüber nicht anständig.«

»Ja«, sagte ich niedergeschlagen, »du hast vollkommen recht. Aber es ist so schwierig. Du kennst Rosalind nicht.«

»Ich kenne sie sehr gut. Wahrscheinlich besser als du. Und es schadet ihr gar nichts, wenn es mal nicht nach ihrem Kopf geht. Bitte schön, sie kann zunächst bei mir wohnen. Das kannst du ihr anbieten. Es ist ihr zwar nicht gut genug, aber bis sie genügend Geld verdient, um sich eine eigene Wohnung zu leisten, kann sie gern hier bleiben. Zunächst muß sie sowieso hereinkommen, damit Lix nicht allein ist.« Muni machte eine Spannungspause und fuhr fort: »Ich verreise nämlich.«

»Du verreist?« fragte ich erstaunt.

»Ja. Ich mache eine Kur in Badgastein.« Das klang sehr stolz und sehr unternehmungslustig.

»Das ist ja toll«, sagte ich. »Hast du im Lotto gewonnen?«

»Ich habe gespart. Ich möchte auch einmal verreisen. Die Frau Wendlinger aus der Nummer neun . . . die kennst du doch?«

»Ja.«

»Also die fährt jedes Jahr im Herbst nach Badgastein. Und sie kennt da eine hübsche Pension, da ist es gar nicht teuer. Die geben eine Pauschale, weißt du. Der Schwiegersohn der Frau Wendlinger fährt uns mit dem Wagen hin, da kostet es keine Bahnfahrt. Sie hat gesagt, ich soll mitfahren. Voriges Jahr hat sie es schon gesagt. Dieses Jahr fahre ich mit.«

Sehr schön. Nichts gegen zu sagen.

»Ich finde es großartig«, sagte ich. »Eine blendende Idee. Ich habe dir immer gesagt, du sollst mal in Urlaub fahren. Du wolltest nie.«

»Jetzt will ich«, sagte Muni entschlossen. »Und daß du es weißt, ich bleibe drei Wochen.«

»Wunderbar. Und wann geht die Reise los?«

»Am fünfzehnten September. Die Frau Wendlinger sagt, das wäre eine schöne Zeit da oben in den Bergen. Das Wetter wäre dann meist sehr schön. Na, ich werd's ja sehen. Sie ist jedenfalls immer ganz begeistert.«

Meine Frauen sorgten für Überraschungen, das war mir nichts Neues. Auf jeden Fall würde so eine Kur Muni gut bekommen. Ich würde ich auch noch hundert Mark dazugeben. Obwohl ich sicher war, daß Muni genügend Geld beieinander hatte. Sonst würde sie nicht verreisen, soweit kannte ich sie.

Also mußte Rosalind sowieso mit in die Stadt. Lix konnte nicht allein bleiben. Das erleichterte mich sehr. Offengestanden, ich hatte Angst davor gehabt, mit Rosalind allein zu bleiben. Ehrliche Angst. Aus diesem und aus jenem Grunde. Nun würde ich auf alle Fälle drei Wochen lang meine Ruhe haben. Und Rosalind Zeit genug, sich nach Arbeit umzusehen. Aber letzteres dachte ich nur sehr zaghaft. Ich konnte mir beim besten Willen nicht vorstellen, daß Rosalind das wirklich tun würde.

Wir aßen zu Abend, gut und reichlich, wie immer bei Muni. Und dann hatte sie eine großartige Idee.

»Weißt du, was ich täte an deiner Stelle«, sagte sie ganz nebenhin.

»Was denn?«

»Ich würde mal mit diesem Herrn Killinger sprechen.«

»Ich? Mit Killinger sprechen?«

»Warum denn nicht? Ich sehe nicht ein, warum sich der so stillschweigend aus der Affäre ziehen kann. Es wäre doch mal interessant, seine Meinung zu dem Fall zu hören.«

»Ich denke nicht daran«, sagte ich. »Was geht mich das an? Ich wüßte gar nicht, was ich mit dem Mann reden soll. Und in welcher Eigenschaft ich da auftreten sollte.«

»Er hat dir Rosalind weggenommen, nicht? Dann hat er sie dir wiedergeschickt. Das sind doch keine Manieren. Er könnte ja wenigstens mal eine Erklärung dazu abgeben. So vornehm wird er ja nicht sein, daß man das nicht von ihm verlangen kann.«

»Also das schlag dir aus dem Kopf. Das tu' ich auf keinen Fall.«

»Überleg dir's mal«, meinte Muni ruhig. »Ich an deiner Stelle täte es.«

Telefonieren kann man nicht mit jedem

Ich konnte lange nicht einschlafen, weil ich wirklich darüber nachdachte. Nächsten Morgen beim Frühstück fing Muni wieder davon an. Und bis zum Mittagessen hatte sie mich so weit, daß ich sagte: »Na schön, ich kann ja mal anrufen.«

Es fiel mir nicht leicht. Ich rief in der Firma an, wurde mit dem Sekretariat verbunden und hatte schließlich eine kühle, sachliche Mädchenstimme am Telefon. Da erst fiel mir ein, daß das eventuell Fräulein Behrends sein könnte.

»Hier ist Schmitt«, sagte ich. »Ich möchte gern Herrn Killinger sprechen.«

So formlos hatte wohl noch keiner versucht, den Herrn Generaldirektor zu erreichen. Ich merkte der kleinen Verwunderungspause auf der anderen Seite geradezu körperlich an, wie ich mich danebenbenahm.

»Wer ist dort?« fragte die Stimme zurück.

»Schmitt.«

»Ah ja. Und – in welcher Angelegenheit wollen Sie den Herrn Generaldirektor sprechen?«

»Privat.«

»Ah so. Ja, das wird schlecht gehen. Sie müßten mir schon in etwa eine Andeutung machen. Außerdem geht es im Moment sowieso nicht. Der Herr Generaldirektor hat eine Besprechung. Aber wenn Sie mir vielleicht in Umrissen sagen, worum es sich handelt, werde ich weiterberichten, und wenn Sie dann noch einmal anrufen, kann ich Ihnen vielleicht einen Termin geben.« Das kam fließend und sehr liebenswürdig, aber so, daß ich wußte, hier war eine Barriere, die ich nie übersteigen konnte. Eher bekam ich die gesamte Bundesregierung ans Telefon als den Herrn Generaldirektor Killinger.

Und es war beim besten Willen nicht möglich, Fräulein Behrends oder wer immer das war, mit dem ich sprach, auch nur in Andeutungen klarzumachen, was ich wünschte.

»Vielen Dank, Fräulein«, sagte ich. »Ich rufe noch mal an.« Und hängte ein.

So ging es nicht. Aber nun war ich immerhin so weit, daß ich nicht daran dachte, zu kapitulieren. Nun gerade nicht. Muni hatte recht. Was dachte sich der Herr eigentlich? Erst einem Mann die Frau wegnehmen und dann in der Versenkung verschwinden? Wo gab's denn so was? Und irgendwie, zum Teufel, mußte es doch möglich sein, diesen Wirtschaftswunderhelden an die Strippe zu bekommen.

Am Abend versuchte ich es in seinem Haus in Harlaching. Wieder eine Frauenstimme. Die kannte ich schon. Die gute Frau Boll. Und gleichzeitig wurde mir klar, daß die nicht daran denken würde, mir behilflich zu sein, mit Konrad zu sprechen. Die war froh, daß sie Rosalind los war. Inzwischen hatte ich einige Einzelheiten aus dem Killingerschen Haushalt so peu à peu erfahren. Rosalind und Frau Boll waren nicht gerade die dicksten Freundinnen.

Auch Frau Boll machte zunächst Ausflüchte. Immerhin hatte ich den Eindruck, sie wußte, mit wem sie sprach.

Sie druckste herum, sie könne momentan nicht stören, dies sei nicht möglich und jenes nicht.

»Hören Sie, Frau Boll«, sagte ich schließlich energisch, sie kühn mit ihrem Namen anredend. »Herr Killinger ist also zu Hause. Bitte seien Sie so gut, ihm mitzuteilen, daß ich anrufe. Für mich ist das auch nicht sehr angenehm, das werden Sie verstehen. Aber einige Kleinigkeiten sind schließlich zu regeln. Meine Frau hat noch viele Sachen dort, das wissen Sie selbst. Wir müssen schließlich einmal für Ordnung sorgen, nicht wahr?«

»Ja. Selbstverständlich, Herr Schmitt. Ich habe mir auch schon gedacht, daß dies geschehen müßte. Aber Sie können das ebensogut mit mir erledigen. Wir brauchen den Herrn Generaldirektor nicht zu belästigen.«

In mir stieg eine kalte Wut hoch. Wer war eigentlich dieser Protz? Was war das für eine Welt, in der ein Mann, nur weil er Geld hatte, abgeschirmt wurde wie eine Jungfrau im Harem?

»Ich möchte Sie dringend ersuchen«, sprach ich prononciert und mit einer gewissen Schärfe, »Herrn Killinger ans Telefon zu rufen. Andererseits würde ich mich genötigt sehen, meinen Anwalt mit dieser Angelegenheit zu betrauen.« Gut, daß mir das eingefallen war. »Ich glaube nicht, daß es Ihnen angenehm wäre, die Verantwortung für solche Weiterungen zu übernehmen.«

Das hatte sie beeindruckt. »Einen Moment, bitte«, sagte sie säuerlich. Und dann, o Wunder, kam doch wirklich der gute Konrad höchstpersönlich und eigenhändig ans Telefon. Er sprach wie ein ganz normaler Mensch. Wir tauschten ein paar höfliche Floskeln, beide vorsichtig und mißtrauisch.

Doch dann sagte er, ganz natürlich: »Ich bin Ihnen sehr dankbar, daß Sie angerufen haben. Ich habe mir schon die ganze Zeit überlegt, wie ich mit Rosy in Verbindung treten kann. Ich kenne ja nicht einmal Ihre Adresse da draußen. Und schließlich, Sie verstehen . . .«, er zögerte, » . . . mir ist die ganze Geschichte mehr als unangenehm. Es ist doch lächerlich, so auseinanderzugehen, man muß doch wenigstens die Dinge besprechen und . . .« Er stockte, ich hörte ihn ungeduldig sagen, diesmal nicht zu mir: »Ja? Ist noch was?« Also hielt sich offenbar Frau Boll, vor Neugier platzend, im Hintergrund auf. »Entschuldigen Sie«, sagte er dann. »Ja, wo waren wir? Also auf jeden Fall ist Rosy bei Ihnen.«

»Ja.« Rosy nannte er sie. Ulkig.

»Nun ja, das wußte ich ja. Es ist leider so . . .« Er stockte wieder. Ich hörte eine helle Stimme etwas rufen. Das war wohl Dolly, Lix' verflossene Freundin.

Konrads Stimme klang sichtlich nervös, als sie wieder zu hören war. »Sind Sie in München, Herr Schmitt?«

»Ja. Ich bin für einige Tage in der Stadt.«

»Hören Sie, wäre es nicht besser, wir würden persönlich miteinander reden? Nicht nur per Telefon?«

Ich war verblüfft. »Bitte sehr. Ganz, wie Sie wollen.«

»Wollen Sie zu mir herauskommen? Ach nein, das ist nicht das Richtige. Könnten wir uns irgendwo in einem Lokal treffen?«

»Selbstverständlich. Wann würde es Ihnen passen?«

»Na, heute. Jetzt gleich.«

»Ist mir recht.«

Ein Mann von raschem Entschluß, dachte ich respektvoll. Aber so mußte man wohl sein, wenn man es im Wirtschaftsleben zu etwas bringen will. Wir einigten uns nach einigem Hin und Her auf das Bratwurstglöckl. Dort in einer Stunde. Dann war die Abendbrotzeit vorbei, es würde nicht mehr so voll sein.

Das war ein unerwarteter Erfolg. Und bestätigte wieder einmal meine Ansicht, daß Männer eben doch viel vernünftigere Menschen sind als Frauen. Ob nun Generaldirektor oder nicht, man konnte miteinander reden. Bloß die Weiber, die dazwischenstanden, mußten ausgeschaltet werden. Ob Ehefrauen, Freundinnen, Sekretärinnen oder Hausdamen, egal, sie alle komplizierten unnötig das Dasein.

Ich lief schnell hinauf zu Muni. Ich mußte mir doch wenigstens einen besseren Anzug anziehen und eine hübsche Krawatte umbinden.

»Siehst du«, sagte Muni befriedigt. »Hab' ich doch gleich gesagt. Und du hast dich so. Man weiß ja gar nicht, was der Mann eigentlich denkt. Vielleicht will er sie wiederhaben. Wäre doch möglich.«

Er wollte sie wiederhaben. Das merkte ich gleich, und das machte natürlich alles für mich viel leichter.

Herr Killinger war schon da, als ich kam. Wir hatten ausgemacht, daß wir der Dame am Büfett Bescheid sagen wollten, denn wir kannten uns ja nicht und mußten doch zueinanderfinden. Als ich mich also am Büfett meldete, führte mich das Biermädel zu der Nische gleich neben der Tür.

Da saß Konrad Killinger, Generaldirektor, Herr einer großen Firma, Herr über viel Geld und Verflossener meiner Rosalind und seiner Rosy, vor einem Glas Bier und blickte mir gespannt entgegen. Er erhob sich, wir verbeugten uns, schüttelten uns dann die Hände. Dann setzten wir uns. Wir waren beide ein bißchen verlegen, aber wir fühlten uns nicht so furchtbar unbehaglich, wie es die Situation eigentlich verlangt hätte. Oder jedenfalls ich nicht. Und noch etwas erstaunte mich: Ich hatte keinerlei Antipathie gegen den sympathischen, reiferen Herrn mit den grauen Schläfen. Und das bewies deutlicher als alles andere, daß meine Gefühle Rosalind gegenüber sich doch sehr gewandelt hatten. Übrigens war er nicht ganz so attraktiv, wie Rosalind ihn mir geschildert hatte. Er war nicht größer als ich, neigte etwas zur Korpulenz, hatte aber ein gutgeschnittenes Gesicht mit einem energischen Kinn, einer großen Nase und einer interessant gebuckelten Stirn. Der Blick seiner grauen Augen war zupackend und gerade, sein Mund sah aus, als könne er durchaus entschiedene Worte sprechen. Alles in allem das imponierende Bild eines Unternehmers unserer Tage. Nein, er machte keinen schlechten Eindruck auf mich.

Ich bestellte ein Bier, Herr Killinger hatte schon eines vor sich stehen, meinte aber, wir sollten vielleicht einen Steinhäger dazu trinken, die bestellte er. Wir redeten so ein bißchen hin und her, über das Lokal, in dem wir uns befanden und das wir beide schätzten. Früher, sagte er, sei er öfter hergegangen zum Würstlessen, jetzt habe er leider wenig Zeit. Dann redeten wir über das Wetter, über die Fremden, die sich noch immer zahlreich in der Stadt befanden, und daß das ja nun bald besser werden würde. Gott sei Dank. Wir waren eben beide echte Münchner. Es war sehr schön, daß die Fremden kamen, daß ihnen München gefiel und daß sie Geld in die Stadt brachten, aber noch schöner war es, wenn sie wieder abgereist waren und man mehr unter sich war. Früher sei es ja in München überhaupt gemütlicher gewesen. Ja, nicht wahr, das finden Sie auch?

Wir fanden es beide und redeten ein bißchen von früher. Herrn Killingers Vater hatte schon den Betrieb besessen, damals war er noch klein und bescheiden, aber gut eingeführt, Herr Killinger mußte nach dem Tod seines Vaters, der im Krieg erfolgt war, die Firma übernehmen, und die Konjunktur der Nachkriegszeit hatte dann ein großes, bedeutendes Unternehmen daraus gemacht. Wie das eben so war in unserer Zeit.

Im Krieg war er auch, und das unterhielt uns eine ganze Weile auf das beste. Wir bildeten uns sogar ein, einen gemeinsamen Kameraden entdeckt zu haben.

»Der Niedermeier Franzi, natürlich. So ein dicker Schwarzer? Mein Gott, konnte der Witze erzählen. Da waren wir doch einmal . . .« So ging das eine Weile. Wir unterhielten uns eine halbe Stunde lang großartig. Und dann waren wir mit dem Niedermeier Franzi und dem Krieg erst mal fertig.

Herr Killinger bestellte noch zwei Bier und noch zwei doppelte Steinhäger, und wir blickten uns an.

»Tja«, sagte er.

»Tja«, sagte ich.

»Ich bin wirklich froh, daß wir uns jetzt mal kennengelernt haben«, fuhr er fort.

»Hm«, machte ich.

»Ich weiß ja sehr viel von Ihnen. Rosy spricht in den höchsten Tönen von Ihnen.«

»So«, sagte ich.

»Ja. Wissen Sie, ich hatte immer das Gefühl, daß sie sich nicht richtig von Ihnen lösen konnte.«

»So.«

»Ja. Sie war immer besorgt, was Sie tun und was Sie treiben und wie es Ihnen geht.«

»Na ja«, sagte ich.

»Manchmal hatte ich direkt eine Wut auf Sie.«

»So.«

»Ja. Na denn, prost.«

Wir tranken, zündeten uns Zigaretten an und blickten uns mit wachsender Sympathie gelegentlich ins Gesicht.

»Wie geht es ihr denn?« fragte er.

»O danke, soweit ganz gut.«

»Und sie ist also wieder da draußen bei Ihnen.«

»Ja.«

»Muß ja ein herrlicher Besitz sein. Sie schwärmte immer davon.«

»So.«

»Ja. Ich stelle es mir auch wunderbar vor, auf dem Land zu leben. Allein schon wegen der Ruhe.«

»Ja. Die Ruhe ist wunderbar.«

»Die brauchen Sie ja auch zu Ihrer Arbeit.«

»Ja.«

»Ich könnte sie auch brauchen. Aber ich bin ja so in der Mühle drin. Wenn man nicht da ist, dann klappt alles nicht. Habe ich jetzt wieder gesehen, wie ich in Urlaub war. Dabei bin ich früher zurückgekommen, als beabsichtigt war. Aber es ist immer dasselbe, man muß sich fürchten, ein paar Wochen nicht dazusein. Wahrscheinlich bin ich selber schuld. Wissen Sie, ich bin einer von denen, die am liebsten immer alles selber machen. Alte Schule, habe ich noch von meinem Vater.«

»Na ja, früher war das so.«

»Da haben Sie es besser. Ein schöner Beruf, Schriftsteller. Sehr schön.« Ein höflicher Mann, der Killinger.

»Ja, es geht«, sagte ich. »Ich tue es jedenfalls gern.«

»Das ist die Hauptsache. Man muß eine Arbeit haben, die einem Spaß macht.«

»Ja.«

»Und dann haben Sie auch das prachtvolle Pferd. Rosy erzählte immer davon. Wie ich Sie beneide. Als junger Mensch bin ich auch geritten. Aber heute? Man hat ja keine Zeit. Dabei wäre es so gesund für mich.«

»Das wäre es bestimmt. Und die Zeit sollten Sie sich eben nehmen.«

»Ja, das sagen Sie so. Denke ich mir auch manchmal.«

So ging es weiter. Immerhin erfuhr ich auf diese Weise, daß Rosalind mich, mein Leben, meine Tiere, mein Haus in den allerrosigsten Farben geschildert hatte. Angenehm zu hören. Schließlich gelangten wir endgültig auf das Thema Rosalind. Da hatten wir bereits den dritten Steinhäger intus. Und es zeigte sich, daß der Herr Killinger der Meinung war, Rosalind habe nie aufgehört, mich zu lieben, und habe sich immer gewünscht, zu mir zurückzukehren.

»Tja, es nicht nicht zu leugnen, es war schwer für mich. Ich muß Ihnen ehrlich sagen, Herr Schmitt, ich war immer, ja wirklich, also man kann es nicht anders nennen, ich war eifersüchtig auf Sie.«

»So was«, sagte ich.

»Ich dachte mir: Nie wird es dir gelingen, diesen Schmitt aus Rosys Herzen zu vertreiben. Na ja, so eine lange Ehe. Und ein Mann, der so gut zu ihr war. Sie verwöhnte und ihr jeden Wunsch von den Augen ablas. Im Grunde habe ich es nie ganz verstanden, warum sie überhaupt . . . ich meine, daß sie sich scheiden ließ. Sie liebte Sie und ließ sich scheiden. Frauen sind schon manchmal schwer zu verstehen.«

»Ja, das sind sie.«

»Wirklich. Auf Ihr Wohl!«

»Danke.« Wir tranken und schwiegen eine Zeitlang nachdenklich vor uns hin.

»Das war wohl auch der Grund, daß ich . . . ich meine, eben weil ich mich oft über ihre Anhänglichkeit an Sie ärgerte, das war der Grund, daß ich nicht so energisch ein vergangenes . . . ich meine, eine frühere Bindung beendete, die eigentlich längst vorüber war. Ich weiß nicht, was sie Ihnen darüber erzählt hat.«

Ich sagte es ihm.

»Ganz so war es nicht. Fräulein Behrends begleitete mich damals auf einer Geschäftsreise, und ich wollte dann noch für zwei Tage nach Lugano, ich hatte dort etwas zu erledigen, es wurden dann vier Tage daraus, sie war dabei, na ja, ich hatte dort nun mal das Haus, warum sollte ich nicht dort wohnen?«

»Natürlich.«

»Rosy hat das alles furchtbar dramatisiert.«

»Ja, dazu neigt sie überhaupt.«

»Eben. Ich gebe zu, ich habe mich auch nicht richtig benommen. Ich bin manchmal etwas jähzornig. Und als sie mir dann sagte, sie habe endgültig genug von mir, sie wolle zu Ihnen zurück, Sie seien sowieso der einzige Mann, den sie liebe, da verlor ich eben die Beherrschung. Wir hatten keine schöne Szene, wirklich nicht. Wie würden Sie reagieren, wenn eine Frau Ihnen mitteilt, Sie seien der letzte Dreck und ein anderer derjenige, den sie einzig und allein liebe und schätze.«

»Das würde mich natürlich ärgern.«

»Sehen Sie. Hinterher tat es mir leid. Aber da war sie schon weg.«

»Aha. Und dann?«

»Was und dann?«

»Ich meine, was taten Sie dann, als sie weg war?«

»Was sollte ich tun? Zunächst war ich natürlich sehr wütend, verständlich nicht? Da bemüht man sich fast ein Jahr lang, einer Frau jeden Wunsch zu erfüllen, und bildet sich ein, man wird, na ja, geliebt, nicht? Und dann bekommt man so etwas gesagt. Daß die Frau einen anderen liebt. Und dann fährt sie weg, ohne ein Wort, ohne eine Erklärung. Zu Ihnen. Plötzlich ist sie weg.«

»Sie kam nicht gleich zu mir. Zunächst fuhr sie nach Chur.«

»Nach Chur?« fragte er erstaunt.

»Sie hatte kein Geld für die ganze Reise.«

»Kein Geld?« fragte er maßlos verwundert.

Ich erzählte ihm, wie das mit Rosalinds Rückkehr vor sich gegangen war. Das brachte ihn ganz aus der Fassung.

»Ist sie nicht wie ein Kind?« fragte er gerührt. »Mein Gott, man dürfte sie gar nicht so ernst nehmen. Sie ist ein törichtes, ahnungsloses Kind. Fährt los ohne Geld. Und sitzt dann ganz allein in Chur. Wenn ich mir das vorstelle . . .« Er schüttelte vorwurfsvoll den Kopf und trank den vierten Steinhäger aus. Von wegen ahnungsloses Kind! Rosalind war alles andere als ein ahnungsloses Kind.

Aber ich hütete mich, ihn darüber aufzuklären. Genausowenig, wie ich ihm sagen würde, daß mir daran lag, Rosalind an ihn zurückzuexpedieren. Mal sehen, wie sich die Sache weiterentwickelte.

»Sie hätte doch bloß ein Wort sagen müssen, daß sie kein Geld mehr hat.«

»Hätten Sie ihr dann welches gegeben? Zum Wegreisen, meine ich?«

Er sah mich erstaunt an. »Nein. Natürlich nicht.«

»Sehen Sie. Das konnte sie sich vermutlich denken.«

»Und Sie haben sie also dann geholt, das arme Kind?«

»Ich habe ihr Geld geschickt. Und hab' sie in München an der Bahn abgeholt.«

»Und dann?«

»Dann blieb sie eine Nacht im Hotel und kam am nächsten Tag zu mir hinaus. Und seitdem ist sie da.«

»Aha.«

»Ja.«

»Ja und . . . was macht sie da so?«

»Nichts Besonderes. Was sie halt früher auch gemacht hat. Sie kocht das Mittagessen, sorgt für Ordnung. So was halt.«

»Aha. Und ist sie jetzt glücklich?«

»Glücklich? Das gewiß nicht. Schließlich ist die . . . eh, ungeklärte Angelegenheit zwischen Ihnen nicht gerade dazu geeignet, sie glücklich zu machen.« Schwierig, so etwas auszudrücken.

»Ja, ja. Natürlich. Aber immerhin, ich dachte, sie sei jetzt glücklich, wo sie doch wieder bei Ihnen ist.«

Jetzt galt es geschickt zu operieren.

»Herr Killinger«, sagte ich, »Sie täuschen sich, wenn Sie glauben, daß zwischen Rosalind und mir alles wie früher ist. Wir sind geschieden, und daran halte ich mich. Ich bin nicht dafür, alle paar Monate die Meinung und die Frau zu wechseln. Rosalind ist von mir fortgegangen, um Sie zu heiraten. *Ich* mußte annehmen, daß Sie es sind, den sie liebt. Und ich bin im Gegensatz zu Ihnen auch heute noch dieser Meinung.«

»Ach?«

»Ja.«

»Meinen Sie wirklich?«

»Ich bin davon überzeugt. Rosalind hat von mir gesprochen, sie hat nett von mir gesprochen, das ist anständig von ihr. Sie hat im Zorn gesagt, daß sie mich noch liebe und zu mir zurückkehren wolle. Sie hat es gesagt, als sie entdeckt hatte, daß Sie . . . Pardon, daß Sie sie betrogen haben. Vermutlich hätte jede Frau in solch einer Situation auf diese Weise reagiert. Jedenfalls eine Frau mit Rosalinds Temperament. Aber es ist nicht die Wahrheit. Rosalind ist unglücklich. Sie weint viel.«

Das stimmte zwar nicht, aber es konnte nichts schaden, das zu sagen.

»Sie weint?« Er sah mich so ehrlich bestürzt an, daß er mir fast leid tat. War nicht nett, ihn anzuschwindeln. Aber ich verfolgte ja eine gute Absicht damit. Denn nun, nachdem ich ihn kannte, war ich der Meinung, daß Rosalind bei ihm in den besten Händen sein würde. Schön, sie würden vielleicht manchmal Krach haben, sie hatte Temperament, und er war überarbeitet und manchmal nervös oder jähzornig, aber er war ein netter Mann, und Rosalind würde es gut bei ihm haben.

»Jetzt verstehe ich gar nichts mehr«, sagte er nun ganz bedrückt.

Ich beschloß, den Stier bei den Hörnern zu packen. »Herr

Killinger«, sagte ich und sah ihm in die Pupille, »was ist Ihre Absicht? Sehen Sie, es ist sonst niemand da, der für Rosalind verantwortlich ist. Aber ich fühle mich noch für sie verantwortlich. Nehmen Sie an, ich sei ihr Vater. Oder ihr Bruder. Vergessen Sie einmal, daß ich ihr Mann war. Was ist Ihre Absicht? Lieben Sie Rosalind? Möchten Sie sie heiraten?«

»Aber ja. Natürlich. Sie ist genau die richtige Frau für mich. Hübsch und charmant und sehr gewandt, sie kann großartig repräsentieren, man kann sich überall mit ihr sehen lassen. Und sie ist so unterhaltend. Ich brauche eine Frau, wissen Sie. Seit ich geschieden bin, habe ich mich auf vielerlei Weise beholfen. Schön, der Haushalt läuft einigermaßen, aber doch nicht so, wie eine Frau es macht. Und persönlich . . . na ja, gut, es gibt Mädchen und Frauen, man kann immer finden, was man braucht, aber schließlich, man wird auch älter, man will seine Ordnung haben. Ich habe gar keine Zeit für Freundinnen.«

»Sie wollen also Rosalind nach wie vor heiraten?«

»Selbstverständlich. Ich wollte immer. Sie will ja nicht.«

»Und was ist mit Fräulein Behrends?«

Er lachte ein wenig unsicher. »Lieber Himmel, das in Lugano war so eine kleine Abschiedssentimentalität. Wissen Sie, ich kenne Fräulein Behrends, seit sie als ganz junges Mädchen zu mir in die Firma kam. Sie war sehr anstellig, sehr tüchtig. Na ja, und sie ist auch ein hübsches Mädchen. Ich nahm sie dann zu mir ins Vorzimmer, und sie hat sich prima eingearbeitet. Eine tüchtige Sekretärin. Und das andere ergab sich dann so mit der Zeit. Gott, man ist ja auch ein Mensch, nicht?«

Ich nickte und wartete, was noch kam.

»Ja, eine sehr tüchtige Mitarbeiterin. Sie wird mir fehlen.«

»Ach? Sie geht weg?«

»Ja. Sie verläßt meine Firma Ultimo September. Sie heiratet.«

»Ach?«

»Ja. Sie ist verlobt mit einem sehr netten jungen Mann. Der Junge hat studiert, jetzt ist er fertig, und damals auf der Schweizer Reise sagte ich ihr, ich würde ihr, wenn sie heiratet, eine Wohnung schenken. Eine Art Abschiedsgeschenk, nicht? Sie freute sich sehr darüber und ist mir sehr dankbar. Wir verlebten dann noch ein paar hübsche Tage zusammen. Nicht so, wie Sie vielleicht denken. Meine Gefühle waren ganz . . . eh . . . ja, ganz väterlich.«

»So«, sagte ich, vielleicht in etwas skeptischem Ton.

»Wirklich. Sie können es mir glauben. Lieber Himmel, sie ist fünfundzwanzig. Ich bin dreiundfünfzig. Ich mache mich doch nicht lächerlich. Rosy ist ja fast schon zu jung für mich.«

»Gut«, sagte ich. »Und was machen wir nun?«

»Ja, was machen wir?«

Wir starrten in unsere leeren Gläser und überlegten.

»Schließlich«, meinte er dann, »kommt es ja auch auf Sie an. Ich meine, wie Sie zu Rosy stehen.«

»Mir«, sagte ich pathetisch, »kommt es auf Rosalinds Glück an. Und bei mir war sie nicht glücklich, sonst wäre sie nicht fortgegangen. Und sie ist jetzt auch nicht glücklich.«

»Ja, dann . . .«

»Eben.«

Herr Killinger bestellte noch zwei Bier und zwei doppelte Steinhäger, und dann meinte er, er hätte eigentlich Appetit auf Schweinswürstl. Ich hatte nichts dagegen. Also bestellte er noch für uns beide Schweinswürstl mit Meerrettich.

Beim Essen kamen wir noch einmal auf den Niedermeier Franzi und den Krieg zu sprechen.

Und nach dem Essen einigten wir uns ziemlich schnell darüber, daß Rosalind zu ihm zurückkehren sollte und daß sie möglichst bald heiraten würden.

Wir stießen darauf an, drückten uns die Hände, und er sprach die Hoffnung aus, daß wir auch fürderhin gute Freunde sein würden und daß ich sie oft besuchen müsse.

»Ich glaube, das ist auch in Rosys Sinn«, sagte er.

Ich brachte dann die Sprache kurz auf Lix. Es täte ihm leid, sagte er, daß er damals die Nerven verloren habe. Man sei eben überarbeitet und die Kinder manchmal ein bißchen ungebärdig. Ob sie sich versöhnen lassen würde?

»Ich hoffe es«, sagte ich. »Sie müssen sie beide versöhnen. Mutter und Tochter. Wie, das ist Ihre Sache.«

»Sie müssen mir dabei helfen«, sagte er.

Ich versprach es, und bei einer neuen Lage überlegten wir, wie es geschehen sollte.

Ich hatte inzwischen schon allerhand Steinhäger intus, das Zählen hatte ich aufgegeben, so kam ich auf die tollkühne Idee, ihm vorzuschlagen: »Wie wäre es, wenn Sie einfach morgen mit mir ins Waldhaus fahren würden?«

»Zu Ihnen hinaus?«

»Ja. Falls Sie es zeitlich einrichten können. Es wäre ein Überraschungseffekt. Rosalind kann sich nicht vorbereiten, was sie sagen soll. Sie sind einfach da, und dann werden wir ja sehen, was passiert.«

»Eine großartige Idee.«

»Wir nehmen einen großen Blumenstrauß mit und . . . na ja.«

»Ich werde ihr sagen, daß sie den eigenen Wagen bekommt, den sie sich gewünscht hat. Ich wollte ihn ihr zur Hochzeit schenken. Kriegt sie ihn eben gleich.«

»Zur Hochzeit genügt auch noch. Sonst fährt sie Ihnen das nächstemal mit dem Auto davon.«

»Auch wieder wahr«, er lachte. »Das geht bei ihr schnell, was?«

Unser Gespräch verlor etwas die Form. Wie bewegten uns zwischen Rosalind, der bevorstehenden Hochzeit, kommenden herrlichen Zeiten und vergangenen Kriegserlebnissen, wir aßen jeder noch eine Portion Camembert, tranken noch ein paar Runden und verließen das Bratwurstglöckl um zwölf Uhr, als Sperrstunde war. Herr Killinger bestand darauf, mich nach Hause zu fahren. Ich hatte Bedenken, ob er noch fahren konnte, und schlug vor, er solle sich lieber ein Taxi nehmn. Doch davon wollte er nichts wissen. Fahren könne er immer, und die paar Schnäpse machten ihm nichts aus. Er fuhr auch wirklich ordentlich und sicher, nichts gegen zu sagen.

Wir verabredeten uns für den nächsten Tag und schieden als gute Freunde.

Muni war schon im Bett, aber sie schlief noch nicht.

»Na?« fragte sie. »Das hat aber lange gedauert.«

»Ja. Und er will sie wiederhaben.«

»Siehst du. Habe ich nicht recht gehabt?«

»Wie immer, teure Mutter. Du bist eben meine Beste.«

Ich beugte mich hinab, um ihr einen Gutenachtkuß zu geben.

»Pfui Teufel, hast du eine Fahne«, schimpfte Muni. »Mach, daß du ins Bett kommst.«

»Steffi«, sagte ich vor mich hin, als ich im Bett lag, »liebe, liebe Steffi.«

Ich war hochzufrieden. Morgen vormittag würde ich zu Steffi fahren und ihr alles erzählen.

Aber Steffi war nicht da am nächsten Vormittag. So ließ ich bloß einen Zettel da, ich hätte große Neuigkeiten, und alles würde gut, und ich käme demnächst wieder.

Vielleicht war es auch besser, Steffi erst mit vollendeten Tatsachen zu überraschen. Bei Rosalind konnte man nie wissen. Wenn sie merkte, daß der gute Konrad klein und häßlich war, konnte sie das vielleicht ausnützen und ihn ein bißchen zappeln lassen.

So schnell war ich noch nie zum Waldhaus gekommen. Mit einem großen Wagen ging es wirklich mit einem Rutsch. Ich nahm mir wieder einmal vor, nun doch Autofahren zu lernen und so ein Ding zu kaufen. Falls die nächsten Bücher gut einschlugen.

Auf der Fahrt hinaus redeten wir nicht viel. Hinten im Wagen lagen ein großer Blumenstrauß und eine Riesenbonbonniere für Lix. Herr Killinger sah recht stattlich aus. Er trug einen flotten weißen Strohhut und eine blaue Krawatte mit weißen Tupfen. Und er war ein bißchen aufgeregt, wie ich merkte.

Unsere Überraschung gelang vollkommen.

Es war ein bißchen trüb an diesem Tag, Rosalind war im Haus und bügelte meine Hemden. Das hatte sie früher schon nicht gern getan. Zweifellos erschien ihr Konrad als ein rettender Engel. Bei ihm würde sie keine Hemden bügeln müssen.

»Ich habe Besuch mitgebracht«, sagte ich nonchalant, als ich ins Zimmer trat.

Beide blickten neugierig zur Tür, und dann trat Konrad, der Killinger, ein. Stattlich und imponierend stand er im Türrahmen, eine blendende Erscheinung. Ein deutscher Wirtschaftswundermann besten Kalibers.

»Oh!« hauchte Rosalind und stellte das Bügeleisen auf mein Hemd. Lix ließ das Buch sinken, in dem sie gelesen hatte, und betrachtete den Besucher gespannt.

Ich blickte von einem zum anderen und war sehr zufrieden mit mir.

»Ich dachte, wir könnten vielleicht zusammen Kaffee trinken«, sagte ich. »Kuchen haben wir mitgebracht.«

»Oh!« sagte Rosalind noch einmal.

Herr Killinger streckte ihr wortlos den Rosenstrauß entgegen. Sie zögerte ein bißchen, aber dann nahm sie ihn graziös entgegen. Er ergriff ihre Hand und zog sie an die Lippen.

»Rosy!« Das klang ausgesprochen zärtlich.

Rosalind sah mich an. »Wie hast du denn das gemanagt?«

»Liebes Kind«, sagte ich, »ich konnte deinen Kummer nicht mehr mit ansehen. Ich hatte Angst, wenn es noch eine Weile so weitergeht, bekommst du Falten und graue Haare. Der Gedanke ist mir unerträglich. Du weißt, Rosalind, ich liebe dich und werde dich eweig lieben. Und darum will ich, daß du glücklich wirst.«

»So? Willst du das?« Das klang spitz, ihre Lippen wurden schmal.

Ich blickte ihr beschwörend in die Augen. »Ja. Das will ich. Meine Gefühle spielen dabei keine Rolle.«

»Ich denke doch«, sagte sie spöttisch. »Ich durchschaue dich.«

Dann lächelte sie Konrad an, ganz kurz nur und sehr kühl. Aber immerhin.

»Ich werde Kaffeewasser aufstellen«, sagte ich. Dann sah ich meine Tochter an. »Es wäre nett, Lix, wenn du auch grüß Gott zu unserem Gast sagst.«

Lix nahm zögernd die Beine von der Sessellehne. Sie wußte nicht recht, was sie tun sollte.

Konrad streckte ihr die Hand hin. »Wollen wir uns wieder vertragen, Lix? Ich soll dich grüßen von Dolly. Und ich soll dir sagen, daß das Tischtennis jetzt da ist. Sie würde sich freuen, wenn du bald einmal mit ihr spielen würdest.«

»Tischtennis?« fragte Lix interessiert und nahm flüchtig die dargebotene Hand.

»Ja. Ihr wolltet doch immer eins haben.«

»Mhm.«

Dann blickte sie fragend ihre Muter an. Rosalind hingegen sah mich an. »Also dann koch mal Kaffee. Und dann würde es mich interessieren, zu erfahren, was in München vorgegangen ist. Ihr denkt doch nicht im Ernst, ich lasse mich von euch hier so verschaukeln?«

Ich grinste. »Wer käme auf die Idee? Wir haben beide nur dein Bestes im Auge. Und wir wollen von dir erfahren, was du dir darunter vorstellst.«

Sie hob die Nase. »Das werdet ihr. Und ihr werdet euch

wundern. Ich tue grundsätzlich immer nur das, was mir beliebt.«

»Das weiß ich«, sagte ich. »Das ist ja das Reizvolle an dir.«

Ich verschwand in Richtung Küche und mußte pausenlos vor mich hin lachen, während ich Kaffee mahlte. Arme Rosalind! Was sie sich jetzt wünschte, das wußte ich ganz genau. Sie wünschte sich von Herzen einen dritten Mann. Einen, den sie aus dem Nichts zaubern konnte wie ein Magier das Kaninchen aus dem Hut. Ein Mann, der schöner, besser, klüger und reicher war als Herr Killinger und ich zusammen, dieser Mann war nicht da. Vielleicht, wenn man ihr ein paar Wochen Zeit gelassen hätte . . . dann hätte sie ihn möglicherweise aufgetrieben. Jetzt mußte sie sich zwischen den beiden entscheiden, die greifbar waren. Und ich zweifelte nicht daran, daß ich der Unterlegene sein würde. Sie war nun wieder seit drei Wochen im Waldhaus, ich nahm an, sie hatte die Nase voll. Sie würde es dem guten Konrad noch ein bißchen schwermachen, er würde heute kaum mit einem endgültigen Ergebnis abfahren. Aber immerhin, die Friedensverhandlungen hatten begonnen. Und falls sie den armen Konrad zu lange hinhielt, würde ich ihr ganz demnächst klarmachen, wohin *mein* Weg führte und was ihr dann für Möglichkeiten blieben. Eins stand fest: Rosalind hatte nicht die geringste Lust, eine berufstätige Frau zu werden. Und als Frau Killinger würde das Leben zumindest recht angenehm sein.

Ich schnupperte. Was roch denn hier so? Mein Hemd. Versengt. Ein Opfer auf dem Altar des Killingerschen Eheglücks. Ich wollte es gern bringen.

Das große Abenteuer

Rosalind benahm sich genauso, wie ich erwartet hatte. Nicht, daß sie dem Konrad nun besiegt und beseligt in die Arme sank. Sie ließ ihn noch eine Weile im ungewissen. An diesem Nachmittag, nachdem sie die erste Überraschung überwunden hatte, war sie bald Herrin der Situation. Eine charmante Gastgeberin, die Herrin des Hauses, zu mir ganz reizend und in weichen Tönen, zu Konrad reserviert, von unterkühltem Charme, undurchsichtig, so daß er, als er zwei Stunden später abfuhr, nicht wußte, wie er dran war.

»Es liegt jetzt an Ihnen«, sagte ich, als ich ihn zum Wagen begleitete. »Übermorgen muß sie sowieso mit Lix in die Stadt, die Schule fängt an, und wenn sie mal in München ist, haben Sie ja dann freie Bahn.«

»Ich werde sie und Lix abholen und hineinbringen«, erklärte er eifrig. Ich nickte.

Der Schulbeginn erleichterte Herrn Killinger wirklich das Leben. Rosalind war in der Stadt, die Herbstsaison kündigte sich an, sicher war bei Monsieur Charleron wieder mal Modenschau, die Schaufenster lockten, der liebe Konrad, zahm und willfährig, konnte sie ausführen zu Premieren und in exquisite Restaurants.

Daß er das tat, erfuhr ich von Muni.

»Alles bestens«, sagte sie. »Rosalind ist großartiger Laune. Jeden Tag kommen Blumen, ich habe schon zwei neue Vasen kaufen müssen. Er holt sie ab und bringt sich um mit ihr. Er ist ein netter Mensch.«

»Kennst du ihn denn?« fragte ich verwundert.

»Natürlich. Er kommt immer herauf, wenn er sie abholt. Er küßt mir immer die Hand«, verkündete Muni stolz, »und ich habe auch schon Blumen bekommen.«

Ich nahm meine geliebte Muni in die Arme und küßte sie herzhaft.

»Jetzt wird alles gut.«

»Das hoffe ich, mein Junge. Du siehst auch wieder besser aus.«

»Ja. Und jetzt fahre ich zu Steffi.«

»Weiß sie es schon?«

»Sie war ein paar Tage nicht da. Und gestern habe ich ihr am Telefon erzählt, was ungefähr vorgeht, aber sie schien es nicht recht zu glauben. Ich habe sie gebeten, zu mir hinauszukommen, aber sie wollte nicht.«

»Na, da wirst du wohl auch einen Blumenstrauß kaufen müssen und um gut Wetter bitten.«

»Das muß ich wohl.«

Ich erschrak, als ich Steffi sah. Sie sah müde und zerquält aus. War es möglich, daß sie meinetwegen litt?

Sie wich zurück, als ich sie küssen wollte. Ein wenig unsicher folgte ich ihr ins Zimmer.

»Wo hast du denn gesteckt? Ich habe die ganzen Tage versucht, dich zu erreichen. Hast du schon eine neue Stellung angetreten?«

»Ich war verreist. Mit der Stellung habe ich mich noch nicht entschieden.«

Ich betrachtete sie besorgt. Wie blaß sie war? Sie sah an mir vorbei, schien nervös und fahrig zu sein.

»Steffi«, sagte ich, »sieh mich an.«

»Ja?«

»Liebst du mich noch?«

Sie lachte kurz auf. »Eine etwas unpassende Frage, finde ich.«

»Wieso? Ich muß das wissen. Ich liebe dich, und ich bin gekommen, um dir das zu sagen.«

»Und deine Frau?«

»Ich habe keine Frau. Nimm das bitte zur Kenntnis. Und ich habe dir doch gesagt, daß Rosalind jetzt bei Muni wohnt.«

»Nun ja . . .«

»Du weißt genau, wie alles geschehen ist. Was Rosalind nun macht, ob sie den Killinger heiratet oder nicht, ist mir egal. Ich jedenfalls gehöre zu dir. Und ich möchte dich nun abermals in allem Ernst fragen: Willst du mich heiraten?«

Ihre Augen sahen mich ungläubig an. »Du willst mich heiraten?«

»Aber ja.«

»Weil du mich liebst?«

»Ja.«

»Ach Gott!« Sie legte die Arme auf die Sessellehne, den Kopf darauf und begann zu weinen.

Ich versuchte, sie zu beruhigen, was nur schwer gelang. Schließlich nahm ich sie auf den Schoß, und sie weinte an meiner Schulter weiter.

»Aber Steffi! Was ist denn los? Ist dir der Gedanke so schrecklich, meine Frau zu werden? Ich habe mir eingebildet, du würdest dich vielleicht an mich gewöhnen. Sicher, es gibt nettere Männer. Aber ich will alles tun, was ich kann, um dich glücklich zu machen.«

Sie schluchzte nur noch mehr, aber wenigstens legte sie den Arm um meinen Hals und ihre Wange an meine, so daß ich ganz naß von ihren Tränen wurde.

»Was hast du denn? Wenn ich nur wüßte, warum du weinst.«

»Das weißt du eben nicht«, stieß sie unter Schluchzen hervor. »Es ist etwas Furchtbares passiert.«

Mir wurde ganz kalt. Ich hatte sie also verloren. Eberhard. Oder irgendein anderer. Vielleicht aus Zorn. Vielleicht, um sich zu trösten.

»Ach so«, sagte ich und schob sie ein wenig zurück. »Du hast dich also inzwischen anderweitig . . . eh, interessiert.«

Sie hob den Kopf. »Ach, du Dummkopf! Das ist es doch nicht. Es ist viel schlimmer. Ich . . . ich . . . nämlich . . . ich bekomme ein Kind.«

Und dann schluchzte sie weiter.

Ich brauchte eine Weile, um mit dieser Neuigkeit fertig zu werden. Oder – fertig zu werden war zu viel gesagt. Um wieder eine Äußerung von mir geben zu können.

»Steffi!« sagte ich dann energisch und faßte sie fest an den Armen. »Hör sofort auf zu weinen!«

Sie hörte auf, sah mich aber so verzweifelt an, daß es einen erbarmen konnte.

»Du hat . . . du bist . . . Ist das wahr?« fragte ich.

Sie nickte. »Oh, Florian, es tut mir so leid. Ich dachte immer, es könne nicht wahr sein. Und ich habe alles versucht. Deswegen war ich auch verreist. Ich dachte, meine Freundin in Nürnberg wüßte vielleicht eine Adresse. Aber es ist so schwierig. Ich weiß nicht mehr, was ich machen soll.«

»Was für eine Adresse?«

»Na, irgend jemand, der mir hilft. Ich kenne niemanden.«

»Steffi, was soll das heißen? Du wolltest . . . du wolltest etwas dagegen tun?«

»Natürlich. Was soll ich denn sonst machen? Ich muß wieder arbeiten und ich . . .«

»Möchtest du denn kein Kind haben, Steffi?« fragte ich ernst.

Sie sah mich unsicher an. »Ich . . . ich weiß nicht. So, wie jetzt alles ist . . .«

»Aber es ist doch alles bestens. Glaubst du, ich kann kein Kind ernähren? Ich habe Lix schließlich auch großgezogen, und da waren die Zeiten weitaus schwieriger. So arm bin ich auch wieder nicht.«

»Doch nicht deswegen. Ich wußte aber gar nicht, ob du . . .«

»Ob ich was?«

»Na, ob du etwas davon wissen willst.«

Ich sah ihr in die Augen, und dann lächelte ich. Sie sah mich ungläubig an, rührend jung und hilflos sah sie aus, und dann veränderte sich der Ausdruck ihrer Augen, ihr Blick wurde weich und zärtlich, und dann lächelte sie auch.

»Du findest es nicht furchtbar?« fragte sie.

»Gar nicht. Ich finde es ganz normal. Außerdem habe ich mir immer einen Sohn gewünscht. Aber wenn es ein Mädchen wird, macht es auch nichts. Und ich habe immer gedacht, daß wir Kinder haben sollten.«

»Kinder?« fragte sie entsetzt.

»Na, erst mal eins. Du mußt das unbedingt erleben. Es ist ein großes Abenteuer im Leben einer Frau. Darauf darfst du nicht verzichten . . .«

»Und . . . und du würdest mich trotzdem lieben?«

Ich lachte und zog sie fest an mich. »Erst recht.«

»Ach, Florian!«

Sie küßte mich, ich hörte ihr Herz klopfen, fühlte, wie sie sich entspannte, wie alle Angst und Sorge verschwanden, wie alles anders wurde.

Mein Herz war erfüllt von Liebe und Zärtlichkeit. Ja, wirklich, das war es. Vielleicht bin ich ein sentimentaler alter Narr. Aber ich würde mich freuen, wenn Steffi ein Kind bekam. Ein neues Leben mit ihr. Ein ganz anderes Leben. Ich war bereit dazu.

»Warum hast du mir nichts gesagt?« fragte ich.

»Ich wußte doch nicht . . . So wie das jetzt alles bei dir war. Und wenn ich damit auch noch gekommen wäre.«

»Du hättest es mir ja doch sagen müssen.«

»Ja, vielleicht. Aber erst dachte ich, ich könnte allein damit fertig werden.«

»Das, was du unter ›damit fertig werden‹ verstehst, billige ich keineswegs. Ich bin kein Spießer. Ich sehe ein, daß es Situationen gibt, die sich nicht bewältigen lassen. Aber in unserem Falle? Wir werden blendend damit fertig.«

»Meinst du?«

Wie glücklich sie jetzt aussah! Ein bißchen verheult noch, aber glücklich.

»Seit wann weißt du es denn?«

»Gerade als Rosalind zurückkam, hatte ich die ersten Befürchtungen. Und dann habe ich einen Test machen lassen. Und dann wußte ich es.«

»Wir werden bald heiraten«, sagte ich. »Klappt alles prima. Denk doch mal, wenn ich noch nicht geschieden wäre. Das wäre viel umständlicher.«

»Ja, wenn du meinst . . .«

»Ich meine. Und nun überlege mal, wie wir das Ereignis feiern.«

Sie lachte. »Ach, Florian! Du bist wunderbar.«

»Das hoffe ich. Heute abend gehen wir beide ganz groß aus. Wir feiern Verlobung und . . .«

Sie sprang eilig auf. »Dann muß ich noch zum Friseur.«

Ich betrachtete sie prüfend. »Ich sehe nicht ein, warum . . .«

»Doch. Unbedingt. Es ist dringend nötig. Ich sehe abscheulich aus.«

»Also schön, dann kochst du mir noch eine Tasse Kaffee, ich werde mich hier aufs Sofa zurückziehen, und du gehst zum Friseur. Morgen fahren wir zum Waldhaus. Wir haben viel Arbeit. Bis Weihnachten muß das Buch fertig sein.«

»Ja«, sagte sie eifrig. »Ich helfe dir.« Plötzlich seufzte sie. »Weißt du, was mich furchtbar traurig macht?«

»Was denn?«

»Daß ich jetzt nicht mehr reiten kann. Es hat mir so viel Spaß gemacht.«

»Diesen Monat und nächsten Monat kannst du noch. Das schadet nichts. Und dann kommt sowieso der Winter, da versäumst du nicht viel. Und bis dann der Frühling richtig da ist . . . wann wäre es denn soweit?«

»Im April, denke ich.«

»Na, das hast du dir doch großartig ausgesucht. Nächsten Sommer reiten wir wieder zusammen. Zunächst muß der Stephan sowieso noch viel schlafen. Und wenn er dann größer wird, lassen wir ihn bei der Mali, während wir ausreiten.«

»Wieso denn Stephan?« fragte sie irritiert.

»Dachte ich mir so. Ist doch ein hübscher Name.«

Sie legte den Kopf auf die Seite und runzelte die Stirn. »Ja, schon. Ich wollte aber eigentlich bei Florian bleiben.«

Ich runzelte ebenfalls die Stirn und meinte: »Darüber müssen wir uns noch ernsthaft unterhalten.«

So sah er aus, dieser närrische Sommer. Er hatte mich ganz schön in Trab gehalten.

Dafür folgte ihm ein ruhiger, arbeitsamer Winter.

Und nun . . . ja, inzwischen ist wieder ein Sommer vergangen, auch der Herbst ist gleich vorüber, schon fallen die Blätter von den Bäumen, und wenn wir über die leeren Felder und Wiesen galoppieren, pfeift uns ein frischer Wind um die Ohren. Abends heizen wir im Waldhaus, und wenn ich mich mit meinem Sohn unterhalte, lacht er mir freundlich ins Gesicht.

Er hat uns das Leben überhaupt nicht schwergemacht. Er kam pünktlich, bereitete seiner Mutter nicht allzuviel Mühe und entwickelte sich den Sommer über bei frischer Waldluft auf das beste.

Steffi ist eine glückliche Mutter. Und ich liebe sie. Und ich glaube, sie liebt mich auch. Ein Jahr lang sind wir nun verheiratet. Ein Jahr ist keine lange Zeit. Aber ich habe die Hoffnung, daß wir beide uns gut vertragen werden, nicht nur das eine, sondern noch viele kommende Jahre lang.

Das Waldhaus ist unverändert, die Wohnung in der Stadt haben wir behalten und werden während der schlimmsten Winterzeit hineinziehen. Ich kann es mir jetzt auch leisten, Isabell in der Stadt im Reitstall unterzustellen. Dorian wird sich eben auch an das Stadtleben gewöhnen müssen. Wir brauchen ihn als Babysitter. Solange er da ist, kann dem Buben nichts passieren. Dorian rührt sich nicht vom Kinderbett weg.

Das Schwabing-Buch hat einen guten Start gehabt. Und wenn es so weiterläuft wie bisher, haben wir bis Weihnachten eine ganze Menge Geld damit verdient, der Toni und ich. Der Toni übrigens ist ungefähr so lange verheiratet wie wir und hat sich prächtig mit diesem Zustand abgefunden. Bißchen dicker ist er geworden und ein bißchen fleißiger. Ein bißchen nur, nicht viel. Bei meinem alten Verlag ist auch mein neuer Roman herausgekommen und verkauft sich auch so peu à peu.

Bleibt noch nachzutragen, daß es Dorian und Isabel gutgeht, daß sie beide gesund und munter sind. Von meiner kleinen Fürstin habe ich nicht mehr viel gehört. Sie läßt mich grüßen, wenn sie an ihren Onkel, den Grafen Tanning, schreibt, und das geschieht einmal im Jahr, zu Weihnachten. Immerhin hat sie im vergangenen Sommer auf Wotan in Aachen ganz gut abgeschnitten. Es langte nicht zu einem großen Sieg, aber sie war ehrenvoll placiert.

Rosalind ist Frau Killinger und macht sich gut in dieser Rolle. Sie war reichlich indigniert, daß ich ein Kind bekam, und hat es mir bis heute noch nicht ganz verziehen. Lix hatte in ihrem Zeugnis in Mathematik eine Eins, will aber zur Zeit Schauspielerin werden. Ich hoffe, das legt sich wieder. Außerdem hat sie ihren ersten Verehrer. Muni war auch in diesem Jahr in Badgastein. Es hat ihr gut gefallen.

Ach ja, beinahe hätte ich es vergessen: Ich habe meinen Führerschein gemacht.

Ein Auto, eine neue Frau, einen kleinen Sohn, einen sich hoffnungsvoll entwickelnden Bestseller, Reitpferd, Hund, zwei Wohnsitze . . . ich weiß nicht, ich weiß nicht, so ganz sachte hat mich das Wirtschaftswunder jetzt auch am Wickel. Vielleicht lasse ich ins Waldhaus doch noch ein Telefon legen. Aber sonst bleibt es, wie es ist. Und falls mich mal jemand besuchen will . . .

Nein, bedaure, ich verrate nicht, wo es ist.

Die allerletzten Worte

Ich verrate es wirklich nicht. Denn ob man es glaubt oder nicht, das Waldhaus existiert noch, so ein treuer Mensch bin ich. Außerdem bin ich der Meinung, daß es auf der ganzen Erde keinen schöneren Platz gibt als den, auf dem mein Waldhaus steht: eine knappe Stunde von München entfernt, ein Stückerl über Rosenheim hinaus, mitten in den Chiemgau hinein, irgendwo dann seitwärts in die Büsche.

Es sieht dort genauso aus wie damals. Da hat keiner hingebaut, da gibt es keine neuen Straßen, und in meinem Weiher kann man immer noch baden, weil von nirgendwoher Dreck hineinkommt. Auf dem Hügel liegt noch allerweil der Hof vom Andres, ihm und der Mali geht es gut, bloß der Wastl ist uns ein Stück vorausgegangen. Dahin, wohin wir alle eines Tages gehen müssen. Der Sohn vom Andres übrigens wird den Hof nicht übernehmen; nachdem er lang genug studiert hat, ist er dabeigeblieben, die Landwirtschaft nur mehr theoretisch zu betreiben: Er sitzt heute in München im Ministerium für Landwirtschaft und Forsten. Am End, so meint der Andres, wird er noch mal Minister. Dafür hat die Reserl einschlägig geheiratet, auch einen studierten Landwirt, einen Freund ihres Bruders, der mit ihm zusammen in Weihenstephan war.

Und weil ich diese Geschichte gar so gut finde, will ich sie kurz erwähnen. Also der Sohn vom Andres, ein richtiger bayerischer Bauersohn, ist nicht auf den Hof zurückgekehrt. Dafür ist einer auf den Hof gekommen, der nie auf dem Land gelebt hat, sich aber nichts sehnlicher wünschte, als ein Bauer zu sein. Seine Familie stammt aus Schlesien, und seine Eltern haben dort einen Hof gehabt. Ein kleiner Bub war er, als seine Eltern die Heimat verlassen mußten, das Leben auf dem Bauernhof war für ihn nur eine frühe Kindheitserinnerung. Einen Hof wollte er wieder haben, darum hat er Landwirtschaft studiert und hat dann die Reserl geheiratet, und so hat sich eigentlich alles ganz glücklich gefügt. Er ist kein Fremder gewesen in dem Hof auf dem Hügel, er spricht genauso fließend bayerisch wie der Andres. Drei Kinder gibt es mittlerweise auf dem Hof, eine schlesisch-bayerische Mischung, höchst wohlgelungen, wie ich finde.

Was das Waldhaus betrifft, so hat es sich erheblich gemausert. Ich habe an- und umgebaut, es ist ein stattlicher Besitz geworden, ausgestattet mit allem Komfort, den moderne Menschen nun mal brauchen, ich inzwischen auch.

Wir sind viel draußen, auch im Winter, und ich habe dort die Ruhe zum Arbeiten, die ich brauche. Meine Herren Söhne besuchen das Gymnasium in Rosenheim, sie fahren mit ihren Mofas hin und zurück; nur bei Schnee und bösem Wetter werden sie von Steffi oder von mir mit dem Wagen in die Schule gefahren.

Denn ob man es nun weiterhin glaubt oder nicht, ich bin ein ganz seltenes Exemplar geworden, ein Schreiberling, der von seiner Arbeit ganz nett leben kann.

Angefangen hat es mit dem Schwabing-Buch. Da hat der Toni die richtige Nase gehabt, es wurde ein Erfolg, ein sehr ansehnlicher sogar. Und plötzlich liefen auch meine anderen Bücher, liefen erst langsam und zäh, aber mit jedem neuen Buch wurde es ein bisserl mehr und ein bisserl einbringlicher, und vor nunmehr genau elf Jahren landete ich das, was man einen Bestseller nennt. ›Helden wider Willen‹ heißt es, und vielleicht hat der eine oder andere es gelesen, damit kann ich es mir sparen, hier mehr darüber zu berichten.

Worauf ich mich wieder zum Humplmayr zurückbegebe und nun endlich kundtue, was hier gefeiert wird. Und das ist eine Menge.

Erstens: ein neues Buch von mir, das gerade vor einem Monat herausgekommen ist und einen Raketenstart gehabt hat (wie man so was in der Fachsprache nennt und weswegen mein Verleger gern mal die ganze Familie freihält).

Zweitens: die Neuauflage von dem Schwabing-Buch, auf den neuesten Stand der Lage gebracht und mit neuem Bildmaterial versehen. (Leider, leider kann der Toni nicht mehr mit uns feiern. Die Nanni hat ihn noch zehn Jahre lang gehegt und gepflegt, aber zu einem richtig soliden Menschen konnte sie ihn natürlich auch nicht mehr machen. Wozu auch! Er war mit seinem Leben, so wie es war, ganz zufrieden. Dann hat seine Leber gestreikt, was man ihr nicht mal übelnehmen konnte, und da war es denn halt aus mit dem Toni.)

Dirttens aber hauptsächlich feiern wir Hochzeitstag, Steffi und ich. Vierzehn Jahre sind eine kurze oder eine lange Zeit, je nachdem.

Für eine Ehe ist es eine lange Zeit. Und wann man in dieser langen Zeit rundherum zufrieden war mit dem, was man sich da an einem Gewitterabend am Waldrand aufgelesen hat, wenn man immer mal wieder, Hand in Hand, mit diesem Fundstück zu gerade diesem Fleckerl am Waldrand hinspaziert, sich dort in die Augen blickt, sich dann einen Kuß gibt und fragt: »War's gut so?« Und der andere antwortet: »Sehr gut« – also was will man da eigentlich noch mehr? Meine Steffi sitzt auch mit am Tisch, und wenn sie damals ein hübsches Mädchen war, so ist sie heute eine schöne Frau geworden. So schön wie eine Frau nur werden kann, die geliebt wird und die sich wohl fühlt in ihrem Leben. Sie hat sich sehr fein gemacht, sie trägt ein schwarzes Kleid, mit einem tiefen spitzen Ausschnitt, und darin eine goldene Kette mit einem Anhänger aus Aquamarin. Den hat sie zur Feier des Tages von mir bekommen, weil ich finde, er hat die Farbe ihrer Augen. Ihr Haar ist immer noch weich und blond, alles an ihr ist echt, natürlich und alles an ihr ist so geartet, daß es mir das Leben leichtmacht.

Ich weiß, daß ich meine Erfolge letzten Endes ihr verdanke. Sie hat mir Selbstvertrauen gegeben, hat immer Geduld mit mir gehabt, sie hat in mein Leben die Ruhe und die Ausgeglichenheit gebracht, die ich brauchte, um arbeiten zu können.

Wenn ich das sage, so ist darin keine Spitze gegen Rosalind verborgen. Auch sie gehört in mein Leben, auch sie hat mir viel geschenkt. Und sie gehört in gewisser Weise auch immer noch zu mir. Es ist eigentlich so geworden, wie sie damals nach der Scheidung ankündigte: »Du bist mein Mann und bleibst mein Mann, ich werde mich immer um dich kümmern.«

Wir kümmern uns wechselseitig. Rosalind kümmert sich darum, daß meine Erfolge überall richtig gewürdigt werden, sie flirtet mit meinem Verleger und becirct die Journalisten und die Fernsehonkels, wenn sie mich in die Mangel nehmen, was mir nicht immer angenehm ist. Im Grunde bin ich ein publicityscheuer Mensch, was heutzutage eine ganz unbrauchbare Eigenschaft ist. Wenn es nach mir geht, schreibe ich meine Bücher, still für mich allein, und will dann nicht gefragt werden, warum ich sie geschrieben habe, oder groß darüber reden, wenn es aber sein muß, hole ich Rosalind zu Hilfe. Sie macht das fabelhaft. Wenn irgendwo ein Interview von mir erscheint, bin ich jedesmal baß erstaunt, was ich alles gesagt haben soll.

»Hast du das gelesen?« frage ich dann Steffi. »Kannst du dir vorstellen, daß ich das gesagt habe?«

»Nein. Aber Rosalind. Und es liest sich großartig.«

Umgedreht braucht Rosalind mich aber auch. Denn wie nicht anders zu erwarten, war das Leben als Frau Killinger auch nicht immer das reine Zuckerlecken. Nichts auf Erden bekommt man geschenkt, das ist wieder einmal so ein wohlerprobter Gemeinplatz. Vor einigen Jahren sah es ziemlich bedrohlich nach einer zweiten Scheidung in Rosalinds Leben aus, und leider wäre es wieder ihre Schuld gewesen. Da hatte sie sich, im Gegensatz zu damals, nicht ein Leben im Wohlstand und Luxus gewünscht, das hatte sie ja nun, sondern einen tatkräftigen Mann für die Liebe. Mit einem Wort, meine süße Rosalind leistete sich einen höchst ausgedehnten Seitensprung, den man eigentlich schon keinen Seitensprung mehr nennen konnte – mag sein, daß sie den ab und zu schon vorher mal absolviert hat –, nein, sie ging wirklich und wahrhaft mit einem anderen Mann auf und davon. Große Liebe, große Leidenschaft, vielleicht kam sie auch in jenes berühmte Alter, wo jeder denkt, ob Frau oder Mann, nun müsse man es noch einmal derpacken, sonst wird es zu spät.

Rosalind war also weg, sie war in Rom und wollte nicht zurückkehren. Killinger war verständlicherweise sauer, und wieder war ich es, der die Sache leimte. Ich hatte ja schon Übung darin.

Ich flog nach Rom, sah mir den Erwählten an und sprach zu meiner Verflossenen mit ernster Miene: »Ich hätte dich für klüger gehalten.«

Und Rosalind darauf: »Ich war lange genug klug. Jetzt will ich endlich mal töricht sein.«

»Zu töricht, mein Kind. Wieviel jünger als du ist er; acht Jahre, zehn Jahre?«

Das war zeifellos brutal gesprochen, und prompt flog mir auch eine blaugrüne Fayence an den Kopf. Oder beinahe an den Kopf, ich wich aus, und das kostbare Stück zerschellte an der Wand.

Schließlich brachte ich sie dem Killinger zurück. Erst sagte er, er wolle sie nicht mehr, aber dann nahm er sie doch wieder, und binnen acht Tagen hatte sie es dahin gebracht, daß er sich schuldig fühlte.

»Vielleicht habe ich sie wirklich vernachlässigt«, sagte er zu mir mit bekümmerter Miene. »Sie ist und bleibt ein Kind, unsere Rosy. Man darf sie einfach nicht ernst nehmen.«

Dies nun bloß mal als kurzes Beispiel angeführt, wie unser Familienleben sich so gestaltet. Rosalind blieb und bleibt in meinem Leben drin, so wie ich in ihrem, damit haben sich alle Beteiligten abgefunden. Der Killinger ist ganz froh darüber, er meint immer, er wisse gar nicht, was er täte ohne mich. Und Steffi trägt es mit Humor, denn sie weiß ja, daß und wie ich sie liebe. Na, und für Lix und die Buben war es eigentlich auch immer ganz angenehm auf diese Weise. Wenn wir mal allein verreisen wollen, Steffi und ich – im vergangen Jahr haben wir eine große Tour durch Mexiko unternommen, war schon immer mal ein Traum von mir –, dann übersiedeln die Buben in die Killingersche Villa, oder falls sie noch Schule haben, residiert Rosalind mal wieder für eine Weile im Waldhaus, an dem sie jetzt nichts mehr auszusetzen hat.

Zum guten Schluß sollte ich die Tiere nicht vergessen. Drei Pferde und zwei Hunden gehören zur Besatzung im Waldhaus, natürlich sind weder die schöne Isabel noch mein treuer Dorian mehr dabei, sie haben uns längst verlassen, was Grund zu tiefster Betrübnis war. Aber das wissen wir ja alle, nicht wahr, daß das Leben nicht nur immer eitel Freude und Glück sein kann, daß Leid und Tränen und Abschied dazugehören. Es ist schon ein Geschenk vom lieben Gott, wenn beides sich die Waage hält. Und wenn einer ein Lebenskünstler ist, dann wird er auch Niederlagen und Mißerfolge in seinem Dasein nicht nur ertragen, sondern sogar anerkennen. Denn wie sollte man sich über Sieg oder Erfolg freuen, wenn man das andere, die dunklen Seiten des Lebens, nicht kennengelernt hat?

Und ich? Ich kann mich überhaupt nicht beklagen, ich habe mehr bekommen als jeder andere, den ich kenne. Ich habe meine beiden Frauen, mehr sind es immer noch nicht geworden, tut mir leid, ich sagte es ja schon, ich bin ein treuer Mensch, aber diese beiden haben mich jetzt ein Leben lang beschäftigt, für andere war absolut keine Zeit übrig. Ich habe meine Kinder, die hübsche und gescheite Lix – möglicherweise werde ich sogar noch Großvater demnächst, kann man's wissen? –, ich habe meine beiden Buben, die halt sind wie Buben sind, und was weiter wird, muß man abwarten. Ich habe Muni bis jetzt behalten dürfen, wofür ich zutiefst dankbar bin. Ich habe meine Tiere, ich habe Freunde, ich habe das Waldhaus.

Erfolg habe ich jetzt auch noch und etwas Geld dazu, aber so wichtig ist mir das gar nicht, ob man mir das nun glaubt oder nicht.

Ich bin und bleibe ein Narr.

Aber ein glücklicher Narr.

Heyne
Taschenbücher

Vicki Baum

Hotel Shanghai
591/DM 7,80

Hotel Berlin
5194/DM 4,80

Clarinda
5235/DM 5,80

C. C. Bergius

Der Fälscher
5002/DM 4,80

Das Medaillon
5144/DM 6,80

Hans Blickensdörfer

Die Baskenmütze
5142/DM 6,80

Pearl S. Buck

Die beiden Schwestern
5175/DM 3,80

Söhne
5239/DM 5,80

Das geteilte Haus
5269/DM 5,80

Michael Burk

Das Tribunal
5204/DM 7,80

Taylor Caldwell

Einst wird kommen
der Tag
5121/DM 7,80

Alle Tage
meines Lebens
5205/DM 7,80

Ewigkeit will
meine Liebe
5234/DM 4,80

Alexandra Cordes

Wenn die Drachen
steigen
5254/DM 4,80

Die entzauberten
Kinder
5282/DM 3,80

Utta Danella

Tanz auf dem
Regenbogen
5092/DM 5,80

Alle Sterne
vom Himmel
5169/DM 6,80

Quartett
im September
5217/DM 5,80

Der Maulbeerbaum
5241/DM 6,80

Marie Louise Fischer

Bleibt uns
die Hoffnung
5225/DM 5,80

Wilde Jugend
5246/DM 3,80

Irrwege der Liebe
5264/DM 3,80

Unreife Herzen
5296/DM 4,80

Hans Habe

Die Tarnowska
622/DM 5,80

Christoph
und sein Vater
5298/DM 5,80

Jan de Hartog

Das friedfertige
Königreich
5198/DM 7,80

Willi Heinrich

Mittlere Reife
1000/DM 6,80

Alte Häuser
sterben nicht
5173/DM 5,80

Jahre wie Tau
5233/DM 6,80

Henry Jaeger

Das Freudenhaus
5013/DM 4,80

Jakob auf der Leiter
5263/DM 6,80

A. E. Johann

Schneesturm
5247/DM 5,80

Utta Danella

Die Frauen der Talliens
Ein Familienroman. 496 Seiten. DM 28,–

Quartett im September
Eine Geschichte vom Glück dieser Erde.
Roman. 347 Seiten. DM 26,–

Alle Sterne vom Himmel
Roman. 478 Seiten. DM 28,–

Tanz auf dem Regenbogen
Roman. 448 Seiten. DM 28,–

Stella Termogen
oder Die Versuchungen der Jahre
Roman. 800 Seiten. DM 34,–

Der Maulbeerbaum
Roman. 536 Seiten. DM 30,–

Vergiß wenn Du leben willst
Roman. 360 Seiten. DM 26,–

Der Sommer des glücklichen Narren
Roman. 352 Seiten. DM 26,–

Regina auf den Stufen
Roman. 480 Seiten. DM 28,–

Gestern oder Die Stunde nach Mitternacht
Roman. 320 Seiten. DM 26,–

Jovana
Roman. 576 Seiten. Leinen DM 28,–

Preisänderungen vorbehalten

Schneekluth